Regina
Klingsiel

27.10 Freitag
1 23. - 28.   alle
                    Leistungskurse

2. 11. - 16. 12
     15. 12   2. Klausur

Über dieses Buch

Dieses Buch ist ein Experiment, von dem man längst weiß, daß es gelungen ist und allgemeine Zustimmung gefunden hat. (Die erste Auflage der Originalausgabe war bereits nach drei Monaten vergriffen.)
Die Lyrikerin Hilde Domin ließ – das ist bisher noch nirgends versucht worden – 31 zeitgenössische deutsche Gedichte von einem Kritiker und vom Autor selbst interpretieren; dabei kommen alle heute vernehmbaren Richtungen zu Wort, von der Naturlyrik Eichs und Huchels bis zu den Sprachexperimenten Heißenbüttels und Mons. Bei diesem Experiment wußte weder der Autor, was der Interpret, noch der Interpret, was der Autor schreiben würde. Richard Exner meint dazu in der ZEIT: »Es handelt sich um den Versuch, das moderne Gedicht von innen und von außen vor einem breiten Publikum zu beleuchten, die Leser teilnehmen zu lassen am Akt des Interpretierens selbst. Der Leser wird gewissermaßen in den Zirkel der Deutung aufgenommen und erfährt etwas Neues über das Interpretieren überhaupt. Und er erfährt es aus dem Eingangsessay von Hilde Domin und aus der Praxis der Gegenüberstellung. In seiner Intention ist der Band beispielhaft, in seiner Ausführung kompetent.«

Die Herausgeberin

Hilde Domin, 1912 in Köln geboren, Doktor der Staatswissenschaften, gehört zu den wenigen wirklich gelesenen deutschen Lyrikern der Gegenwart. Ihre ersten Gedichte entstanden 1951 in der Dominikanischen Republik, wo sie das Deutsche Lektorat an der Universität innehatte. 1959 erschien ihr erster Gedichtband ›Nur eine Rose als Stütze‹. Weitere Veröffentlichungen: ›Rückkehr der Schiffe‹, Gedichte (1962), ›Hier‹, Gedichte (1964), ›Höhlenbilder, Gedichte 1951–1952‹, (Hundertdruck 1968, mit drei Ätzungen von Heinz Mack), ›Wozu Lyrik heute. Dichtung und Leser in der gesteuerten Gesellschaft‹ (1968), ›Das Zweite Paradies. Roman in Segmenten‹ (1968), ›Ich will Dich‹. Gedichte (1970), ›Die andalusische Katze‹, mit Linolschnitten von Axel Hertenstein (1971). Außerdem hat Hilde Domin den Band ›Spanien erzählt‹ (Fischer Taschenbuch Nr. 1799) herausgegeben und die Anthologie ›Nachkrieg und Unfrieden, Gedichte als Index 1945–1970‹ (1970). Hilde Domin hat Lesungen und poetologische Vorträge an Universitäten und literarischen Institutionen des In- und Auslandes gehalten, ist Mitglied des PEN und erhielt 1977 den Rilke-Preis. Ihre Gedichte wurden ins Englische, Französische, Italienische, Lettische, Portugiesische, Rumänische, Spanische und Ungarische übertragen.

Doppelinterpretationen

Das zeitgenössische deutsche Gedicht
zwischen Autor und Leser

Herausgegeben und eingeleitet
von Hilde Domin

 Fischer
Taschenbuch
Verlag

Fischer Taschenbuch Verlag
 1.–25. Tausend: November 1969
26.–30. Tausend: Dezember 1971
31.–35. Tausend: Februar 1973
36.–40. Tausend: Februar 1974
41.–45. Tausend: Juli 1975
46.–50. Tausend: Mai 1976
51.–55. Tausend: Oktober 1977
Umschlagentwurf: Hans-Jürgen Spohn

Fischer Taschenbuch Verlag GmbH, Frankfurt am Main
© 1969 Athenäum Verlag GmbH, Frankfurt am Main
© 1976 Fischer Taschenbuch Verlag GmbH, Frankfurt am Main
Gesamtherstellung: Hanseatische Druckanstalt GmbH, Hamburg
Printed in Germany
580-ISBN-3-596-21060-7

Inhalt

Da wo die Nüchternheit dich verläßt,
ist die Grenze deiner Begeisterung.
Hölderlin

Ist das lyrische Vorhaben ein glückliches,
dann arbeiten Gefühl und Verstand völlig im Einklang.
Brecht

Zur Entstehung dieses Buchs:

Die Auswahl sollte so breit und so objektiv wie möglich sein, alle Richtungen zu Wort kommen lassen. Sie wurde mit den Teilnehmern abgestimmt, die aufgefordert waren, etwaige Ungerechtigkeiten zu beheben. Von allem Anfang an war spezifisch an die Nachkriegslyrik gedacht. Zwei Ausnahmen wurden gemacht: für Nelly Sachs, deren Werk wesentlich ein Nachkriegswerk ist. Und für Hans Arp, der nach der nazistischen Eklipse eine zweite Jugend begann.

Die zu interpretierenden Texte wurden von Autor und Herausgeberin gemeinsam ausgesucht, in einzelnen Fällen schlug der Interpret den Text vor. Die Interpreten wählten ihre Autoren selbst aus der ihnen vorliegenden und mit ihnen zuvor besprochenen Liste. Der Autor wurde erst nach Ablieferung beider Manuskripte über den Namen seines Interpreten informiert, die Teilnehmer sahen die »Gegeninterpretationen« erst bei Erscheinen des Bandes. Jeder der Teilnehmer ist für seinen eigenen Beitrag verantwortlich. Die Herausgeberin ist nur verantwortlich für Plan, Methode und Durchführung des Ganzen.

Die Texte sind nicht, wie üblich, in alphabetischer, chronologischer oder thematischer Reihenfolge angeordnet. Vielmehr ist versucht, eine Art Ablauf oder Bogen darzubieten, ein ›Spektrum‹: beginnend mit den stärker von der Substanz her bestimmten, endend mit den ausschließlich Sprachproblemen gewidmeten Lyrikern; die beidem in gleicher Weise verpflichteten Autoren sind um die Mitte gruppiert. Diese Anordnung, hypothetisch wie sie ist, gilt nur für die hier ausgewählten Texte, während andere der gleichen Autoren oder auch ihr Werk sehr wohl einen andern Stellenwert haben könnten. Eine Rang- oder Qualitätsordnung ist auf keinen Fall gemeint.

Auf den gesonderten Abdruck des ›Spektrums der Texte‹ mußte im Rahmen dieser Ausgabe verzichtet werden. Im übrigen ist die Originalausgabe wortgetreu wiedergegeben. Die bibliographischen Notizen und die Einleitung wurden ergänzt. Der ausführliche Rechenschaftsbericht ist durch den obigen ersetzt.

Hilde Domin, März 1969

Über das Interpretieren von Gedichten

Dieser Band ist keine Anthologie im üblichen Sinne. Schon insofern nicht, als kein Anthologist da ist. Es ist nur ein Treuhänder da. Die Herausgeberin hat Mitarbeiter gesammelt. Diese Mitarbeiter haben dann, ohne jeweils voneinander zu wissen, mit ihrer Hilfe sich über die Wahl der Texte geeinigt[1]. Dieser Band ist überhaupt keine Anthologie. Er ist der Treffpunkt, an dem der Lyriker und sein Leser, ein bestimmter Leser, sich bei einem seiner Gedichte treffen. 30 Stelldicheins sind hier vereinbart worden, bei 30 Texten, also für 60 Menschen[2]. Diese Art Stelldichein findet unablässig statt. Bei jeder Lektüre, natürlich. Selten ist einer zugegen, der es kontrolliert. Am seltensten der Autor. Noch nie sind derartige »Verabredungen bei einem Gedicht« öffentlich ausgetragen worden. Selbstinterpretation gegen Fremdinterpretation. Das ist noch nicht versucht worden. Deswegen rufe ich gleich zwei Schutzheilige an, zwei ganz verschiedene, so verschieden wie nur möglich, auch weil es etwas außerordentlich Beruhigendes hat, daß zwei so entgegengesetzte Geister die Hand über dies Unternehmen zu halten vermögen.

»Der Lyriker«, sagt Brecht, »braucht die Vernunft nicht zu scheuen.« »Wie man aus den Werkstättenberichten großer Lyriker weiß, handelt es sich bei ihren Stimmungen keineswegs um so oberflächliche, labile, leicht verfliegende Stimmungen, daß umsichtiges Nachdenken stören könnte. Die gewisse Beschwingtheit und Erregtheit ist der Nüchternheit keineswegs entgegengesetzt.« Diese von Brecht gemeinte Nüchternheit ist der »heiligen Nüchternheit« Hölderlins eng verwandt.

> Den Schatten nicht hinters Licht führen!
> . . .
> er wird hager und scharf gehalten
> Traum für Traum muß er
> einen Imbiß nehmen von Wasser

---

[1] Wegen Schwierigkeiten hinsichtlich der Textauswahl schieden Richard Exner, der Piontek interpretieren wollte, und Margot Scharpenberg aus.

[2] Bobrowski und Max Rychner starben kurz nach ihrer Zusage. Der jüngste und der älteste Mitarbeiter des Bandes, Joachim Rochow und Hans Arp, erlebten sein Erscheinen nicht und sahen also auch die Gegeninterpretationen nicht mehr. Daß

formuliert einer der Mitarbeiter dieses Bandes, H. P. Keller. Wobei denn keineswegs zu vergessen ist, daß für diese »Wasser trinkenden Schatten« immer noch die Diätvorschriften Homers gelten: ihr erster Schluck ist Blut, erst müssen sie »hier« sein, erst müssen sie Leben, müssen sie Wirklichkeit trinken. Dann das heilig nüchterne Wasser. Es ist jedoch untrennbar. »Das Gefühl ist die beste Nüchternheit des Dichters«, sagt Hölderlin, »wenn es richtig und warm *und* klar *und* kräftig ist« (kursiv gesetzt von mir). »Hölderlins Abstracta sind beseelt, weil sie eingetaucht waren im Medium des Lebendigen, aus dem sie entführen sollen«, präzisiert Adorno[3], und trifft sich hier überraschenderweise mit der Forderung des »Antipoeten« Bense, daß die Erregung »eine Erregung der Wörter« sein müsse. Und nur die »Erregung der Wörter«, ihr Eingetaucht*gewesensein*, kann in der Tat hier interessieren.

Dabei verschiebt sich, je nach der Epoche, je nach dem Temperament des Autors, die Anforderung, die an den Begriff der Nüchternheit gestellt wird, das ist die Relation von Erregung und Gedanke. Forderungen wie die von Benn und nicht nur von ihm, »das künstlerische Material kalt zu halten«[4], sind von seiner immanenten Tendenz zur Erhitzung her zu verstehen. Daß es sich bei Lyrik aber grundsätzlich und immer um diese Bipolarität handelt, darf angesichts der übereinstimmenden Grundsatzerklärungen zweier solcher Antipoden, wie es Brecht und Hölderlin sind — diese beiden Eckpfosten, zwischen denen, was heute in Deutschland geschrieben wird, cum grano salis[5] Platz hat — wohl als gesichert gelten. So daß das Heranziehen weiterer Nothelfer, die beliebig zur Verfügung stünden (so, sehr ausdrücklich, z. B. Pound, Eliot, Olson — Benn brachte ich bereits herbei), sich erübrigt. Und die in Deutschland in den letzten 15 Jahren geübte Praxis, für die

Paul Celan in keiner Form teilnehmen wollte, haben alle Mitarbeiter bedauert. Die Herausgeberin schlägt vor, bei der Lektüre einen Celantext: etwa *Oben, geräuschlos, die Fahrenden* (*Sprachgitter*, S. 48) oder *Wurfholz* (*Niemandsrose*, S. 56), irgendwo in der Mitte einzuordnen und mitzulesen.

[3] Theodor W. Adorno, *Noten zur Literatur* III, (Bibl. Suhrkamp S. 179). — Brecht, zitiert nach: *Über Lyrik* (Ed. Suhrkamp); Benn, aus: *Probleme der Lyrik* (Vortrag an der Universität Marburg, 1951); Wilhelm Lehmann, *Kunst des Gedichts* (Insel Bücherei) und Vorwort zu: *Gedichte* (Reclam); Mitarbeiterzitate, siehe Werkverzeichnis.

[4] »Ein Dichter, der sich noch nicht kalt genug gemacht, um andere warm zu machen«, spottet Jean Paul (*Vorschule der Ästhetik*, 3 II). »Wärme der Sprache, also des Mundes wurde mehreren Dichtern als ein bedenkliches Zeichen von Gebrechlichkeit verübelt, so wie an Hunden warme Schnauze Unpäßlichkeit bedeutet.«

[5] Cum grano salis: eine am Romanischen geschulte Sprachdisziplin, der die ganze Moderne bestimmende Einfluß der Franzosen und Spanier ist in einem sich erweiternden Sektor unserer Lyrik unverkennbar.

die in diesem Band versammelten Stimmen stellvertretend Zeugnis ablegen, zeigt, daß die Relation, de facto, eine andere ist, als der Laie es sich von der zeitgenössischen deutschen Lyrik erwartet. Die deutsche Lyrik in ihrem Gesamt ist weder so zerebral (»kopflastig«, wie es so hübsch genannt wird, ein Terminus, der von der Flugzeugindustrie entlehnt sein soll), noch so dunkel und extrem, wie der durch die Tagesdiskussion verschüchterte Leser gemeinhin fürchtet[6].

Dies hat sich inzwischen herumgesprochen, einzelne Gelehrte sind dabei, die Meinung umzuorientieren und das Gegenteil nachzuweisen. Die neue Szene beginnt sich deutlich abzuzeichnen. Der französische Surrealismus und die spanische Lyrik der 20er und 30er Jahre (Vorbürgerkriegslyrik, die hier als etwas Akutes und Gegenwärtiges ins Bewußtsein getreten war und nach dem Krieg bei uns nicht nur verspätet, sondern auch extremistisch aufgenommen wurde) sind inzwischen anverwandelt. Das Vokabular hat sich uns geordnet, ist durchschaubarer geworden, es war eine harte Erziehung, auch der Lesenden. Das Merkwürdige und Schöne ist daran, daß dieselben Texte nur ein wenig anders gelesen werden. Das Kunstwerk verändert sich mit uns. Denn eine Verlagerung der Sensibilität

[6] *Exkurs über literarische Meinungsbildung*
Das Bild, das dieser verschüchterte Leser von den Mengen der »bastelnden« Anfänger und Mitläufer gewinnt, die »Kümmerformen literarischen Ausdrucks finden, nichts was ein Elektronengehirn nicht besser zusammenstellen würde« (wie Edgar Lohner es im Zorn ein wenig global formuliert hat), ist eine Verzerrung jener – doch auch nur relativen – Metapher Valérys vom Lyriker als »Ingenieur«. Immer hat die große Zahl, immer haben die Anfänger die modischen Rezepte appliziert . . . und nichts als appliziert. Sie sind und waren nie mehr als der Hintergrund für die Gezählten, die die eigene Stimme haben. Es ist die *Quantität* der Adepten, ihre wenn auch kurzlebige Verbreitung durch Massenmedia, auch der Nachdruck, den das Modediktat des Augenblicks durch diese Massenmedia bekommt, die ein offensichtlich falsches Pauschalurteil hervorrufen. Und zwar nicht nur unter den Laien, sondern unter den Schreibenden selbst.
Dem falschen Pauschalurteil stehen unnachprüfbare ideale Forderungen gegenüber, was jedoch eine viel zu robuste Behauptung ist, sie liegen vielmehr in der Luft, ungenau drohende Imperative, deren Stärke sich an den Überzeugungsopfern mißt, die sie kosten. Anders herum gesagt, die Angst, mit etwas wie »einem Gartenzwerg im Arm« (Jens Hoffmann) entdeckt zu werden, erschreckt jeden, wobei denn doch keiner weiß, was unversehens zum »Gartenzwerg« deklariert werden könnte. Nur diese Angst ist präzise, nicht ihr Gegenstand. Selbst über die Repressalien läßt sich nur vermuten. Ortega y Gasset hat diese Situation wohl richtig diagnostiziert (*La deshumanización del arte*), wenn er zwischen Eingeweihten und nicht Eingeweihten, die aber à tout prix dazugehören wollen, unterscheidet, und die Bedrohung der Zugehörigkeit zu den »Spielenden« für das Mißtrauen gegenüber dem eigenen Urteil verantwortlich macht, wobei er auf die besondere Labilität der älteren Generation als ältere, der jüngeren als einzuweihende hinweist.
Darüber hinaus macht das moderne Kommunikationssystem als solches in einer erschreckenden Weise als »Gleichschalter« und erweist sich zunehmend als stärker als der Wille seiner Benutzer. Jede einmal in es »hineingefütterte« Information (Ur-

gilt immer für beide, die Schreibenden wie die Lesenden, zwischen ihnen gibt es keine Trennung, sie sind Spiegelbilder. Wir sind so weit ins »Unverstehbare« gegangen, ins Enthumanisierte, daß wir an einen Umschlagspunkt gekommen sind.[7]

Übrigens sind alle »Kinderschrecken«, die Abstrakten und die Unsinnsdichter, in ihren besten Köpfen hier vertreten, in einer Proportion, die sie selber als eine angemessene und realistische bezeichnen. Alle überdies gewissenhafte Sprachhandwerker, keineswegs willkürlich, wie das Publikum und die Nachahmer glauben, sondern bis zum Exzeß methodisch und verantwortlich, und der eingestandenen Intention nach in ihren Texten »nicht den Gedächtnishof verlassend, ohne den Sprache nicht Sprache ist«. (Heißenbüttel, der ausdrücklich feststellt, daß »alle Versuche, Wörter wie bloße Quanten zu Lege- und Kombinationsspielen zu benutzen, sich als Leerlauf erwiesen haben« und die »semantische Sprachebene« nicht abdingbar ist.) Der Anteil dieser »Sprachingenieure« im engeren Sinne, denen besonders auch theoretische Erkenntnisse verdankt sind, ist in dieser Sammlung mit zehn Prozent vielleicht eher hoch angesetzt.

Auch der »Kahlschlag«, spürbar wie er war und manchem vielleicht noch ist, die 1947 gemachte Zäsur, zieht sich in

teil, Fehlurteil, Arbeitsmaxime) multipliziert sich wie bei einem Computer in geometrischer Reihe, unaufhaltsam und unzurücknehmbar: auf immer breiterer Skala »Konvention« etablierend, Entscheidung erdrückend. Der Kritiker selbst ist nahezu unfähig, die in Gang gesetzte Maschine zum Stehen zu bringen oder »umzuinformieren« oder auch sich selber gegen sie zu behaupten. Es ist dies einer der Aspekte der »Verdinglichung«, die für uns »Schicksal« spielt: dem Menschen und der Kunst in gleicher Weise feind.

Ein Beweis für die konformierende Kraft der Apparatur: die erwähnte Labilität dem eigenen Urteil gegenüber hört oberhalb eines consensus plötzlich auf wie an einer Baumgrenze. Ein Lyriker, der den offiziellen consensus hat, kann auch heute noch ungestraft z.B. »Herz« oder sogar »Seele« oder »Träne« sagen, ganz wie die Lyriker aller Zeiten. Andere werden eingeschüchtert und ängstigen sich bei der Benutzung tabu-verdächtiger Worte, so daß diese dadurch um so »verdächtiger« werden. Dabei ist die Kategorie bereits als solche illegitim und werkfremd: es gibt so wenig verbotene Worte oder Metaphern, wie es erlaubte oder gar besonders empfehlenswerte (»lyrische« Wörter) geben kann (s. unten H. Politzer). Jedes Wort ist als Sinnpartikel in gleicher Weise zur Verfügung. Allein der Gebrauch innerhalb des Kunstwerks entscheidet: ob es im Kontext »notwendig« ist, und ob es im Kontext lebendig ist. (Domin, *Die Prinzipien der Wort- und Bildwahl*, in *Wozu Lyrik heute. Dichtung und Leser in der gesteuerten Gesellschaft*, München, 1968, S. 119 ff. Der Extremfall des weithin kenntlichen »toten Worts« ist das cliché.) »Wie kannst du die Sache am rechten Ort brauchen, wenn du noch scheu darüber verweilst«, sagt Hölderlin. »Das ist ewige Heiterkeit . . . daß man alles Einzelne in die Stelle des Ganzen setzt, wohin es gehört; deswegen ohne Verstand, oder ohne ein durch und durch organisiertes Gefühl keine Vortrefflichkeit, kein Leben.«

Das Schielen nach der kunstfremden Abstempelung, wie sie der Literaturbetrieb vergibt, erschwert nicht nur das Schreiben (ob man schreiben »darf«, was zu schreiben ist), sondern eben auch die Freude am Kunstwerk: ob man sich an etwas freuen »darf«, das einen freut.

der Perspektive schon zusammen. Die deutsche Lyrik ist, mehr
als die Politiker, mit der »Vergangenheit« »fertig geworden«.
Sie ist aus der Provinz in die Welt gegangen. Und — es ist
Zeit, das auszusprechen — sie ist, wie alle Lyrik eh und je, der
Tradition der Sprache eng verbunden, enger als man meinte,
diesem Webmuster, dessen zähe und zarte Fäden immer wieder sichtbar werden, wenn man nur weit genug davon zurück-
tritt. »Die Meinung vom raschen Stilwechsel ist eine optische
Täuschung. Die Vielfalt, die sie vorspiegelt, gibt es nicht. Es
gibt Nuancen und Varianten ... die Originalität kommt dabei
nicht zu kurz. Originalität ist eine Qualitätsfrage, und diese
wird nicht nach dem Typus entschieden. Der Typus aber —
hier die Stileinheit moderner Lyrik — erleichtert das Erkennen.«[8]
Die zeitgenössische deutsche Lyrik ist auch überwiegend —
und auch dies wohl entgegen der Erwartung des breiten Publi-
kums — »reine« Lyrik, also keine in einem engeren Sinne
»engagierte«, sie »encaailliert« sich nicht[9], auch wo die Autoren selber — und das sind fast alle — in einem gewissen Sinne
engagiert sind. Elfenbeintürmler sind nicht unter uns, wir wissen, daß wir keine »heile Welt« bewohnen, und die Wirklich-

Das heißt nichts anderes, als daß Orientierung — hierin wie in allem — heute besonders erschwert ist. Die Meinungsoberfläche ist verunklärt. Ein Kafka'sches Gefühl gegenüber dem vagen und mächtigen Ambiente behindert die Sicht und den
Mut, diese unerläßliche Vorbedingung jedes künstlerischen Tuns. Und manches
schwächere Talent bleibt vor lauter Konformismus und Selbstverstümmelung im
Stadium der Anwendung stecken. Während Lyrik, gerade die moderne Lyrik, auf
jeden Fall vom Nonkonformismus lebt, vom Nichteinverständnis. Denn Lyrik ist,
wie alle Kunst, von Haus aus Freiheit. (Weiteres hierzu in Domin, *Wozu Lyrik
heute*, insbes. unter *Die Dialektik von Urteil, Vor-Urteil und Schaffensprozess in
der gesteuerten Gesellschaft*.)
7 Auch Hugo Friedrich, der (*Die Struktur der modernen Lyrik*, Hamburg, 1956,
S. 154) feststellte, daß Lyrik ... »ihre Möglichkeiten erschöpft zu haben scheint
und zuweilen sich selbst zu vernichten droht«, hat diesen Satz (wie auch den über
einen möglichen »Abschied von Lyrik«) in der Neubearbeitung von 1967 gestrichen,
spricht in dem neuen Vorwort von »Entspannung« und einer »da und dort fühl-
baren Rückkehr zur humaneren ... Lyrik«, die »eine der Freiheiten und Kühn-
heiten der Epoche« geblieben sei. (Wenn nicht ausdrücklich angegeben, beziehen
sich die Zitate immer auf die 1. Auflage.) — Demonstrationen von »Hermetisie-
rung« und »Ent-Hermetisierung« an Texten von Guillén und Benn in meiner Re-
zension von *Struktur* 1967 (*Der Monat*, November 1968).
8 Friedrich, *Struktur*, S. 107/8.
9 Adorno über *Engagement*: »Den Kunstwerken [ist] aufgebürdet, wortlos festzuhalten, was der Politik verwehrt ist ... Noch im sublimiertesten Kunstwerk
birgt sich ein Es soll anders sein ... Kunstwerke, auch literarische, [sind] An-
weisungen auf die Praxis, deren sie sich enthalten: die Herstellung richtigen Lebens.« (Noten III, S. 134) Ebenso Krolow; cf. auch Heißenbüttel über den »von
Grund auf utopischen« Charakter gerade der heutigen Lyrik.

keit, für die wir keine Patentlösung haben noch zu haben vorgeben, wird von uns nicht beschönigt. Ob es freilich uns — oder doch einigen von uns — gelungen ist, sie exemplarisch auszudrücken, müssen andere sagen.

In seltenen, unsern hellsten Augenblicken sind wir bisweilen noch die Nachkommen des »enfant déshérité« von Baudelaire. In keinem stehen wir, »das Salböl in den Händen«, auf einem Söller oder sonstigen Gebäudevorsprung als reiche Erben über einem Park. Schade oder auch nicht schade, das ist eine Tatsache. Auch, daß das Melos uns abhanden gekommen ist. Melos wäre Beschönigung. »Wir müssen unsere Litaneien in die gräßlichen Prospekte hineinsagen, ganz einfach sagen, nicht lautstärker als vorher. Das muß so sein — zwischen allen Stühlen, das ist eine Position . . .« Diese Worte, von einem Lyriker der DDR[10] gesprochen, vereinigen — bis auf die kleine Schar derer, die das Sagen als solches aufgesteckt haben, und bis auf den lautstärksten Enzensberger — alle, die heute deutsche Lyrik schreiben.

Dieses Buch will dem Verständnis des zeitgenössischen deutschen Gedichtes dienen, und zwar konkret, am Einzelbeispiel. Mit Hilfe der Lyriker selbst. Dabei kehren sich die Rollen um. Beim Lyriker, der sein Gedicht interpretiert, wird das Abstraktionsvermögen auf den Plan gerufen, das ihm in einem von Fall zu Fall verschiedenen Maße zur Verfügung stehen wird.

Immer hat es ihm zur Verfügung gestanden. Der moderne Lyriker ist kein trainierterer Geist, nicht mehr poeta doctus als z. B. die Romantiker oder die Dichter der Renaissance, obwohl das gängige Vorurteil, lobend oder tadelnd, uns für »reflektierter« erklärt. Aber die Begegnung mit der Wirklichkeit, also die Möglichkeit der Kunst als solcher, ist uns in der Tat problematischer geworden, über sie wird mehr und mehr reflektiert. — »Um präzise Emotion auszudrücken«, ich zitiere Eliot, »bedarf es eines ebenso großen intellektuellen Vermögens wie zum Ausdruck präziser Gedanken.« Nur daß dieses Vermögen eben anders funktioniert.

Beim Interpreten, bei dem das Abstraktionsvermögen eo ipso vorausgesetzt ist, wird an das Einfühlungsvermögen appelliert, so daß auch ein Band, der Gedichte analysiert und deutet, auf die *beiden* Komponenten, die im Gedicht sind, nicht verzichten

[10] Bobrowski, zitiert nach Peter Jokostra, *Die Zeit hat keine Ufer*, 1963, S. 56. Ebenso Walter Jens, *Deutsche Literatur der Gegenwart*, 1961, S. 45.

kann, wenngleich sich das Gewicht zugunsten der ratio verschieben muß.

X *Diesen rausschreiben*

Die grundsätzliche Interpretierbarkeit von Gedichten.
Methoden und Grenzen der Interpretation

Soll ein Gedicht überhaupt interpretiert werden, geschweige denn gegeninterpretiert? Diejenigen, die glauben, daß der Dichter dichtet wie der Vogel singt, halten die Interpretation erstens für einen Frevel und zweitens für unnütz.

>   Fragste die Lilie, die Rose
>   warumse, weshalbse, wiesose?

sagte man mir.
»Was den Widerwillen gegen das, was man das Zerpflücken von Gedichten nennt, das Heranführen kalter Logik, Herausreißen von Wörtern und Bildern aus diesen zarten, blütenhaften Gebilden angeht« — ich stelle mich nochmals hinter die in diesem Sinne breiten Schultern von Brecht, denn wenn ich auch mit vielen daherkomme, so habe ich doch den Plan und die Methode des Ganzen zu verantworten —, »der Laie vergißt, wenn er Gedichte für unnahbar hält, daß der Lyriker zwar mit ihm jene leichten Stimmungen, die er haben mag, teilt, daß aber ihre Formulierung ein Arbeitsvorgang ist und das Gedicht eben etwas zum *Verweilen gebrachtes Flüchtiges* ist, also etwas verhältnismäßig Massives, Materielles.« »Etwas, das nun so mächtig in sich besteht, daß ein jeder wie zu einem öffentlichen Denkmal hinzutreten und seine Ansicht davon abnehmen kann«, erklärt Franz Mon. Das bekannte monumentum aere perennius. »Nichts, was sterblicher wäre«, sagt Enzensberger. »Jeder Tag könnte sein letzter sein.« »Gedichte sind, wenn sie überhaupt lebensfähig sind, ganz besonders lebensfähig«, tröstet uns Brecht, »und können die eingreifendsten Operationen überstehen.« Fast wörtlich übereinstimmend nennt Lehmann das Gedicht »ebenso zart wie widerstandsfähig« (an anderer Stelle spricht er von den »zarten und tüchtigen Fingern des Gedichts«), es habe »eine gute Heilhaut«. Also sind Gedichte wohl vom Stoff jenes Zartesten — ich zitiere Laotse — das »das Starke besiegt und das Allerhärteste auf Erden überholt.« Daher braucht man in keinem Sinne je für ein Gedicht zu fürchten.

Gedichte überleben das Lesen — das ist, das interpretierende Lesen — von Generationen, sie werden manchmal in Grund und Boden gelesen, richten sich auf wie Gräser und sind plötzlich wieder da, verfügbar für neue Deutung. Daß z. B. Goethe und Hölderlin »umsonst gelebt« hätten, wie aus der Verzweiflung einer bestimmten Optik heraus gesagt wurde (Usinger), dem steht eine Leseerfahrung von 2000 Jahren entgegen.

Befreit vom »Zufall der Entstehung« im Augenblick seiner Veröffentlichung, macht sich das Gedicht auf zu den »Zufällen seiner Aneignung«: historisch-sozial-persönlich bedingten, in unabsehbarer Folge wechselnd, die sich ihm vorübergehend einverleiben, in jedem Augenblick so relativ wie im ersten. Nur anders. Der Sinn wandert mit, sich dauernd wandelnd. Je nach der konkreten Konstellation steht das Gedicht bald mehr im Licht, bald mehr, oder auch ganz, im Schatten. Vorausgesetzt, es habe die Qualitäten, die es zunächst überhaupt einmal überliefernswert machen. Früher oder später, hinter irgendeiner Biegung, unvorhersehbar aber sicher, gabelt sich der Weg: der eine führt in die Archive, der andere zu den Menschen. Die potentielle Virulenz des Gedichts, das heißt, seine Fähigkeit immer neue Assoziationen anzusaugen, schwer prognostizierbar, wie sie ist, steht im Verhältnis zu dem, was ich seine »Reserve an Ungesagtem« genannt habe, die immer neu, aber immer anders mitgehört wird.

Daher verlangt z. B. der englische Dichter Cecil Day Lewis, daß alle Gedichte von Generation zu Generation neu übertragen werden, damit sie der jeweiligen Sensibilität genau entsprechen[11], was ja auch de facto weitgehend getan wird. (Übertragen ist bekanntlich eine Form des Interpretierens.)

»Der Leser gehört mit zum Text, den er versteht.«[12] Deswegen geben die hier gesammelten Interpretationen die Gedichte wieder, wie sie im Jahre 1965 von diesen bestimmten Lesern gelesen wurden. Schon in wenigen Jahren könnten diese gleichen Gedichte von den gleichen Lesern ein wenig anders gelesen werden. Auch die Auswahl würde anders ausfallen. Schon

---

[11] Day Lewis entwickelte diese These an einer Geschichte der englischen Vergil-übersetzungen, bis zu seiner eigenen. (In einer Harvard lecture, 1964.) Zu dem »unaufhörlichen Wachstumsprozeß« z. B. Homers, Shakespeares etc., cf. René Wellek/Austin Warren, *Theory of Literature*, S. 34/35.

[12] Hans-Georg Gadamer, *Wahrheit und Methode*, S. 323. — Die »mangelnde Extraterritorialität« untersucht umgekehrt Roland Barthes im Hinblick auf das kritische Urteil. (›Was ist Kritik‹, aus: *Essais critiques*, 1964.)

heute können von andern oder in anderen Ländern diese gleichen Gedichte etwas anders verstanden werden. Ein Gedicht ist mehr als die Summe seiner Interpretationen. Um den formulierten »Erfahrungskern« können »multiforme Einzelfälle« anschließen, je nach der sich verändernden Wirklichkeit, innerhalb deren die Gedichte aufgenommen werden.

Darüber hinaus ist jede Interpretation nichts anderes als eine Annäherung. Die Interpretation führt hin an das Gedicht, sie lehrt zunächst einmal genau lesen. Ganz wie der Betrachter eines Bildes zunächst einmal sehen lernen muß, was »da« ist. Es ist keineswegs selbstverständlich, daß ein jeder das kann oder tut. Sehen lernen, hören lernen, lesen lernen, »was da ist«, ist die erste Übung. Abgesehen davon, daß die Interpretation den Leser lesen lehrt, was da steht, macht sie ihn hellhörig für das, was im Gesagten mitschwingt, was also nicht — oder so nicht — *da* steht, sondern mitangeschlagen ist. Und sie macht darauf aufmerksam, wie das Gedicht es erreicht, daß das eine gesagt, aber etwas anderes oder mehr gemeint ist. Interpretation führt den Leser bis hin an das Gedicht, sie zeigt ihm, wie er lesen könnte. Dann läßt sie ihn los. Im besten der Fälle steht der Leser nun ein wenig weniger hilflos vor dem Gedicht. Lesen kann er nur für sich allein. Es ist ein *Hic Rhodos*, Springen kann man vormachen. Springen muß jeder selbst. Das Lesen des Gedichts, ganz wie das Schreiben — wenn auch um Intensitätsgrade verschieden —, ist ein sowohl gedanklicher wie emotioneller Vorgang.

Wir stellen also hier ab auf das interpretierende Lesen. Grob gesagt, auf die Benutzung des Kunstwerks, auf diejenige Art des Umgangs mit ihm, die ihm eine größtmögliche Wirksamkeit sichert. Die es also seiner Bestimmung zuführt. Die Fragestellung ist hier: wie habe ich etwas vom dem Gedicht, was will das Gedicht von mir, was kann ich von ihm wollen.

Um es ganz klar zu machen, die Fragestellung ist also nicht: wie verstehe ich ein Gedicht genug, um zu beurteilen, ob es gut oder schlecht, ob es lesens- und überlieferungswert ist. Wobei das interpretierende Lesen nur ein Mittel des kritischen Lesens wäre, der Zweck aber die Urteilsbildung, nicht das Lesen als solches.

Wo auf das Lesen als solches, und also auf das interpretierende und aneignende Lesen, die »Einheit von Vollzug und Reflexion« (Adorno, *Noten* II, S. 43), abgestellt ist, erscheint wiederum das »kritische Lesen« nur als Variante, dem Zweck der Aneignung untergeordnet. Aber so wie bei dem rein auf Kritik ausgerichteten Lesen der reflektierende Vollzug gleichsam nachgeliefert wird, wenn die Kritik positiv ausfällt (und der Kritiker sich das Gedicht dann post festum meist anverwandelt), so ist im interpretierenden Lesen Kritik inhärent: Insofern nämlich der »Vollzug« durch eine Unvollkommenheit des Kunstwerks gestört wird, schlägt er in kritische Untersuchung des ungenügenden Textes um. (Aber auch wo die reflektierende Aneignung unbehindert vonstatten gegangen ist, wird nachträglich eine kritische Feststellung seiner die Aneignung fördernden Qualitäten, sozusagen eine Legitimierung des eigenen Geschmacks, von manchen Lesern gesucht werden. Von andern nicht, natürlich.)

Das kritische und das interpretierende Lesen sind also zwei einander sowohl entgegengesetzte wie engst verbundene Weisen des Lesens, das eine relativierend und distanzierend: stimuli rekonstruierend und Standorte fixierend, das ist, in der einen oder andern Weise ein Urteil über die »Gültigkeit« des Textes suchend. Das andere verabsolutierend, das ist: »den Text in seinem Wahrheitsanspruch ernst nehmend« (Gadamer[13]) und aneignend. Praktisch sind in einem gewissen Grade jeweils beide im Spiel. Und je nach dem vorbestimmten Zweck, auch nach dem Temperament des Lesers, wird das eine zum Mittel oder zur Vorstufe des andern. Die Bestimmung des Kunstwerks ist es jedoch nicht, Gegenstand des Urteils um des Urteils willen zu sein, Turngerät für intellektuelles Schauturnen, didaktische Maschine für Lehrende und Lernende. Das Kunstwerk ist um seiner selbst willen da, über sich hinausweisend, und für uns alle. Um von uns gesehen und, wieder und wieder, immer neu und immer anders, von uns angeeignet und verlebendigt zu werden. Und zu diesem Zweck sind wir hier zusammengekommen: um, jeder auf seine Art, zu diesen dreißig heute geschrie-

[13] »Diese Dimension konnte erst wiedergewonnen werden, als die Aporien des Historismus zutage traten« (*Wahrheit und Methode*, S. 280). Über die »Vollkommenheitsvermutung« beim Übersetzen und Interpretieren, und das Nähe/Ferne-Verhältnis zum Text, s. unten S. 37.
Die Nonsenstexte und verschlüsselten Texte nimmt Gadamer ausdrücklich aus. Hier müsse der Interpret »ein sachliches Verständnis als Schlüssel anwenden, wie wenn die historische Quellenkritik hinter die Überlieferung zurückgeht« (S. 228). Das Musterbeispiel in diesem Bande ist hierfür die Grass-Interpretation von Forster, aber auch die Rühmkorf-Interpretation von Zimmer.
Daß es für den Lyriker keine größere Bestätigung gibt, als daß »der Text in seinem Wahrheitsanspruch« so »ernst« genommen wird, daß er als »Text« verschwindet, dazu zitiere ich Kleist (Brief eines Dichters an einen andern): »... rühmtest Du mir auf eine Art, die mich zu beschämen geschickt war, bald die Zweckmäßigkeit des dabei zum Grunde liegenden Metrums, bald den Rhythmus, bald den Reiz des Wohlklangs und bald die Reinheit und Richtigkeit des Ausdrucks und der Sprache überhaupt ... Vorzüge, die ihren größesten Wert dadurch bewiesen haben würden, daß Du sie gar nicht bemerkt hättest.«

benen Gedichten — und damit implicite zum modernen Gedicht überhaupt — begehbare Wege zu zeigen.[14]

Aufzeigung von Struktur-Paradoxien und ihrem Funktionieren im Aneignungsprozeß — Vorschlag einer neuen Begriffsbildung

Das moderne Gedicht ist etwas wesentlich Optisches, das ist wohl die geltende Lehrmeinung (Benn et al.). Es muß mit den Augen erfahren werden. Das ist sicher richtig. Es ist aber nur eine Teilwahrheit. Es muß eingeatmet werden.
Der Atem (nicht metaphorisch, sondern wörtlich gemeint) ist das Medium des Gedichts, in ihm vereint sich, was man früher »Form« und »Inhalt« nannte, was es jedoch nicht gibt noch geben kann im lebendigen Gedicht. Die Zeilen führen den Atem des Lesers, sind »Atem-Einheiten«.[15] Obwohl gleichzeitig auch optische Einheiten, die Zeilen ganz wie die Leerzeilen. Es entsteht ein Spannungsverhältnis zwischen Erregung, Identifikation (Atem) auf der einen Seite, und Intellekt, Distanz (optische Gruppierung des Sinnträgers) auf der anderen. Dieses Spannungsverhältnis in seiner Gegensätzlichkeit scheint mir typisch für das moderne Gedicht.
Paradoxien als solche, ursprünglich als Merkmal des modernen Gedichts bezeichnet, gehören ja wohl zum Wesen der Lyrik überhaupt, wobei innerhalb der *discordia concors* je nach der Epoche der Akzent mehr auf dem *dis* liegt wie heute (oder z. B. auch im Manierismus) oder auf dem *con*, wie in den Momenten der Klassik. Also jeweils mehr die *Verein*igung des Unvereinbaren oder die *Unvereinbarkeit* des Vereinigten im Vordergrund ist. Mit Verblüffung nimmt man zur Kenntnis,

---

[14] *Zur Methode:* Spätestens hier muß ausgesprochen werden, daß es unser Arbeitsprinzip ist, das Funktionieren der irrationalen Komponente unseres Untersuchungsgegenstands nach Möglichkeit aufzuzeigen, jedoch kenntlich zu machen — nicht zu camouflieren — wo die Analyse abdankt. Und an solchen Punkten laut und deutlich »X« zu rufen. Von dort aber gelegentlich heuristische Expeditionen zu unternehmen ins Unbeweisbare, Metaphern auf Kundschaft ausschickend.
Ohnehin ist klar, daß wir sowenig wie die Philosophen es mit dem im naturwissenschaftlichen Sinne Verifizierbaren zu tun haben, es handelt sich um die Gesetzmäßigkeit geistiger Bewegung. Also um Abstraktionen. Soweit die abstrakte Erkenntnis im Arbeitsprozeß nachprüfbar ist, aus dem sie letztlich ja abstrahiert ist, ist jeweils darauf hingewiesen. Doch sind naturgemäß diese Hinweise nur für die Sprachhandwerker, also für die Lyriker selbst gemeint, da sie nur konkret, im Tun, auszuprobieren sind.
[15] So auch die amerikanische Schule, W. C. Williams folgend, z. B. A. Ginsberg und Ch. Olson.

daß selbst ein Neoklassiker wie Stefan George, Schüler der Franzosen natürlich, ein Auge für *Wortballungen* und Zusammenbiegungen hatte und das Gedicht auch der Substanz nach (wie den Traum) als ein Zusammen des sich Ausschließenden bezeichnet.[16]

Hier ist nun versucht, darüber hinaus, also über die üblicherweise aufgezeigte discordia concors von Worten und Bildern, das ist im Gemeinten und Geformten, die Paradoxie in der Struktur des Gedichtes selber, in seinem *Funktionieren* als Gedicht nachzuweisen. Und dies dürfte etwas sein, was spezifisch das moderne Gedicht unterscheidet[17]: nämlich das Gegeneinander von ratio und Erregung, der unregelmäßig und immer neu gebrochene Rhythmus des Atems, also des Erregungsfaktors (des Identifikationsträgers) durch immer neues Zerschlagen des (optischen) Sinnträgers, der gleichzeitig zerstückelt und unter- oder überspült wird. Der Autor zersplittert in kleinste Partikel, was er seinem Atem mitgibt, sich selber unablässig kontrariierend. Ratio und Atem zwingen einander gegenseitig zum Hindernisrennen. Dieser Kampf wird in der Zeile ausgetragen, die gleichzeitig Atemeinheit *und* optische Einheit ist. Es entsteht dadurch eine Spannung, die die Oberflächenspannung der widersprüchlich gesetzten Zeichen weiter dynamisiert — weil eben Sprengkörper in den Fundamenten eine ganz andere Wirkung haben als Sprengkörper, die höher oben abgebrannt werden[18] — und neue Unruhe und Zerbrechlichkeit in das Gedicht hineinträgt, so daß es in seiner Struktur schon etwas Prekäres und Zwiespältiges, Mehrdimensionales bekommt, etwas gegen den Strich Gestreicheltes, das mit Melos unvereinbar ist: das sprachliche Korrelat unserer ja bis in die Fundamente dynamitisierten Wirklichkeit.

Dieser Art Spannung ist nur mit dynamischen, nicht mit den hergebrachten statischen Begriffen beizukommen, die, als einander entgegengesetzte, oft mit polemischer Ausschließlichkeit angewandt werden und vom Gedicht verlangen, daß es »so oder so« sein müsse. Etwas, was es seiner Natur nach nicht sein kann. Das moderne Gedicht schon gar nicht. Im letzten aber vielleicht kein Gedicht. Ich schlage versuchsweise vor, diese ge-

---

[16] Vgl. hierzu Cleanth Brooks Interpretationen der englischen Lyrik des 17.—20. Jhs. auf ihre paradoxen Elemente hin: *Paradoxie im Gedicht. Zur Struktur der Lyrik* (Ed. Suhrkamp).
[17] Obwohl auch dies sich letztlich als etwas Graduelles erweisen wird.
[18] Eine gewisse einlinige Widersprüchlichkeit der Oberfläche, eine Weiß-Schwarz-Paradoxie ist heute als Klischee schon verfügbar (»wir werden gestern kommen« etc. in allen Varianten).

gensätzlichen Begriffe in ihrer zerrenden Gegensätzlichkeit in einen neuen Begriff zu simultanisieren, um dem in lebendiger Spannung befindlichen Untersuchungsgegenstand gerecht zu werden. Der neugewonnene Begriff, den ich versuchsweise »Simultanbegriff« nenne, bestünde nicht aus These, Antithese, Synthese, sondern er bleibt eine Art zuckendes Kräftefeld. Das heißt, in den Begriff selbst ist eine Gegensätzlichkeit hineingetragen, die aber nicht einfach die Kehrseite wäre, sondern vielmehr die Gegendimension der gleichen Spannung: ihre andere Bewegungsform oder auch ihr anderer Aggregatzustand. Denn wir haben es hier ja wesentlich mit Aggregatzuständen zu tun.

Das Gedicht stünde — wie ich es nachgewiesen zu haben glaube — jenseits der Dialektik der »Antinomien«: denn insofern das Gedicht die Pole jeder Antinomie bereits in sich schließt, ja recht eigentlich aus dem Spannungsfeld zwischen ihnen besteht, kann der Umschlag vom einen zum andern, also die Hegelsche Dialektik, hier gar nicht zum Spiele kommen. Darin unterscheidet sich also das Gedicht ganz grundsätzlich von den gesellschaftlichen Erscheinungen, die diesem Gesetz unterliegen. Schon insofern zeigt sich, daß die Alternativbegriffe für ein aus Spannungsfeldern aufgebautes Gebilde als Kategorie nicht zureichen und sogar zu falschen Ergebnissen führen müssen, wie sie ja auch in der Praxis der Literaturgeschichte es täglich tun. Das der Dialektik von These und Antithese unterworfene Phänomen ist einem automatischen Ablösungsprozeß im Geschichtlichen unterworfen. Das Gedicht dagegen ist, ex definitione, die *Dauer des Nichtdauernden,* also in seinem Bestande außerzeitlich (so sehr das einzelne Gedicht auch Zeugnis einer Epoche ist). Der über Hegel hinausgehende, auf das Gedicht geprägte »Simultanbegriff« zeigt gleichzeitig, daß er auf das Gesellschaftliche nicht anwendbar ist, etabliert also einen *kategorialen* Unterschied zwischen der Kunst und den sozialen Phänomenen, wie z. B. der Produktion von Konsumgütern. Wiederum ist der Mensch selber, obwohl in seinem Handeln als soziales Wesen in die Antinomien verstrickt, als Mensch nicht mit ihnen zu fassen, er ist vielmehr, genau wie auch das Kunstwerk, ein Kräftefeld, eine wandelnde Vereinigung des Unvereinbaren.[19]

Dabei ist eine Etikette ja immer nur eine Etikette, auf die man sich einigt und dank derer man sich verständigt. Zugleich aber

[19] Über die »Simultaneität« als historische Erscheinung und ihre dialektische Selbstaufhebung dagegen, vgl. Domin, *Literarische Meinungsbildung,* a.a.O., S. 73 ff. — Der obige Textabschnitt ist ein Nachtrag zur ursprünglichen Fassung der Einleitung.

mehr als eine Etikette, sie bestimmt den Gegenstand der Verständigung von vornherein mit.

Es wäre also zu fragen, ob und wieweit beim Gedicht das geronnene Flüchtige noch als Liquides präsent ist, so daß das eine nur eine Dimension des andern wäre: Das Feste eine Dimension der Bewegung und das Fluide nur eine Dimension des Festen. Was ja beim Gedicht ganz offenbar der Fall ist. Die Bedingungen dieser Bewegungen, dieser Veränderungen des Aggregatzustandes, wären zu untersuchen, und, soweit möglich, rational zu fassen. Dies ist eine Untersuchung des Gedichts und seiner Simultanstruktur auf den Leser hin, also gegenläufig zur Analyse seiner Entstehungsmomente.

Das Gedicht ist gleichzeitig ein »Denkmal« (perpetuierter Augenblick, zum Verweilen gebrachtes Fließendes), das betrachtet wird und auch von verschiedenen Seiten betrachtet werden kann. Und um so zerebraler ein Gedicht ist, d. h. um so mehr das Gedankliche in ihm dominiert, um so mehr eignet sich das Gedicht zum Gegenstand der Spekulation[20]: Um so solider ist sein Aggregatzustand, um so ungefährdeter sein »Denkmalsein«.

Und es ist gleichzeitig kein Denkmal, sondern wird Ablauf, Gegenstand eines Vollzugs: Die geronnenen Augenblicke, die doch das Feste ausmachen und das Gedicht selber sind, werden wieder ins Fließen gebracht. Potentiell ist der Impuls, gestoppte Zeit wieder flüssig zu machen, um so stärker, je stärker der Atem des Dichters in dem *Geformten* fühlbar ist, in den Zeilen, die das Vehikel seines Atems sind. Die Erregung, die der Dichter beim Schreiben gehabt hätte, hat als solche hiermit nichts zu tun. Sie ist so gleichgültig, wie die Mitteilung als bloße Mitteilung gleichgültig wäre. Entscheidend ist, was er den Wörtern mitgegeben hat. Der Erregungsträger ist hierbei notwendigerweise auch der Katalysator der Identifikation.[21]

Also der Atem: Was in den Zeilen sozusagen »eingefroren« oder »geronnen« ist (und nur das), kann der vom Atem des Dichters geführte Atem des Lesers wieder auftauen und, auf seine eigene, einmalige Weise, für sich erneut ins Fließen brin-

---

[20] Am entgegengesetzten Ende, wo ratio, Steuerung, »Können« zu einem Minimum geschwunden sind, steht die Kunst der Irren und der Kinder.

[21] Das ist, des Vollzugs der Text/Leser-Einheit, die nicht identisch ist mit der (vermutlich aufgelösten) Autor/Text-Einheit.
Diese ganzen Ausführungen beziehen sich nur auf das Gedicht in seiner Eigengesetzlichkeit und auf das Text/Leser-Verhältnis, nicht darauf, ob und wieweit ein Gedicht vom Autor »abgenabelt« ist. (Siehe unten unter Selbstinterpretation).

gen.[22] Das heißt, um so mehr es für den Leser jeweils liquide wird, um so mehr ist das Gedicht — das zugleich doch auch »Denkmal« ist, verweilendes Flüchtiges, Gegenstand der Betrachtung — erfahrbar, immer neu, als Identifikation.

Identifikation ist das Gegenteil von Betrachten, von »Schaufensterkauf«. Identifikation ist Aneignung, Einswerdung. Und zwar möglichst intensive Einswerdung. Noch der abstrakteste Lyriker dieses Bandes, der Sprachexperimenter Franz Mon, verlangt sie, ganz wie Celán, von seinen Lesern. Um jedes Mißverständnis auszuschließen: Mon definiert die Identifikation des Lesers mit dem Text folgendermaßen: Der Leser solle »den Text nicht nur nachvollziehen, indem er seinen ›eigentlichen‹ Sinn erspäht, sondern ihn als *seine* Sache vollziehen, ohne Rücksicht auf den Sinn des Autors, als ob er im Augenblick der Autor wäre. Bei dieser Auffassung gibt es keine richtigen und falschen Interpretationen, es gibt nur intensive und weniger intensive Vollzüge.«

Daß der Begriff der Identifikation in der zeitgenössischen Lyrik gänzlich abgeschafft sei, stellt sich als Vorurteil heraus, eines der vielen, die zirkulieren.[23] Es ist eine jener falschen Alternativen des »So oder So«, die aus der Verwendung zu einliniger, dem Gegenstand ungemäßer Begriffe folgt.

Das Zwitterverhältnis: Optik — ratio / Atem — Erregung, das ich hier behaupte, ist übrigens für jeden Lyriker leicht nachprüfbar. (Hier hat er eine Möglichkeit, die Abstraktion am Arbeitsprozeß zu verifizieren.) Eine amputierte Zeile fehlt dem Auge nie. Die ratio ist sofort überzeugt. Sie setzt sich auch durch, sie ist es ja, die »operiert«. Die Atemwunde, die die ratio schlägt, braucht oft Jahre, um zu vernarben. Es gehört Selbstdisziplin dazu, seinem Atem weh zu tun. Das, was man »Kürzen« nennt.

Ich fasse zusammen: Der Doppelcharakter des Gedichts, als Festes, das fluide ist, dieses sein paradoxestes *Sowohl-als-auch*,

[22] Mit der Andeutung des Atemvorgangs ist das »X« des Verwandlungsmoments nur um ein Geringes zurückverlegt. Ich bin mir bewußt, nur der *Mechanik* des Unerklärbaren nachgegangen zu sein.
Gesprächsweise erfuhr ich von neuerlichen Versuchen, umstrittene Gedichte auf Grund der »Atemkurve« des Autors zuzuschreiben. Leider war es mir nicht möglich, das Material zu beschaffen.
[23] Über das literarische Vor-Urteil und die Kunstideologie, vgl. Domin, *Literarische Meinungsbildung*, a.a.O., S. 40 ff. und öfters. — Zur Unterstellung, daß Lyrik heute eine Lyrik des »ist« statt des »Ich« wäre, vgl. die Zahl der Ich-Gedichte oder auch der verkappten Ich-Gedichte (Du, Wir) in dieser Sammlung mit der Zahl der Ist-Gedichte (etwas über 10%), auch diese im Werk der Autoren durchweg Einzelfälle. — Eine demonstrative Unbefangenheit in bezug auf das verpönte Ich ist bei den Allerjüngsten anzutreffen, siehe die Arbeitsprogramme in *Akzente*, 1955, Nr. 5 (NB das von Handke).

gehört zu seiner Grundstruktur, ist aber vielleicht erst heute spürbar, ja kritisch spürbar geworden, insofern ratio und Erregung so spürbar und bewußt gegeneinander geführt sind. Während sie vermutlich schon immer in einem gewissen Grade gegenläufig waren, der jetzt nur den Hauptakzent hat: Und früher in Harmonie und Melos aufgelöst wurde, was heute unaufgelöst bleibt. Ganz wie die Oberflächenparadoxien heute härter und bewußter gegeneinander geführt sind. Dies ist nur die Darstellung eines trends, es wäre vermessen, einen klaren Schnitt machen zu wollen in der Entwicklungsgeschichte dieser Strukturen. Oder etwa zu erwarten, daß alle heute geschriebenen Gedichte, oder auch nur alle Gedichte eines Autors, in gleicher Weise auf diese Widersprüchlichkeit abgestellt seien. Oder etwa diejenigen zu verurteilen, die diesem einmal erkannten Grundprinzip weniger deutlich gehorchten. Oder daraus zwingende Arbeitsmaximen zu machen, die festhalten würden, was, als Bewegung, unablässig im Fluß ist.

Es folgt allerdings aus der Annahme der »Simultanbegriffe«, daß eine Reihe der zirkulierenden Halbwahrheiten die direkte Folge absoluter, dem Erkenntnisstand nicht entsprechender Kategorien sind. Alternativen wie zum Beispiel subjektiv/objektiv sind — ganz wie die Form/Inhalt- und die Betrachtung/Vollzug-Alternative — Simplifizierungen einer ungenügenden Begriffsapparatur. Es handelt sich immer um Spannungsfelder: um die verschiedenen Aspekte und Erscheinungsformen eines Simultanbegriffs. Entscheidungen sind hier nicht nur nicht gefordert, sie widersprechen der Natur der Sache.

Sicher ist, daß das moderne Gedicht in seiner Zwiespältigkeit, mehr als frühere Gedichte, sowohl gehört wie auch gelesen werden muß. Auge und Ohr ergänzen einander, ersetzen können sie einander nicht. Und weniger als früher kann das Ohr das Auge ersetzen, weil die beim Hören stattfindende Identifikation auf Kosten der Distanz und der ratio geht. Die vorlesende Stimme interpretiert den Text, das heißt, sie teilt zwar auch ihre Betrachtung, als Atemführung aber vor allem ihren Vollzug mit, andere Vollzüge für den Augenblick entmutigend. Das tut jede Stimme, sie belebt den Text, auch wenn sie sich des Pathos enthält *(understatement)*. Sie belebt ihn, außer sie ermordet ihn. Was eine Stimme ja tun kann. Der Hörer geht im Atemzug der Stimme mit, soweit dies für ihn vollziehbar ist. Das heißt, soweit der Text, und überdies der Text in dieser spezifischen Interpretation, die ja auch nur die Interpretation eines Augenblicks ist, ihn bewegt. Ihm wird ein Teil der »Verlebendigung« einfach gemacht oder abgenommen. (Im allersublimiertesten Sinne haben wir hier »Tanzmusik«: für die Phantasie.) Es liegt beim Abstraktionsvermögen des Hörers und beim rhythmischen Vermögen des Lesers, wie er sich prinzipiell zu Hören oder Lesen (respektive Lautlesen) eines Textes verhält. Wenn er alle Möglichkeiten des Gedichtes ausschöpfen will, ist er auf Stimme *und* Auge angewiesen.

Ein Interpretationsband beschäftigt sich naturgemäß mit dem rational Erfaßbaren, allenfalls noch mit der optischen Disposition, nicht oder fast nicht mit dem Atem: dem irrationalen Teil des Vollzugs des Lesens, der nur im Lesen selber erfahren werden kann (als Interpretation mitteilbar nur durch die Stimme: im Vorlesen[24]). Bei allen aufzeigbaren Widersprüchen, den Vereinigungen des Unvereinbaren, ist dieser tiefer liegende Widerspruch am schwersten aufzeigbar[25] und entscheidend nicht analysierbar. Er ist, was Atem immer ist: das Leben selbst. Und auch das Leben des Gedichts. Sein letztes, nicht weiter Auflösbares.

Ebensooft, ja häufiger denn als »Denkmal« oder als »Ding aus Worten« (Allemann) wird das Gedicht daher als Lebendes gesehen, oft als Blüte. Speziffisch als Rose. Und dies von den zerebralsten, von den allerkühlsten Dichtern. Das geht von Mallarmé bis Brecht und bis zu uns und den beatniks. So sagt denn Brecht sehr kühn und etwas barbarisch vom Interpretieren: »daß nicht einmal Blumen verwelken, wenn man in sie hineinsticht«. »Zerpflücke eine Rose«, sagt er, »und jedes Blatt ist schön.« Die Böse-Buben-Metapher erregt Widerwillen, die Fragwürdigkeit aller »Behandlung« von Lebendem wird deutlich. Und somit auch der inhärente Widerspruch der sich selbst ad absurdum führenden Interpretation von Kunst: »daß sie genötigt ist, Befremdendes, indem sie es auf den Begriff bringt,

[24] Die Autorenlesung entspräche, auf dieser Ebene, der »Selbstinterpretation« (und zwar unabhängig von ihrer sprechtechnischen Qualität).
Ich mache ausdrücklich auf den »Verifizierungswert« der unterschiedlichen Hör- und Leseerfahrungen für die hier aufgestellte Strukturtheorie aufmerksam. (Die »Verifizierung« liegt — diesmal — nicht nur im Bereich des Autors.)
Interessant ist auch, daß es letzthin »Hörgedichte« (Tonbandgedichte), also rein phonetische Gedichte ebenso gibt wie rein visuelle »Gedichte«, wobei die beiden Komponenten der Strukturparadoxie auseinandergenommen und ins Extrem getrieben sind, in die äußerste Pulverisierung. Helms (DuMont Schauberg Verlag) hat neuerdings versucht, den abstrakten »Sehgedichten« das abstrakte »Tongedicht« in Gestalt einer Sprechplatte beizugeben, d.i. einer Platte mit »Lauten«, die der Benutzer zu kombinieren hat, eine Auskunft, die ich Franz Mon verdanke, der selber die Erfahrung machte, daß seine eigenen Gedichte, auch die abstraktesten, die nur Sehfiguren sind, beim Vorlesen von Zuhörern bejaht werden, die sie optisch nicht aufnehmen konnten.
[25] Eine kleinste Anzahl Interpreten haben Versuche unternommen (etwa fünf Prozent der Beteiligten).

durch bereits Vertrautes auszudrücken und dadurch wegzuer-
klären, was einzig der Erklärung bedürfte. So sehr die Kunstwerke ihrer Erklärung harren, so sehr begeht eine jegliche, sei's
auch entgegen der eigenen Absicht, ein Stück Verrat an den
Konformismus.« (Adorno, I 153).

Der dialektische Charakter der Interpretation:
das Postulat der Selbstaufhebung — Das Wachstum der Texte

Ohne daß sie teilhätte an dem Zwittercharakter des Gedichts,
seinem *Sowohl-als-auch* (als Objekt des Betrachtens *und* des
Vollzugs), ist daher die Interpretation ihrerseits in einem ar-
gen Zwiespalt, einer doppelten dialektischen Klemme, so daß
man sie fast ein *Weder-weder* nennen könnte. Denn einmal
läuft sie Gefahr, den Gegenstand, den zu fassen sie bemüht ist,
im Augenblick der Berührung zu vernichten. Weil das lebende
Wort, wie Eiweiß, bei der Isolierung stirbt. Also ist das Entstehen ihr mühsam und heikel, und sie kann sich kaum vertei-
digen. Falls es ihr aber gelingt, ihres Gegenstandes habhaft zu
werden, also im besten der Fälle, wird er eins mit ihr oder ten-
diert doch dazu, und sie verschwindet. Ohne sich jedoch zu
verlieren: Vielmehr bleibt das einmal Sichtbargemachte im
Text sichtbar, ist also dem Wortlosen abgewonnen und dem
betretbaren Terrain des Gedichtes zugewachsen. Dies, das »ver-
mehrte Gedicht«, ist es auch, an das der Interpret den Leser
»heranführt«, die Grenze zwischen dem Text und dem hypothetischen naiven Leser (die Grenze, an der »aktives Lesen«
beginnt) ins Gedicht hinein verschiebend, unter Umständen die
Tradition einer neuen Lesart begründend. Insofern ist Interpretation keineswegs vergeblich oder gar bloße Katalogisie-
rung des Gesagten, sondern Bereicherung, Erweiterung, Vitali-
sierung des Texts, mit dem sie sich vereinigt, und der interpretierende Leser der legitime Mitautor oder auch Erneuerer des
Texts, der ihn, ganz wie den Autor, verschluckt.[26]
In ihrer prekären Existenz ist Interpretation also naturgemäß
affiziert von der prekären Existenz des lebendigen Worts, dem
Interpretierten, das außerhalb der Form, im »Bloß-Gesagten«,
kein Leben hat und daher Antäus-gleich stets ins Geformte zurück muß, in dem das Ungeformte enthalten ist. Denn nur in
der Form ist auch das Ungeformte da. Die Erklärung hält nur

---

[26] Siehe oben, S. 18/19 und unten, S. 36 u. 38, über den Unterschied zwischen Selbstinterpretation und Leserinterpretation, das Nähe/Ferne-Verhältnis zum Text.

das jeweils Erklärte, das in ihr eindeutig Genannte, sozusagen aus dem Wortlosen jeweils Herausgefischte, das zurückschnellt in die Einheit des Texts.

Zwischen ihrer Notwendigkeit und ihrer Unmöglichkeit Fuß fassend wie im Zentrum des sich öffnenden und kontrahierenden Katzenauges der Radioskala, muß also Interpretation von sich, als erster, das Bewußtsein ihrer Grenzen fordern, Selbstverleugnung, nicht Selbstzweck. Sie hat keine Bleibe und muß sich selbst sozusagen wegspiritisieren können, indem sie in das Gedicht hineinruht und sich ihm einverleibt. Die wirklich gemäße Interpretation wird vom Gedicht mit Haut und Haar verspeist, sie stärkt den Text.

Die eben erst geschaffene Distanz hebt sich von selber auf[27], in der Umkehrung des Vorgangs des Lesens. Dies ist nur die Tendenz. Praktisch geht die Interpretation meist eine lose Verbindung mit dem Text ein, ist für eine Weile sein Trabant und fällt dann von ihm ab, eben sofern sie sich ihm nicht einverleibt hat. Während das Gedicht selber seine Bahn zieht, seine Leser nährend und von ihnen genährt, und ein Leben hat, das ihm weder zugesprochen noch abgesprochen werden kann, soweit es es von sich aus hat. Was die einzige Form seiner Lebendigkeit ist.

[27] Dieser unstete, sich selbst ausmerzende Charakter der Interpretation, deren Bewegungsgesetzen ich hier nachzugehen versuche, ist nichts als eine Idealforderung. Adorno, der die gleiche Idealforderung, letztlich ja hegelscher Provenienz, für das Denken überhaupt aufstellt (»das seinem Ideal nach in der Betrachtung der Sache zu verschwinden hat«: Neue Deutsche Hefte, 1965, 5), wirft Heidegger vor, daß er dieser — beiden gemeinsamen — Forderung, »um des Gedichteten willen müsse die Erläuterung des Gedichtes danach trachten, sich selbst überflüssig zu machen«, nicht genüge, sondern sich zwischen den Leser und Hölderlin stelle (Noten III, S. 162). Es kann sich hier nur um Grade handeln. Die Idealforderung ist von Natur unrealisierbar, kommt in der Wirklichkeit sowenig vor wie der Fall im luftleeren Raum. Überdies gilt diese spezifische Idealforderung nur für die hypothetische Praxis einer ganz »der Sache selbst« zugewandten, immanenten Interpretation, die in dieser Reinform selten auftreten wird. Die ihr in mehr oder weniger starkem Maße praktisch meist beigemischte kritische Untersuchung, die das Kunstwerk in seine historisch-sozial-persönlichen Bedingungen rückordnet, sein Zeichensystem nachprüfend, ist eine durchaus nicht zum »Verschwinden« tendierende, vielmehr »zudeckende« (»mit der eigenen Sprache den Text verdeckende«) Methode der Interpretation. (So Barthes, der die Sprache der Kritik als »Meta-Sprache« bezeichnet, im Unterschied zur »ursprünglichen« oder »Gegenstandssprache« des Autors. Sie sei »ein Gespräch über ein Gespräch«. Diese Begriffe werden bei ihm positiv gesetzt.)

Hierzu gehört auf jeden Fall auch die sich vom Gedicht distanzierende, es auf den Arbeitsvorgang analysierende Interpretation, die sich praktisch ja oft mit beiden oben aufgeführten Methoden verbinden wird (s. unten, zur Selbstinterpretation).

Daß im Einzelfall eine Interpretation den Text, der sie veranlaßt hat, übertreffen kann, ja häufig übertrifft, gehört nicht hierher, insofern es eine Frage des Qualitätsgefälles, nicht der Gattung ist. (Der Essay als Genus steht hier nicht zur Diskussion.)

Über die Methode der Gegenüberstellung verschiedener Interpretationen.
Die Unausschöpfbarkeit des lyrischen Texts

In diesem Band nun ist man den Gedichten auf eine sehr besondere Weise zuleibe gerückt, von innen und von außen, sozusagen. Es könnte scheinen, als rücke man den Gedichten damit nicht nur nahe oder näher, sondern als trete man ihnen »zu nahe«, als nehme man sie gleichsam in die Zange und verletze ihre Sphäre. Das Gegenteil ist der Fall: Der Text geht frei aus, indem die Interpretation relativiert wird. Ein von mehreren interpretiertes Gedicht zeigt damit seine Interpretier*barkeit,* salviert also die letzte Unerklärbarkeit, aus der und in der es lebt. Sein Status als selbständiges und unantastbares Lebewesen wird ihm um so mehr bescheinigt, als es herhält für mehr als eine Deutung. Gerade in dieser Spiegelung zeigt es sich dem Leser als etwas Lebendiges, über das man dies oder das oder vielleicht noch etwas ganz anderes sagen kann, und das jenseits dessen, was über es gesagt wird, einfach existiert. Wie ein moderner Film ein Ereignis dadurch zugleich wichtiger und problematischer macht, daß er es von mehreren Zeugen berichten läßt, denen es sich verschieden darstellt, ohne daß dabei Unaufrichtigkeit im Spiele wäre, so wird das Gedicht, von mehreren gesehen, zugleich sowohl lebendiger wie auch vielfacettig. Es wird ad oculos demonstriert, daß der Leser — der im Unterschied zu einem Film hier nicht der unbeteiligte Dritte, der Zuschauer, ist, sondern ebensosehr »Mithandelnder« wie die ihm vorgeführten Interpreten — seinerseits ganz im Recht ist, wenn er dem Gedicht eine neue Deutungsvariante hinzufügt.

Gedichte können auf sehr verschiedene Weisen interpretiert werden, wobei es erstaunlich ist, daß prinzipiell mehr oder anderes »herausgeholt« werden kann, als hineingetan worden ist, weil die Sprache mehr mitführt, als der Autor selber weiß. »Die Metapher ist weit klüger als ihr Verfasser.« (Dies Lichtenberg-Zitat verdanke ich Arnfrid Astel, der in diesem Bande — was er keineswegs voraussehen konnte, als er dies sagte — fast zu seinem Schrecken dafür dann einen schlüssigen Beweis geliefert hat.) Im ganzen aber gilt natürlich hier wie überall der Satz, daß je mehr hineingetan worden ist — und Gedichte sind ihrer Natur nach Konzentrate, Essenzen[28] — um so mehr

---

[28] »Dichtes« wäre eine Fehletymologie, es kommt vielmehr von *dihtōn*, verfassen, das seinerseits hergeleitet ist von *dictare* (mittelalterlich: verfassen), letztlich von *dictare, dicere.*

auch darin sein wird. Wobei die Sprache doch immer noch das Ihre hinzutut, als stünde sie neben dem Dichter, und je mehr er täte, je mehr täte auch sie. Die sogenannten »Geschenke« (Valéry), teils auf, teils unter dem Tisch. Ich meine die, die der Lyriker wissentlich annimmt, während der Arbeit, und die, die als Beigabe oder Konterbande mitkommen. Das Wortlose, das »im Wort anwesend« ist und »um dessentwillen das Wort da ist. Und ohne das es keinen Daseins-Sinn hätte und überflüssig wäre und überhaupt nicht existierte« (Usinger), und »auf das es sich antwortend oder winkend bezieht« (Gadamer). Wobei es natürlich Methoden gibt, die man z. B. von den Japanern lernen kann, dieser Art »Konterbande«, das ist dem »Wortlosen«, den Einschlupf in oder zwischen die Worte zu erleichtern und also die Sprache zu unsichtbaren oder auch sichtbaren »Geschenken« zu bewegen.

Niemand hat bisher definiert, was es mit den Geschenken auf sich hat, sie sind zugegebenermaßen das X in den rationalsten Arbeitsprogrammen, selbst von Lyrikern wie Enzensberger. Vielleicht ließe sich als Arbeitshypothese sagen, daß es sich hier um die Liebesbeziehung des Lyrikers mit der Sprache handle, dies Direkte und Exklusive, diese heißkalte Leidenschaft auf Gedeih und Verderb, die Benn »das primäre Verhältnis zur Sprache« nannte. Wer das »primäre Verhältnis« zur Sprache hat, etwas Ähnliches wie das absolute Gehör, summiert nicht, addiert nicht, sondern transformiert Aggregatzustände. Dabei, wie bei jeder vitalen Beziehung, spielt das X, die Konterbande oder das Geschenkte[29], eine natürliche und zwar unerklärliche, jedoch gänzlich unmysteriöse Rolle. Und das hat wiederum zu tun mit dem Mehr, das jenseits von Willen und Wissen des Autors im Text und in der Deutung ebenso fähig wie unfähig ist, sich zugleich anbietet und entzieht.

Horizontale und vertikale Bedeutungsstrata.
Teilinterpretation. Fehlinterpretation. Der Interpret als »Autor«

Nicht jeder Leser liest alles, was in dem Gedicht — in einem bestimmten Augenblick — lesbar und durch es erfahrbar wäre. Er kann einen Teil davon sich aneignen, wie man ein Glas nur halb trinkt. Es ist eine Art Vexierspiel, das Glas scheint einen doppelten Boden zu haben, man merkt es nicht,

[29] Vgl. hierzu Domin, *Wort- und Bildwahl*, a.a.O., S. 117, und *Unspezifische Genauigkeit*, a.a.O., S. 140 ff.

daß es noch voll ist. Alles ist ja gleichzeitig flüssig und fest, so daß das »Glas« selber aus Wasser besteht. Vielleicht sollte man von fließenden Bedeutungshöfen und Bedeutungsvorhöfen, von den Ringen in einer Wassersäule sprechen, immer mit Unterströmung, keiner genau vom andern getrennt, verfließende Schichten, sowohl im Horizontalen wie im Vertikalen. Eine Erfahrung, die nicht in Reichweite des Lesers ist, kann auch aus einem Gedicht nicht entnommen werden. Daher ist der Vorrat an Gedichten, an Kunstwerken überhaupt, praktisch auch viel größer als ihre Zahl, ja eigentlich unerschöpflich.

Das Gedicht ist nur ein Name, ein Zeichen für das bereits Erfahrene aber nicht Genannte. Für das »fast schon Erfahrene«. (Eine Teilerfahrung ist nicht eine »halbe Erfahrung«, sondern eine grundsätzlich andere, in sich gültige Erfahrung.) Das verändert oft den ganzen Inhalt des Gedichts, für diesen Leser, ohne ihn damit notwendigerweise zu verfälschen. Denn obwohl jedes seiner Worte »wahr«, d. h. Anruf einer Erfahrung ist, und auch das Gedicht als Ganzes den Anspruch auf »Wahrheit« in sich trägt, ja sehr wesentlich diesen Anspruch, so ist diese Wahrheit doch eine vielgesichtige, der wissenschaftlichen Nachprüfung entzogen: das Gedicht ist nicht »wißbar«, sondern deutbar. Im Gegensatz zur epischen Prosa, die — prinzipiell — ein »So oder So« und also nachprüfbar ist, eine Feststellung von nur bedingtem Wert, insofern die Genera in einer Annäherung begriffen sind und die Unterscheidungen sich verwischen.[30]

Ein Gedicht kann natürlich auch objektiv falsch gelesen werden, fehlinterpretiert. Es kann eine Erfahrung hineingelesen werden, die diese Zeichen nicht meinen *können*. Es sind ja »Zeichen«, also in einem gewissen, wenn auch fluktuierenden Sinne verbindlich. Dies hindert nicht, daß nicht ein einzelner Leser auf seine subjektiven Kosten komme, bei einem mehr oder weniger intensiven Vollzug dessen, was nicht gemeint sein konnte, aber gleichgültig wird, angesichts dessen, was er hineinträgt. Wem ist nicht schon derartiges, besonders beim Lesen fremdsprachiger Texte, passiert? Es ist eine privateste Angelegenheit, hinterher ist es, als sei man auf dem Kopf gegangen, ohne es zu merken, schön wie es war. Alles kann falsch und ungenau getan werden. Aus Mangel an Können, oder einfach weil man

[30] Über die Wahrheit oder das Wahre in der Kunst und die verschiedenen Arten des Wissens, vgl. Wellek/Warren, a.a.O., S. 24/26. Über das Wahre als punktuelle Entsprechung, bei gleitenden Skalen, vgl. Domin, *Literarische Meinungsbildung,* a.a.O., S. 68 ff. und *Zum Arbeitsprozess,* a.a.O., S. 114 ff. Enzensberger bezeichnet das Gedicht als »Produktionsmittel, um dem Leser zu helfen, Wahrheit zu produzieren«.

nicht aufpaßt, oder weil man zu sehr mit sich beschäftigt ist. Und ebenso kann man auch mit dem Sprachkunstwerk falsch oder schlampig umgehen. Lesen, wie alles, erfordert Genauigkeit und Übung.

Ebenso können in einem Gedicht die Wörter falsch benutzt worden sein, der Dichter, ein unvollkommener Handwerker, hat unabsichtlich daneben gegriffen. (»Absichtlich« daneben greifen wäre ein Kunstmittel.) Das hat so fatale Konsequenzen wie ein falscher Griff bei einer Operation.

Fehlinterpretationen sind relativ häufig. Die Kritiken eiliger Rezensenten wimmeln davon. Ob der Dichter sich in einem Wort vergriffen hat, das ist schon schwerer zu beweisen. Höchstens, wenn der Dichter, wie hier, Rechenschaft ablegt über seinen Text, legt er seinen Sprachgebrauch dem kritischen Auge offen, und ein ungenau oder schief benutztes Wort würde sich als solches zu erkennen geben, gemessen an dem Anspruch, den der Autor an es stellt.

Im ganzen werden »Fehler« in diesem Buch die Ausnahme sein oder doch zumindest selten, da es sich hier einerseits um Sprachhandwerker von Niveau (ich betone in diesem Zusammenhang das handwerkliche Können) handelt und andrerseits um erfahrene Leser, die einem einzigen sie interessierenden Gedicht die notwendige Zeit widmen konnten. Und die schon insofern gründlich verfahren sind, als niemand — und das ist der Vorzug des agonalen Prinzips — sich von einer Gegeninterpretation desavouieren läßt, wenn er es irgend vermeiden kann. Die Spielregel selber hat jede Flüchtigkeit bei allen Beteiligten von vornherein ausgeschlossen, es vielmehr zu einem Wettkampf, einem Turnier im Lesen gemacht.

Soweit also »Divergenzen« zwischen den beiden Lesarten der einzelnen Texte bestehen — auch ergänzende, den Akzent verschiebende Lesarten könnten »Divergenzen« sein —, betrifft dies die Bedeutungsschichten, die Ringe der »Wassersäule«, welche eine in jedem Sinne fluktuierende ist. Es ist also wohl vielfach eine »Selbigkeit« von Gedicht und Interpretation gegeben, die aber nicht ohne weiteres Eindeutigkeit, sei es in einem horizontalen oder gar in einem vertikalen Sinne zu sein braucht. Und es kann der Interpret durchaus einen dieser »Wasserringe«, eine Bedeutungsschicht oder einen Teil einer Bedeutungsschicht, bewußt machen, die in dem Gedicht enthalten ist, ohne daß sie dem Autor bekannt war. Und doch wird der Autor, in einem solchen Fall, sie sofort »erkennen« und anerkennen, obwohl er sie zuvor nicht gekannt hat. Mir selber ist dies dreimal im Leben passiert, das eine Mal davon in diesem Buch. Ich habe etwas dazu »gelernt«, was ich doch zutiefst gewußt haben muß, um es so formulieren zu können. Ich erfuhr einen neuen, vielleicht noch wichtigeren Grund, warum ich etwa so formulieren *mußte*, wie ich es formuliert habe.[31] In anderen Worten, es wurde mir ad oculos *bewiesen*, was mir theoretisch ja bekannt war: daß die Sprache mehr weiß als ich, und daß ein anderer dies, oder doch etwas davon — es ist ja eine unbekannte Größe —, *heraus*holen kann. In einer »Einheit von Vollzug und Reflexion« wird er für einen Augenblick »der Autor des Gedichts«, er »adoptiert« es sozusagen als ein eigenes und teilt uns mit, warum er es so geschrieben hätte. Es ist also das Gedicht virtuell etwas wie der Mittelpunkt eines Kreises, auf den sich beliebig viele und immer neue Segmente ausrichten lassen, wobei es zweifellos eine Hierarchie der möglichen Leser gibt.

»Über ein gutes Gedicht etwas Treffendes sagen, kommt eben so selten vor wie ein gutes Gedicht selbst«, sagt Wilhelm Lehmann, der — sechzehn Jahre vor Brecht geboren, zwei vor Loerke, vier vor Benn (und drei vor Pound) — von allen Lebenden das Handwerk am längsten kennt.[31a]

Der Autor als Interpret: Abwägung seiner Erkenntnischance im Vergleich zu der des Dritten — Das Nähe/Ferne-Verhältnis

Es handelt sich bei diesem Buch nun aber nicht einfach um zwei derartig verschiedene »Ausrichtungen« auf ein und dasselbe Kunstwerk, es werden nicht nur *einfach* zwei verschiedene Weisen möglichen »Vollzugs« reflektiert, die dem Leser des Buchs, dem zum Mittun eingeladenen Dritten oder Vierten, ein Gefühl für die potentielle Mehr-Seitigkeit oder Mehr-Schichtigkeit eines Textes geben könnten. Es werden vielmehr des Gedichtes nächste Verwandte, seine Urheber, in den Zeugenstand gerufen, um Rechenschaft zu geben über ihr Gedicht, noch ehe ein anderer es in die Hand nimmt. »Sie müssen es wissen«, würde man denken, »sie haben es ja schließlich gemacht. Wozu noch Dritte, wenn hier die Köche selber auftreten und verraten, was sie zusammengebraut haben?« Aber man hat ja bereits gesehen, daß dies keine alltägliche Küche ist, und wenn es auch nicht direkt eine Hexenküche ist, sondern eine sehr säkularisierte — der moderne, eher überpuristische Terminus dafür ist bekanntlich »Laboratorium« —, etwas ermutigend Primitives wie eine Wohnküche ist es keinesfalls.

[31] Ich spreche von mir, weil hier der Bericht der eigenen Erfahrung, der einzige, den man ehrlicherweise geben kann, stellvertretend für die Erfahrung als solche steht.
[31a] Im November 1968 gestorben.

Alles geht in einer Atmosphäre eiskalter Aufregung vor sich, in diesem vertrackten Labor[32], mit großen Temperaturschwankungen. Das Geschäft besteht im »Potenzieren« von Worten. Im Isolieren und neu Zusammenbiegen, im Verengen, so daß Sprengkraft da ist. Und wenn auch nichts oder fast nichts von selbst geht und der Laborant ein gelernter Spezialist sein muß, so hantiert er doch manchmal gleichsam mit verbundenen Augen. Oder er hat es mit selbstkochenden Gefäßen zu tun. Oder es ist einer dabei, der plötzlich nach unbekannten Rezepten mittut oder mitgetan hat. Keiner dieser Vergleiche stimmt, keiner ist ganz abzuweisen. Und schon gar nicht läßt sich so einfach von *einem* Laboranten sprechen, wenn jeder mindestens zweie sind, ein Heißer und ein Kalter, die sich eifersüchtig auf die Finger sehen und die Wortmasse zwischen sich hin und her zerren, erregt und doch nach Regeln. Etwa wie in einem Cocteaufilm. Da es aber so bestellt ist — oder ungefähr so, wie sich andeuten, aber nur approximativ beschreiben läßt —, hat der Dichter keine solche Exklusivposition, und der Zweite oder Dritte gar keine so viel schlechtere Chance, dem Gedicht sein Geheimnis abzugewinnen, und das »Richtige« heraus- oder hineinzulesen, ein Mehr oder ein Weniger, je nachdem.

In manchem hat er es sogar leichter. Er hat den Schock der ersten Begegnung, des Unverständlichen, das Gedicht ist ihm neu, das gibt immer die bessere Erkenntnischance, den größeren Erkenntniselan. Und er sieht es unbefangen. Das heißt, er »sieht« es. Nichts daran erinnert ihn an etwas, was er vergessen oder nicht vergessen hat oder vergessen wollte oder konnte oder nicht konnte, es war nicht schon da, es hat nicht schon anders für ihn ausgesehen. Im Gegenteil, es erinnert ihn an etwas, woran er gerade erinnert werden will oder was ihm vorschwebt und in dem Gedicht ihm jetzt konkret begegnet. Vielleicht wollte er es immer schon treffen, vielleicht hatte er sogar eine geheime Sehnsucht danach. Er ist dem Gedicht dankbar, und kann ihm also »gerecht« werden, soweit es etwas derart Absolutes in diesem Bereich des Gleitenden und Relativen gibt. Denn, wie gesagt, kaum spürt er den Schock der Begegnung, falls es zu einem Schock kommt, so ist das Gegenüber auch schon eins mit ihm, und er vollzieht es. Und dann ist seine Lage nicht so verschieden von der des Autors, allerdings des Autors, als er es schrieb. Das Nähe/Ferne-Verhältnis, der »re-

[32] Um Mißverständnisse zu vermeiden: Die »sogenannten Laborgedichte« (oben Anm. 6) werden in einer ganz »unvertrackten« Filiale des hier geschilderten fabriziert, hatten nie mit dem Hexeneinmaleins zu tun.

flektierende Vollzug«, ist ein dialektischer Vorgang, und je besser, um so komplexer. »In diesen Bezirken ist eben alles so kompliziert, wie es einfach ist« (Wilhelm Lehmann).

Dabei ist aber doch die Position des Autors eine besondere, nicht auswechselbare. Er ist, unwiderruflich, der Urheber und der Kronzeuge. Zunächst einmal und ganz allgemein gilt nun für ihn, was für jeden andern gilt: er ist nicht mehr der gleiche, der er in einem gegebenen Zeitpunkt war. Und also ist er nicht der, der das Gedicht geschrieben hat. Keiner geht zweimal an das gleiche Gedicht heran — um das Heraklitwort abzuwandeln —, auch der Autor nicht. Zwar ist er dem Gedicht, das »unterwegs« ist, »mitgegeben« (Celan). Aber er ist nicht mehr der Mitgegebene. Es hängt an den Lebensumständen, wird von Fall zu Fall, ja von Gedicht zu Gedicht verschieden sein, als ein wie anderer er an sein Gedicht herantritt.

Schon der Leser liest ja bei Lieblingsgedichten, oder unter besonderen Umständen gelesenen Gedichten, die frühere Lektüre mit, wodurch das Gedicht schon für diesen Leser nicht mehr das ursprüngliche ist, sondern ein Teil der eigenen Biographie. In weit stärkerem Maße gilt das für den Dichter, für den ein Extrem eines genau definierten Augenblicks, also eines definitiv vergangenen Augenblicks, Form geworden ist. Identifikation und Distanzierung, ja Abstoßung haben daher naturgemäß einen ganz andern Rhythmus als bei jedem Dritten.

Je labiler das Lebensgefühl, um so schneller werden die Augenblicke fremd oder werden abgewiesen. »Der Dichter ist aus der Mitwisserschaft entlassen«, sagt Paul Celan. (Auf jeden Fall aber geht es immer um »Mitwisserschaft« oder um Initiiertsein, »eingeweiht«, um das *Mit*wissen, das Verraten oder Nicht-Verraten von Geheimnissen. Von »Wissen« schlechthin kann nicht die Rede sein, da es sich, wie schon festgestellt, nicht um Wißbares, sondern um Deutbares handelt.)[33]

An dem Celan entgegengesetzten Pol befindet sich Wilhelm Lehmann, in seinem archimedischen Eckernförde, »Treibbeet wie Kühlkammer seiner Einsamkeit«: »›Warst Du es, der es schrieb?‹ Dies ist sekundenlange Heuchelei: Und ganz im Gegenteil weiß ich, daß ichs war. Die Situation aller Verse tritt wie brennender Busch genau vor meine Augen, die vergangen-

[33] S. Anm. 30. — Dies dürfte außer Diskussion stehen, da sich selbst zwei Antipoden wie Max Bense, der Erfinder der Lyrikmaschine, und die Ekstatikerin Nelly Sachs hierin einig sind. »Das Gedicht als Rhema ist nicht wahr oder unwahr«, sagt Bense, »weil ›das Offene‹ nicht nachprüfbar ist. Das ›Dicentische‹ ist nachprüfbar.« »Es ist ja keine Abhandlung, sondern ein Gedicht und ein Geheimnis«, sagt Nelly Sachs, deren letzter Band *Glühende Rätsel* heißt.

gegenwärtigen Umstände umringen mich wie in einem Tanze: Kein anderer wars.«[34] Wer das sagt, kann durch den Spiegel einfach weitergehen. Zu der Entstehung seines Gedichts. Das Gedicht kann noch Geschwister bekommen, in der gleichen Vene geschrieben und zusammengehörig wie die Bilderserie eines Malers.

»Durch den Spiegel weitergehen.« Denn für den Autor ist der Text, den er nach einiger Zeit wieder ansieht, ein »Spiegel«, er untersucht — oder untersucht in erster Linie — die »Spiegelung« einer gehabten Erfahrung. Es handelt sich immer wieder um das Nähe/Ferne-Verhältnis. Der Leser, sagten wir, hat den Schock der Begegnung, und kaum spürt er den Schock, so ist es auch schon mit der Distanz vorbei (welche nicht allzu leicht aufzugeben die Identifikation erst qualifiziert): Er »vollzieht« das Gedicht, es wird Durchgang für ihn, er geht den Weg, den der Dichter gegangen ist, als er es schrieb, oder doch einen vergleichbaren Weg. Der Text ist also für ihn nichts Relatives, sondern der Träger einer sehr komplexen, ihn unmittelbar angehenden Erfahrung, die er sich zu eigen macht.

Die Autorität, die ein Text ausübt, die »Vollkommenheitshypothese«, die man ihm eo ipso zugesteht, kann übrigens gerade der Lyriker am leichtesten ausprobieren. (Dies ist eine andere der gezählten »Verifizierungschancen«.) Man braucht sich nur einen Text zum Übersetzen vorzunehmen. Es ist erstaunlich, welchen Kredit man dem fremden Text einräumt, wie man sich selber jede Schwierigkeit zuschreibt, als müsse der andere Text seiner Natur nach fehlerlos sein, als gehe man einen sicheren Weg. Und wenn man stolpert, und noch einmal stolpert, ist man erst hilflos und dann empört, als sei der andere Autor, der ja auch nur ein Autor ist wie man selbst, verpflichtet, ein ganz perfektes Ding gebaut zu haben. Man fühlt sich betrogen, wenn das »Original«, also der Text des anderssprachigen Autors, schwache Stellen hat, und mit Mühe nimmt man Abstand und sieht ihn als Kunstwerk mit seinen möglichen Grenzen. Zunächst und bis zu der Enttäuschung war er etwas, was in seiner Gesetzmäßigkeit zwar zu ergründen, aber als ein zu Erreichendes durchaus vorbildlich und unbezweifelbar war. Als sei es eine vom Himmel gefallene Tafel. Ein wirklicher »Urtext«, vergleichbar dem, was Eich unser aller »Urtext«

---

[34] Aus einem Brief an die Herausgeberin. — In einer ähnlichen, wenn auch unglücklicheren weil unfreieren, Lage befindet sich der Autor, den es vor dem eigenen Gedicht oder den eigenen Gedichten »graut«: Das Gedicht hat sich nicht losgelöst, sonst würde er es nicht so leidenschaftlich von sich stoßen. Dies sind Extremfälle. Aber der Extremfall ist ja nur der extremste Fall: wegen der besonderen Deutlichkeit erkenntnisträchtig.

nennt, aus dem zu »übersetzen« für ihn kurzweg die Definition für Lyrik ist.

In eben diesem absoluten und gutgläubigen Verhältnis zum Text befindet sich der Interpret, der »den Wahrheitsanspruch des Gedichts ernst nimmt«.[35] Nur wird er das »Original« meist weniger hart »auf die Probe« stellen als ein Übersetzer. Aber seinerseits wieder mehr als der Leser, der sich der Mühe der Interpretation enthebt oder lesend nur obenhin interpretiert.

Der Leser ist also unterwegs zur Autorschaft, d. h. zur Vereinigung mit dem Gedicht, in dem bereits der Autor selbst »verschwunden« ist, wenn es gut ist. Das Gedicht frißt. Und ist bereit, den Interpreten nach dem Autor aufzufressen. Gedichte sind freßlustige Gebilde, außerordentlich gefräßig.

Das Gedicht als Vorgang.
Ausrichtung und Grenzen der Selbstinterpretation

Der Autor, der sich mit seinem — fertigen oder länger schon fertigen — Gedicht befaßt, bewegt sich weg und nicht hin zum Text. In einer Bewegung nicht der Annäherung, sondern der Distanzierung stellt er sich hinter dem Interpreten an, sozusagen, und auf diesem Umweg gelangt er wieder zu seinem Text, als ginge er als Dienender in sein eigenes Haus zurück und bekomme als ein Fremder zu Hause die Füße gewaschen wie Odysseus. Auf diesem Wege der Entäußerung, der einer der Bescheidung (Dienst am Werk und sich selbst) ist, wird er, wie bei aller Entäußerung, belohnt für den Verzicht. Denn wenn der Interpret etwas über die »Sache« des Gedichts lernt, so lernt der Dichter etwas über sich selbst und sein handwerkliches Vorgehen: so daß er also immer die Kunst mehr als das

[35] Solange die »Vollkommenheitshypothese« nicht gestört wird, hat der Interpretierende offenbar zur Kritik, zumindest zur negativen Kritik am Text, eine geringe Neigung. Die Herausgeberin stellte fest, daß selbst in Fällen, wo ein Interpret sich ausdrücklich vorbehalten hatte, den Text kritisieren zu »dürfen«, er »dann doch« — wie mitgeteilt wurde — darauf verzichtete, was an der prekären Natur des Nähe/Ferne-Verhältnisses liegen mag. Obwohl durchweg kombinierte Methoden der Interpretation zur Anwendung kamen, ist eine wirkliche Kritik an einer Textstelle in dieser Sammlung die Ausnahme.
Übrigens entspricht der Neigung, den Text als ein *absolutum*, eine Art Urtext zu behandeln, auf der Seite des Autors der geheime Wunsch nach einem »natürlichen« Gegenüber: einem nicht konditionierten Zuhörer oder Leser. Nur so erklärt sich, daß ein solcher highbrow Lyriker wie Eliot das geradezu Rousseau'sche Verlangen äußerte, einmal vor einem Publikum von Analphabeten seine Gedichte zu lesen (zitiert nach Lehmann): gleichsam als gewähre die »Unschuld« des von keiner Lektüre Befleckten einen natürlichen und absoluten Maßstab. Und die Beruhigung, die von einem weitgefächerten Leserkreis auf den Autor ausgeht, hat sicher ähnliche Gründe.

Kunstwerk sieht. Und dabei rückblickend eine genaue Vorstellung über den eigenen Schaffensprozeß und seine eigenen Selektionsprinzipien bekommt.

Also, auch wenn er sich hinten anstellt hinter dem Interpreten und bescheidener gegangen kommt — denn er kommt zögernder daher als der Interpret —, so geht er auch nicht den gleichen Weg. Besser gesagt, er bleibt früher stehen, der Abstand, aus dem er das Gedicht betrachtet, das von ihm geschriebene Gedicht, klappt ihm nicht plötzlich zusammen, er identifiziert sich nicht. Eine »Vollkommenheitsvermutung« kann gar nicht erst aufkommen, selbst wenn er so weit von ihm entfernt sein sollte — eine subjektive Entfernung, die sich nicht dem Kalender nach bemißt —, daß er sich wundert, wie er es schreiben konnte oder geschrieben hat. Daß er es geschrieben hat, ist immerhin klar. Seine Neugier, falls er welche hat, geht auf die Machart, und auf den »Sinn« nur als das mit solchen oder solchen Mitteln Realisierte. Er hat nichts zu erhoffen als Erkenntnis über das métier. Allenfalls über sich selbst, seinen Weg als Lyriker.

Insofern Interpretieren die »Sache verstehen« meint, hat der Autor von sich aus der Sache nichts hinzuzufügen. Er hat gesagt, was er zu sagen hatte (vermutlich sogar mehr, als er darüber wußte oder auch weiß). Und wenn er es nicht gesagt hat, dann kann er es dem Gedicht auch nicht nachträglich anpappen. Daher ist Interpretation auf die Sache hin, also immanente Interpretation, dem Autor nicht zumutbar und kann ihn nicht interessieren. (Das ist auch der Grund, warum einige Autoren, wie z. B. Bachmann und Eich, die Selbstinterpretation grundsätzlich ablehnen.) Falls ihm aber das Gedicht fern genug rückt, daß er es wie einen Gegenstand zu Gesicht bekommt, so kann ihn als Autor und Handwerker das Sprachliche daran interessieren. Also das ganz konkrete und einmalige Geflecht von Sinn und Wort: wie er es oder wie es sich verflochten hat. Eben sein métier. Und was gibt es für ihn Interessanteres als das métier, den Arbeitsvorgang. Außer das Schreiben selbst, natürlich.

Das métier ist in dem Maße interessanter geworden, als die Begegnung mit der Wirklichkeit problematischer geworden ist. Nicht von ungefähr haben wir eine so große Anzahl moderner Gedichte über das Schreiben[36], das eben die essentielle Auseinandersetzung des Schreibenden mit der Wirklichkeit ist. Die Nahtstelle ist in ihrer Fragwürdigkeit zur Erregungsmitte geworden.

[36] In dieser Sammlung insgesamt 9, also fast ein Drittel der Texte, davon 4, die es ausschließlich zum Thema nehmen.

Der Autor untersucht also den Ausdruck auf seine Tauglichkeit im Hinblick auf den Bedeutungsgehalt, das Wortgefüge im Hinblick auf das Sinngefüge. Das heißt, er tut etwas, was der Teil der Leser nicht oder nur bedingt tut, der in erster Linie auf die Sache selbst zugeht, also das Gedicht hypostasiert, um seiner habhaft zu werden: Der Autor relativiert sich und seinen Text, sieht das Fertige, das Realisierte und so oder so ins Ziel Gebrachte als Möglichkeit an, die gleichsam noch zur Diskussion stünde. Daher also ist das Moment der Distanz bei ihm größer, er nimmt den Text nicht als vorgegeben, sondern in seiner Gänze als Kunstprodukt, selbst wenn ihm im Augenblick so zumute sein sollte, als habe er dies nie machen können und werde auch nie wieder etwas Ähnliches zuwege bringen. Wo er, im Verlauf seiner Untersuchungen, »Wortloses«, das ihm selber bisher unbekannt war, aufspürt, also auch über die *Sache* etwas Zusätzliches erfährt, verbindet er es nach der ersten Überraschung sogleich — und gerade dies — mit dem Sprachleib, ja es ist für ihn besonders wichtig, festzustellen, wie es in diesem Sprachleib sich vor ihm verbergen konnte. Soweit er also den »Sinn« erklärt, was er de facto oft tut, erklärt er ihn beiläufig, erklärt ihn »mit«, während er die Sprache untersucht, die den Sinn verkörpert.

Insofern wird für den dritten und vierten Leser — außer er sei selber handwerklich oder auch literarhistorisch interessiert — die Interpretation des Autors vielleicht »interessant« oder kurios, aber sicher weniger befriedigend sein als eine gute Fremdinterpretation. Das Funktionieren des Wortkörpers, das *Funktionieren* des Gedichts will er vermutlich weniger demonstriert bekommen, als daß er einen Weg aufgezeigt sehen will, wie man in das Gedicht »hineinkommt«. (Das »Funktionieren« des Gedichts innerhalb einer literarischen Tradition, wie es der historisierende Interpret vermittelt, etwas in gewisser Weise Vergleichbares, ist der Mehrzahl der Leser einfach vertrauter als der weit technischere Bereich der Sprache.) Die Art, wie der Autor das Ding hält, macht es zwar deutlich, aber eben als Ding, erhöht also die Schwelle des Zutritts, insofern die Erregungsquelle bloßgelegt und die mögliche Erregung des Lesers im vornhinein relativiert wird, was nur für den raffinierten Leser einen Ansporn und eine zusätzliche Freude wegen der verzögerten Identifizierung darzustellen vermag. Daher folgt der Leser dem Autor bei seiner Selbstinterpretation zwar mit Neugier, aber doch nicht ohne Verdruß. Denn was er gerade von ihm gerne hätte, das kann er gerade von ihm am wenigsten bekommen. Oder doch legitimerweise nicht bekommen. Er wird bestenfalls eingeweiht in das »Geheimnis« der Form, auf keine Weise aber in das Geheimnis der Erfahrung, die dem Gedicht zugrunde liegt. Denn falls der Leser vom Autor erwartet, daß er ihm berichtet, wie es »wirklich gewesen ist« und was der dahinterstehende Anlaß des Gedichtes war, so erwartet er etwas, was der Natur des Kunstwerks zuwiderläuft. Zwar, wenn auch der Autor nicht mehr ganz derselbe ist, der das Gedicht geschrieben hat, etwas von der alten »Mitwisserschaft« bekommt er wieder, natürlich. Es wäre eine Lüge, das zu leugnen. Diese »Mitwisserschaft« nützt aber nur im Hinblick auf den Schaffensprozeß. Über das in dem Gedicht Eingeschwiegene, über den konkreten »Zufall seiner Entstehung« kann der Autor sein Gedicht nicht befragen und wird er sein Gedicht auch nicht befragen. Das hieße, das Gedicht rückgängig machen, seine Existenz antasten: Es lebt doch, es ist selbständig und so unabhängig von der Zufälligkeit seiner Entstehung wie ein Kind von der Nacht, in der sich seine Eltern umarmten. Niemandem zeigt es sich selbständiger als gerade dem Autor. Es kann daher nur auf sich selbst befragt werden, von ihm. Und auch schon deswegen nicht auf die Sache, die für den Autor nicht nur uninteressant und abgetan, d. h. Form geworden ist, die überdies, soweit sie auch nur teilweise noch virulent und also möglicher Grund neuer Gedichte wäre, für ihn nicht zum Gegenstand der Abstraktion taugt. Ein solches Ansinnen müßte auf Scheu und Widerwillen stoßen. (Ein Vorwegnehmen dieses Widerwillens kann das Interesse an Erkenntnissen über den Schaffensprozeß überwiegen und überwiegt es in der Tat auch bei den Lyrikern, die weniger abstraktionsfreudig sind.) In andern Worten, der Autor tritt hier an als Autor, als Urheber des Kunstwerks, nicht aber als das leidende Subjekt einer wie immer gearteten einmaligen und konkreten Erfahrung. Was nur eine neue Beschreibung der Tatsache ist, daß der Autor notwendigerweise kühler und distanzierter an das Gedicht herantritt als der Leser. Dies ist zumindest im Prinzip der Fall. Im Konkreten ergeben sich Fehlerquellen daraus, daß Erregungszentren, die noch virulent sind, vom Dichter automatisch ausgespart und die Akzente verschoben werden, und dies um so leichter, je zentraler das Gedicht für ihn ist.[37] Insofern ist das Nähe/Ferne-Verhältnis zum Gedicht, das der natür-

[37] Resultat des »Selbstversuchs«: Bei der Lektüre der »Gegen«interpretation entdeckte ich in der meinen eine derartige Akzentverschiebung wider besseres Wissen, die ich mir nachträglich nicht erklären konnte. (Dies ist radikal verschieden von der Belehrung über nicht Gewußtes, sofort Einleuchtendes, zum eigenen Gedicht, s. S. 33/34) Vielleicht wäre eine Enquete über die Erfahrungen anderer bei diesem Experiment ergiebig: Die Teilnehmer bekommen die zweite Interpretation ja erst auf der gedruckten Seite zu Gesicht.

lichen Dialektik beraubt ist, wie sie beim Dritten sich auswirkt, doch ein äußerst labiles, unter Umständen der Interpretation weitaus ungünstigeres: Identifikation, d. h. zu große Virulenz des Gedichts, setzt beim Autor »Interpretation« außer Kraft. — Wobei ja auch der Leser kein Abstraktum ist. Für ihn, umgekehrt, muß das Gedicht ja gerade virulent sein, damit er in eine Beziehung dazu tritt. Es hängt aber von vielerlei Umständen ab, welche Teile des Gedichts für ihn jeweils virulent werden.

Daher ist eine endgültige Interpretation nie gegeben und alles, was hier über die Interpretation als solche gesagt wird, nur eine Aufzeigung idealer Kurven.[38]

Selbstinterpretation und dichterische Praxis:
das schizophrene Selbstgespräch
Der Schaffensprozeß als Erkenntnisgegenstand,
im Unterschied zum Text

Nachdem wir gesehen haben, was der Leser vom Autor als Interpreten zu erwarten oder auch nicht zu erwarten hat — und daß es fast auf eine Sonderveranstaltung für den raffinierten Leser hinausläuft —, bleibt noch die Frage, was denn der Autor selbst davon hat, wenn er sein eigenes Gedicht analysiert. Hat er überhaupt etwas davon, nützt es ihm, kann es ihm schaden?

Es gibt Prozesse, deren Analyse durchaus kein Weg ist, sie herbeizuführen. Eine genaue Kenntnis des Atemvorgangs hat mit dem Atmen nichts zu tun. Eine Kenntnis dessen, was bei der Liebe sich abspielt, nichts mit der Liebe. Und ebensowenig hilft eine genaue Kenntnis des Wesens des Gedichts zum »Machen von Gedichten«, welche eben nur in einem bedingten Sinne »machbar« sind. Obwohl sie ohne »Können« gar nicht »machbar« sind. Gewiß, der Autor hat sich seine Mittel bewußt, oder doch bewußter gemacht, sein Kriterium geschärft. Die Mittel sind Voraussetzung. »Genialität, die von etwas anderm ausgeht als den Mitteln, die ihr sich auszudrücken zur Verfügung stehen, ist Dilettantismus«, sagt Benn, consensu omnium.

[38] Über die objektiven Gründe der Interpretierbarkeit, s. oben S. 30/31. Immerhin ist interessant, daß die große Mehrzahl der hier veröffentlichten Selbstinterpretationen mehr oder weniger handwerkliche Rechenschaftsberichte oder Analysen sind. Während die Leserinterpretationen überwiegend Mischformen sind, wobei auch zu berücksichtigen ist, daß viele der Interpreten (die knappe Hälfte) selbst Lyriker sind, oder doch verkappte Lyriker, also am Handwerklichen, an dem Wie des Was, auch bei einem fremden Text (zumindest wenn es ans Interpretieren geht) vital interessiert.

Insofern also ist der Lyriker, der sein Gedicht analysiert, ein Amphibium[39]. Dies Amphibium bewegt sich in zwei Elementen. Es abstrahiert. Und es »tut«. Dichten ist ein Tun. Der Lyriker, der sein Gedicht analysiert, ist getrennt, durch eine haarscharfe Grenze, von dem Teil seines Ich, das als Lyriker in Funktion tritt. Er ist ein Doppelgänger seiner selbst, eine schizophrene Erscheinung. Er hat sich Kenntnis verschafft über seinen Arbeitsprozeß, seine Selektionsprinzipien, den Weg, den er gegangen ist und der ja keineswegs vorgezeichnet ist, es ist ein Weg, der im Gehen entsteht. Jeweils steht er, wenn er stehenbleibt, am genauen Ende des Gegangenen. Vor ihm ist alles ungegangen. Im Sichumsehen sieht er aber sein letztes Gedicht schon hinter sich, es ist ein Stück Weg geworden. Kann er nun schlechter weitergehen, wenn er sich bewußt gemacht hat, was er getan hat, und also, was er gleichzeitig nicht getan hat? Interferiert das Bewußtsein mit der Praxis? Geht es ihm wie dem Mann, den einer fragt, ob er beim Schlafen den Bart auf oder unter der Decke hat?

Der Dichter ist wirklich ein Doppelgänger. Er begibt sich in seine andere Existenz. Insofern die Bewußtmachung seiner Praxis nicht schadet, ist auch der Nutzen für die Praxis ein relativer. Er weiß nur genauer, was er implizite wußte. Der abstrahierende, der analytische Teil des Ich kann dem schöpferischen aber insgeheim etwas »zustecken«, eine Art Wegzehrung an Wissen und Wollen mit auf den Weg geben (das, was ich an anderer Stelle den »Geheimbefehl« nenne). Er kann dem Abenteuer der Begegnung mit der Sprache einen solchen oder solchen Ausgang suggerieren. Nachträglich kann er das Ergebnis dieses Abenteuers durchaus analysieren, und je nach seinem Abstraktionsvermögen kann er den Schaffensprozeß und das Geschaffene auf die Erreichung der »Geheimaufträge« hin befragen. Vergleichen, was er getan hat, mit dem, was er tun wollte. So kann er auf einen zu gehenden Weg[40] hinarbeiten, indem er die Möglichkeiten des bisherigen Tuns über sich hinaus projiziert, in eine hypothetische Richtung. Es ist also die Selbstanalyse eine Akutmachung der Schaffenskurve. Dies ist, glaube ich, der Wert, den sie für den Lyriker selber hat.

[39] Es kann nicht nachdrücklich genug darauf hingewiesen werden, daß Schaffensvermögen und Abstraktionsvermögen zwei von einander unabhängig funktionierende Fakultäten sind. Daß ein Lyriker »etwas Gelehrtes« über sein Gedicht zu sagen vermag, macht dieses weder besser noch schlechter. Es beweist sowenig etwas »für« oder »gegen« das Gedicht, wie es z. B. etwas für oder gegen ein Forschungsergebnis beweist, wenn der Wissenschaftler überdies noch ein guter Lehrer ist.

[40] Über das Weiterführen des und das Weggehen vom Weg im wörtlichen Sinne, vgl. Domin, *Prinzipien der Wort- und Bildwahl*, a.a.O., S. 25 ff., ebenso *Lyriktheorie, Interpretation, Wertung*, a.a.O., S. 152.

Der Zuwachs an Erkenntnis über den eigenen Schaffensprozeß ist zugleich ein Zuwachs an Erkenntnis über den Schaffensprozeß als solchen. Was den Schaffensprozeß als solchen angeht, ist der Lyriker im sokratischen Sinne ein Fachmann.[41] Die entscheidenden Neuformulierungen über den Schaffensprozeß, die Lyriktheorie dieses Jahrhunderts ist durchweg den Lyrikern selbst verdankt. (Mehr den Franzosen und auch den Angelsachsen als den Deutschen.) Der Lyriker ist die Instanz, die zuständig ist für die Probleme des Schreibens. Er weiß Bescheid über das Wesen des Gedichts. Was das einzelne Gedicht angeht, sein eigenes einzelnes Gedicht, so taugt er nicht mehr als jeder Dritte, oft auch weniger, weil er, soweit er zur Abstraktion begabt ist, das Gedicht hauptsächlich auf das Technische abklopft.

Es gibt keine »Instanz« für ein Gedicht. Das Gedicht ist für jeden da, der es benutzen will: Je »besser« ein Gedicht ist und je »besser« der Leser – je weiter gespannt, je vielschichtiger die Erfahrung des Lesenden und die in dem Gedicht zu Wort gekommene ist, je mehr »Welt« in beiden lebendig ist –, um so mehr kann mit einem Gedicht getan werden. Hier, wie überall, erhöht Qualität die Freude an der Sache. Nur ist »Qualität« weit schwerer zu bestimmen als bei den Gebrauchsgegenständen niederen Grades. Sich immer neu ausrichten an den Meisterwerken der Vergangenheit, immer hinhören auf die Stimmen der Gegenwart – und vor allem hinhören auf die eigene Stimme und diese leiseste Stimme zu Worte kommen lassen –, ist das einzige Rezept für Autor und Leser.

Es gibt keine »Stunde Null« und kann keine geben: Sie ist nichts als eine Luftspiegelung. Eine stimulierende Luftspiegelung. Das Ewige, Immer-Gleiche, Nie-Gleiche, wird in jedem Augenblick neu auf den Augenblick gebracht. Das tun die Lesenden ganz wie die Schreibenden. Dazu ist Kunst da, dazu sind Gedichte da.

Heidelberg, Januar 1966/März 1969

Hilde Domin

---

[41] Über den Autor als Theoretiker und über den prinzipiellen Unterschied zwischen Lyriktheorie, Interpretation, Wertung, siehe Domin, a.a.O., S. 147.

Die Interpretationen

ENDE EINES SOMMERS (1949)

Wer möchte leben ohne den Trost der Bäume!

Wie gut, daß sie am Sterben teilhaben!
Die Pfirsiche sind geerntet, die Pflaumen färben sich,
während unter dem Brückenbogen die Zeit rauscht.

Dem Vogelzug vertraue ich meine Verzweiflung an.
Er mißt seinen Teil von Ewigkeit gelassen ab.
Seine Strecken
werden sichtbar im Blattwerk als dunkler Zwang,
die Bewegung der Flügel färbt die Früchte.

Es heißt Geduld haben.
Bald wird die Vogelschrift entsiegelt,
unter der Zunge ist der Pfennig zu schmecken.

*Günter Eich**

Wir wissen, daß es Farben gibt, die wir nicht sehen, daß es Töne gibt, die wir nicht hören. Unsere Sinne sind fragwürdig: und ich muß annehmen, daß auch das Gehirn fragwürdig ist.
Nach meiner Vermutung liegt das Unbehagen an der Wirklichkeit in dem, was man Zeit nennt. Daß der Augenblick, wo ich dies sage, sogleich der Vergangenheit angehört, finde ich absurd. Ich bin nicht fähig, die Wirklichkeit so, wie sie sich uns präsentiert, als Wirklichkeit hinzunehmen.

Nun gut, meine Existenz ist ein Versuch dieser Art, die Wirklichkeit ungesehen zu akzeptieren. Auch das Schreiben ist so möglich. Aber ich versuche, noch etwas zu schreiben, was anderswo hinzielt. Ich meine das Gedicht.
Ich schreibe Gedichte, um mich in der Wirklichkeit zu orientieren. Ich betrachte sie als trigonometrische Punkte oder als Bojen, die in einer unbekannten Fläche den Kurs markieren.
Erst durch das Schreiben erlangen für mich die Dinge Wirklichkeit. Sie ist nicht meine Voraussetzung, sondern mein Ziel. Ich muß sie erst herstellen.
Ich bin Schriftsteller, das ist nicht nur ein Beruf, sondern die Entscheidung, die Welt als Sprache zu sehen. Als die eigentliche Sprache erscheint mir die, in der das Wort und das Ding zusammenfallen. Aus dieser Sprache, die sich rings um uns befindet, zugleich aber nicht vorhanden ist, gilt es zu übersetzen. Wir übersetzen, ohne den Urtext zu haben. Die gelungenste Übersetzung kommt ihm am nächsten und erreicht den höchsten Grad von Wirklichkeit.
Ich muß gestehen, daß ich an diesem Übersetzen noch nicht weit fortgeschritten bin. Ich bin über das Dingwort noch nicht hinaus. Ich befinde mich in der Lage eines Kindes, das Baum, Mond, Berg sagt und sich so orientiert.
Ich habe deshalb wenig Hoffnung, einen Roman schreiben zu können. Der Roman hat mit dem Zeitwort zu tun, das im Deutschen mit Recht auch Tätigkeitswort heißt. In den Bereich des Zeitwortes aber bin ich nicht vorgedrungen. Allein für das Dingwort brauche ich gewiß noch einige Jahrzehnte.

* Auszug aus *Literatur und Wirklichkeit*, einer Rede, gehalten in Vézelay, 1956. *Akzente*, 3. Jahrgang, 313 ff. — Günther Eich schrieb der Herausgeberin: »Ich lehne es immer und überall ab, mich zu mir und meinen Sachen zu äußern.«

Für diese trigonometrischen Zeichen sei das Wort »Definition« gebraucht. Solche Definitionen sind nicht nur für den Schreibenden nutzbar. Daß sie aufgestellt werden, ist mir lebensnotwendig. In jeder gelungenen Zeile höre ich den Stock des Blinden klopfen, der anzeigt: Ich bin auf festem Boden.

. . . .

Richtigkeit der Definition und Qualität sind mir identisch. Erst wo die Übersetzung sich dem Original nähert, beginnt für mich Sprache. . . .

Rudolf Hartung

ENDE EINES SOMMERS

Wenn es erlaubt wäre, mit einer persönlichen Erinnerung zu beginnen: als ich vor einigen Jahren mit Studenten dieses Gedicht durchnahm, hatte ich beträchtliche Schwierigkeiten, die angehenden Germanisten von dem ersten, für sich allein stehenden Vers zu »überzeugen«. Der »Trost der Bäume« fand wenig Widerhall, der Hinweis, daß eine scheinbar kleine Veränderung, etwa in »Trost der Blumen«, alles verderben und den Vers Günter Eichs zum Anfang eines Gedichts fürs Poesie-Album machen würde, wurde schweigend aufgenommen. Die Bäume wurden als Zeichen für »Natur« verstanden, wo es darauf angekommen wäre, deren Spezifisches zu erkennen: ihr schweigendes oder rauschendes Dasein, ihre lange Geduld, ihr Verwurzeltsein im Dunkeln und ihr grünes Aufragen ins Licht. Daß Natur zu allgemein und Blumen zu »schön«, zu sehr feiertäglicher Schmuck sind, um Trost spenden zu können — vorausgesetzt, daß vom Leser des Gedichts das Leben überhaupt als des Trostes bedürftig empfunden wird —: es wurde mir nicht recht deutlich, ob ich das vermitteln konnte. In meiner relativen Ratlosigkeit sah ich mich nach Beistand um und stieß auf einen jüdischen Segensspruch, in welchem Gott um der Bäume willen gepriesen wurde: »Gepriesen seist Du, der Du solche wie diese in Deiner Welt hast.«
Man lernt langsam, auch in der Rolle des Lehrenden. Und so dauerte es seine Zeit, bis ich begriff, daß das Gedicht Günter Eichs so einfach und leicht verständlich nicht ist, wie es den Anschein haben mag. Kompliziert in seiner gedanklichen Struktur ist gerade auch der erste Vers. Er setzt die Trostbedürftigkeit des Lebens voraus wie die Einsicht, daß Bäume Trost spenden können, und er verschärft, nicht ohne Emphase, diese Voraussetzungen in dem bekenntnishaften Ausruf: »Wer möchte leben ohne den Trost der Bäume!« — als gehöre eng zum Leben immer auch seine Unmöglichkeit oder die Möglichkeit der Absage.
Hat der erste Vers, auf eher indirekte Weise, die Vergänglichkeit des Lebens und die lange Lebensdauer der Bäume aufgerufen, so verknüpft beides der folgende Vers. Am Prozeß des Sterbens haben auch die Bäume teil — in jedem Herbst und zuletzt definitiv —, und dies wird gut genannt (weil es Ge-

meinsamkeit schafft und vielleicht auch weil das schweigende Sterben der Bäume ein Exempel setzt). Mit diesem Sterben — auch schon mit dem Titel *Ende eines Sommers* — strömt gleichsam Zeitlichkeit ins Gedicht ein, wobei, in glücklicher Abhebung gegen eine gewisse Allgemeinheit der ersten Verse, nun mit sehr konkreten Beispielen — Pfirsiche, Pflaumen — der Vorgang des Erntens und Reifens veranschaulicht wird; auch unterm Brückenbogen rauscht die Zeit — als strömendes Wasser — vorbei und hinab.

Was diese Bilder des Vergehenden an Verzweiflung wecken, wird in einer kühnen irrationalen Geste — es ist jene Kühnheit, die sich der Verzweiflung verdankt — dem »Vogelzug« überantwortet: Fortfliegenden, die dem Herbst entrinnen, als gebe es eine definitive Flucht vor dem Tod; kreatürlichen Wesen, die ohne Bewußtsein des Sterbens »gelassen« ihre kleine Zeitspanne leben. (In einem früheren Gedicht Eichs heißt es im Hinblick auf diese Gelassenheit der Kreatur: »Die Vögel über den Dächern / fürchten kein Gericht.«) In den folgenden drei Versen wird die im Wort »Vogelflug« enthaltene Zeitlichkeit freigesetzt. Die »Strecken« des Vogelflugs — der räumliche Ausdruck impliziert eine bestimmte Zeitdauer — werden ablesbar am Laub und an der Färbung der Früchte. Was in gewöhnlicher Rede und mit einer eingefahrenen Metapher »Der Herbst färbt die Blätter« heißt, wird im Gedicht durch eine verfremdende Metaphorik ersetzt, die zwar wissenschaftlich ebensowenig haltbar ist wie die alte, aber durch ihre überraschende Neuheit das Phänomen und die Beziehung der Phänomene erst wieder, und fast schockartig, zu Bewußtsein bringt. Kraft dieser künstlerischen Umsetzung verwirklicht sich das Gedicht: die abgenutzte Welt wird wieder sichtbar, die Wirklichkeit wird neu entdeckt — ein Vorgang, den Glück und Erschrecken begleiten, der momentan und immerwährend ist, vergleichbar jenem Mondaufgang am Ende des Eichschen Gedichtes *Himbeerranken*: »Der Mond schlägt sein Auge auf, / gelb und für immer.«

Die letzte Strophe beginnt mit dem Vers: »Es heißt Geduld haben.« Vor diesem Vers, dem der Blick auf das Enteilende und die das Ende ankündigenden Veränderungen vorausging, ist eine Pause. Oder genauer: ein emphatisches Schweigen — wie nicht selten zwischen den Strophen bei Günter Eich —, dessen Bedeutungsschwere beim Lesen des neuen Verses offenbar wird. Solche Pausen, mag auch im Einzelfall ihr »Gehalt« nicht immer leicht zu bestimmen sein, sind zumal bei Eich für das Gedicht ebenso konstitutiv wie die Aussage der Verse; wer sie nicht oder nur als leere Zeit empfindet, erfährt nicht das

Gedicht. Ähnliches wäre auch im Hinblick auf das einzelne Wort zu sagen. Es gilt zu vernehmen, auf welche Weise es sich dem Schweigen entringt, wie beschaffen die Relation von Schweigen und Laut ist.

Um zu der Pause zwischen der vorletzten und der letzten Strophe dieses Gedichts zurückzukehren: in ihr wird — schweigend — die durch die Erfahrung des endenden Sommers aufgerufene Vergänglichkeit auch des eigenen Lebens bedacht, jenes Lebens, das am Rande seiner Unmöglichkeit steht und dem Verzweiflung so gewiß ist, daß sie nicht näher begründet zu werden braucht. Dieses Bedenken mündet in eine Einsicht, und erst diese wird sprachlich wieder artikuliert: »Es heißt Geduld haben.« Geduld trotz Verzweiflung; Geduld trotz der Ungeduld, die auf Entschlüsselung jener Erscheinungen drängt, die jetzt und hier nicht lesbar sind; Geduld wohl auch, weil, wie angedeutet, die authentische Erfahrung der Wirklichkeit Glück und Schrecken zugleich ist.

Am Ende, und das heißt: »bald« wird das jetzt noch chiffriert Erscheinende — die »Vogelschrift« — lesbar sein; eine Hoffnung, die der bei Günter Eich häufig verlautbarten Erfahrung entspringt, daß die irdischen Erscheinungen einen geheimen Sinn in sich bergen, eine uns zugedachte »Botschaft«, die sich uns gleichwohl verweigert. Unterpfand dieser Erwartung ist der Geschmack des Pfennigs unter der Zunge: der Obolus, der Charon für die Überfahrt zu entrichten sein wird, ist jetzt schon zu schmecken; der Tod ragt in die Gegenwart hinein.

Offen bliebe die Frage, ob diese Hoffnung, die eine bittere zu nennen wäre, weil sie im Tod zu gewinnen ist — das Wort »bitter« drängt sich übrigens beim Lesen des letzten Verses unwillkürlich auf —, ob und inwiefern diese Hoffnung begründet ist. Sie mag chimärisch sein wie die Hoffnung der Künstler in einem Gedicht Baudelaires, daß einst der Tod, gleich einer neuen Sonne, die Blumen ihrer Hirne erblühen lassen wird. Glaubwürdiger in dem Gedicht Günter Eichs ist die Verzweiflung, die offenbar kaum einer Begründung bedarf, überdies auch durch den ersten Vers »Wer möchte leben ohne den Trost der Bäume!« schon etwas »vorbereitet« ist. —

Zu sprechen bleibt zuletzt noch von einer Glaubwürdigkeit anderer, künstlerischer Art; einer magischen Verführung, ohne die das Gedicht nicht wäre, was es ist. Gemeint sind gewisse Korrespondenzen im Sprachleib jener Wörter, die in einem Sinnbezug zueinander stehen. Daß, beispielsweise, im ersten Vers der Konsonant »b« von »leben« in dem Wort »Bäume« wiederkehrt, verleiht der Aussage geheime Überzeugungskraft: Leben und Bäume, so wird sanft suggeriert, gehören zusammen; gemeinsam ist ihnen überdies das »Sterben« in welchem Wort der Konsonant sich wiederum findet.

(Vernehmen auch muß man, wie im Diphthong des Worts »Bäume« das Trostspendende sich so weit ausladend entfaltet wie die Gegenstände, die aufgerufen werden . . .) — Von den »Pfirsichen« und »Pflaumen« des dritten Verses war in anderem Zusammenhang schon die Rede: an sehr Konkretem — selbst die Wörter sind sehr konkret — sollte der herbstliche Vorgang aufgezeigt werden. Der auffallende Doppelkonsonant der beiden Wörter kehrt wieder im zu schmeckenden »Pfennig« des letzten Verses: der Münze, die zwar nicht wie die Früchte am Ende des Sommers geerntet, indessen nach dem definitiven irdischen Ende zu entrichten sein wird; geerntet, diese Assoziation ist zulässig, wird der Träger der Münze im Tod.

Erstaunlich wäre es, würde die Zeitlichkeit, die das Thema des Gedichts bildet und schon in den bislang angeführten Beispielen aufzuspüren war, nicht noch weiter suggestiv zur Anschauung gebracht. Das Wort »Zeit«, verknüpft mit dem Gedanken an ihre Vergänglichkeit — sie rauscht als Fluß unter dem Brückenbogen —, erscheint im vierten Vers. Sogleich im nächsten Vers begegnen wir wieder dem Anfangsbuchstaben des Worts in den Vokabeln »Vogelzug« und »Verzweiflung«: im Vogelzug, der den innigsten Bezug zur Zeit, zum Ende eines Sommers hat; in der Verzweiflung, die wesentlich in der Zeitlichkeit und damit Vergänglichkeit des Daseins wurzelt. So können die Anfangsbuchstaben dieses Wortes für die menschliche Daseinsverfassung wiederkehren im dunklen »Zwang«, der im Blattwerk als Ergebnis der verrinnenden Zeit sichtbar wird. »Dunkel« wird dieser Zwang genannt, doch ist diesem Vorgang nicht Verzweiflung zuzuordnen, sondern jene Gelassenheit, die auch dem Vogelzug eignet: sterblich ist der Mensch wie die Kreatur und die irdischen Dinge; aber nur der Mensch weiß das.

Abzuwehren sind natürlich, spricht man solchermaßen vom Sprachleib, den Korrespondenzen eines Gedichts, einige Mißverständnisse. Gemeint ist nicht, es bedeuteten — im Sinne etwa des Vokalgedichts von Rimbaud — gewisse Vokale oder Konsonanten an sich etwas Bestimmtes, seien allgemein gültiger Ausdruck für etwas. Feststellungen, wie sie hier im Hinblick auf das Gedicht Günter Eichs getroffen wurden, sind nur auf das je einzelne Gedicht zu beziehen (auch wenn man anerkennen muß, daß gewisse Vokale und Konsonanten »tauglicher« sind als andere, um bestimmte Dinge oder Emotionen zu suggerieren). Was im einzelnen ein Zeichen — und die Wiederholung eines Zeichens — aufzurufen vermag, ist in Grenzen variabel — die Bedeutung, der Ausdruckscharakter wird bestimmt durch die ganze Zeichenanordnung des jeweiligen Gedichts. Und gemeint ist selbstverständlich auch nicht, Korrespondenzen wie die besprochenen würden vom Autor bewußt »gemacht«. Sie stellen sich ein und können, post festum, ein Zeugnis dafür sein, daß die Sprache schenkt, wie in dem Vers Rilkes die Erde. Daß etwa in dem Gedicht Eichs in der letzten Strophe das Wort »Geduld«, verbraucht wie es ist, wie alle Wörter, das Ausharren in der Zeit mächtig aufruft, so daß das Gemeinte nicht nur gemeint bleibt, sondern gegenwärtig wird, ist ein Beispiel für dieses Schenken der Sprache, deren plötzlich mächtige Evokationskraft. Daß sie hier wirksam wird, ist vorbereitet: durch das Wort »gut« im zweiten Vers und auch durch das angrenzende Wortfeld, aus dem das Wort »Geduld« wie ein langer dunkler Hornruf aufsteigt.

Peter Huchel

WINTERPSALM *für Hans Mayer*

Da ich ging bei träger Kälte des Himmels
Und ging hinab die Straße zum Fluß,
Sah ich die Mulde im Schnee,
Wo nachts der Wind
Mit flacher Schulter gelegen.
Seine gebrechliche Stimme,
In den erstarrten Ästen oben,
stieß sich am Trugbild weißer Luft:
»Alles Verscharrte blickt mich an.
Soll ich es heben aus dem Staub
Und zeigen dem Richter? Ich schweige.
Ich will nicht Zeuge sein.«
Sein Flüstern erlosch,
Von keiner Flamme genährt.

Wohin du stürzt, o Seele,
Nicht weiß es die Nacht. Denn da ist nichts
Als vieler Wesen stumme Angst.
Der Zeuge tritt hervor. Es ist das Licht.

Ich stand auf der Brücke,
Allein vor der trägen Kälte des Himmels.
Atmet noch schwach,
Durch die Kehle des Schilfrohrs,
Der vereiste Fluß?

Peter Huchel

WINTERPSALM

Auch dieser Text will für sich selber stehen und sich nach Möglichkeit behaupten gegen seine Interpreten, gegen etwaige Spekulationen, Erhellungen und Biographismen, womit dem Interpreten keineswegs das Recht abgesprochen sei, mit legitimen Mitteln den Text zu deuten und dessen einzelne Schichten aufzudecken. Dem Autor indes ist es nahezu verwehrt, den gewonnenen Sprachraum auf jene Distanz zu verlassen, die für eine Selbstinterpretation Voraussetzung wäre. Bei diesem Versuch liefe er Gefahr, die vorliegenden Metaphern gegen neue auszutauschen.* Auch gäbe es kein sicheres Zurück in den Beginn, Wortklänge, Bildvisionen, auf kein Thema hin geordnet (träge Kälte des Himmels, Mulde im Schnee, Wind mit flacher Schulter gelegen, Kehle des Schilfrohrs), das war alles — ein paar Eisenspäne gewissermaßen, noch außerhalb des magnetischen Feldes. Im späteren Prozeß das Bild als Gleichnis. Und wenn sich dort am äußersten Rand Erfahrung mitteilt, so ist das durch die Situation bedingt und kein Verschlüsseln aus Manier. Hier ist dem Autor wiederum die Analyse verwehrt. Überdies glaubt er, daß es keine Schwierigkeiten bietet, in den Sinn des Textes einzudringen. Die Sprache ist einfach, nichts wird verdunkelt. Trägt das Bild einen Gedanken oder schlägt der Gedanke in ein Bild um, die Metapher bleibt klar. Der Text ist ein Monolog, der in die Stimme des Windes eingeht:

> Alles Verscharrte blickt mich an.
> Soll ich es heben aus dem Staub
> Und zeigen dem Richter? Ich schweige.
> Ich will nicht Zeuge sein.

Die Stimme des Windes evoziert die Gegenstrophe, vier Zeilen eines Psalms. Anruf in einer erstarrten, beklemmenden Landschaft:

---

* Wie Peter Huchel der Herausgeberin mitteilte, bezieht sich dieser Vorbehalt nicht auf die Selbstinterpretation im allgemeinen, sondern spezifisch auf die Selbstinterpretation des Gedichts *Winterpsalm.*

Wohin du stürzt, o Seele,
Nicht weiß es die Nacht. Denn da ist nichts
Als vieler Wesen stumme Angst.
Der Zeuge tritt hervor. Es ist das Licht.

Der Leser wird seine eigenen Erfahrungen in den Text legen und alles messen an seiner eigenen Haltung. Es ist seiner inneren Einstellung überlassen, inwieweit er die Stimme des Windes als mea res agitur empfindet oder ob er die kreatürliche Angst vor der Gewalt (ich will nicht Zeuge sein) als Schwäche verurteilt. Sind nicht, wie ein verborgener Dialog, die beiden Stimmen so gegeneinandergesetzt, daß im Zentrum des Textes die Isolation gebrochen wird? Aber der Monolog — als letzte, uneinnehmbare Position — bleibt von der Stimme des Windes und vom Anruf unberührt. Der Monolog kehrt am Schluß zu seinem Ausgangspunkt (allein vor der trägen Kälte des Himmels) zurück, er bietet keine Prophetie. Der Monolog stellt die Frage, die nicht beantwortet wird:

Atmet noch schwach,
Durch die Kehle des Schilfrohrs,
Der vereiste Fluß?

Hans Mayer

WINTERPSALM   *Erinnernde Deutung*

Ihn las man zuerst in dem — je nach Standpunkt — berühmt-
berüchtigten Abschiedsheft der Zeitschrift *Sinn und Form*. Abschiedsheft insofern, als Peter Huchel zu Ende des Jahres 1962
die Leitung der von ihm gegründeten und vierzehn Jahre lang
redigierten Revue abzugeben hatte. Nach wie vor erscheinen
zwar jährlich sechs Hefte unter demselben Titel, mit der vertrauten Typographie, trotzdem aber bedeutete jene Doppel-
nummer des Jahresendes 1962 nichts anderes als Abschied, Zusammenbruch, Liquidation. Dies gehört zur Substanz des *Winterpsalm* betitelten Gedichts.
Eisige Luft weht durch seine Strophen. Die fast dreihundert
Seiten des Abschiedsbandes boten mancherlei Anlaß für Mu-
senpolizisten, zornig zu werden und noch im nachhinein darüber Befriedigung zu empfinden, daß es mit solcher Art Treiben nun zu Ende sei: Aber der Winterpsalm traf sie — merkwürdigerweise — am meisten: mehr noch als Reden von Sartre und Aragon, als Gedichte von Eich und Celan, weit mehr
sogar noch als Brechts nachgelassene *Rede über die Wider-
standskraft der Vernunft*. Dabei könnte ein Satz aus dieser
Rede als Motto dienen zu Huchels Wintergedicht: »Tatsächlich kann das menschliche Denkvermögen in erstaunlicher Weise beschädigt werden. Dies gilt für die Vernunft der einzelnen
wie die ganzer Klassen und Völker.«
Ein Gedicht über beschädigte Vernunft. Über beschädigte, aber
noch nicht zerstörte Ratio. Ein Gedicht der Verwundung, und
ein verwundetes Gedicht. Der Ausgang bleibt ungewiß. Am
Ende steht die Frage. Drei Strophen, die — scheinbar — ganz
verschiedenen Gattungsbereichen angehören: Bericht, Meditation, Rückkehr zum Bericht und jäher Übergang zur Schluß-
frage, die eine Öffnung bedeutet. Ob zum Leben hin oder zu
tödlichem Verstummen, das wird hier nicht ausgemacht.
Winter und Psalm sind in ungewohnter Verbindung zusammengefügt. Der Winter ist ein Zustand der Hoffnung fast allen Poeten aus einst und auch noch jetzt. »Es muß doch Frühling werden . . .«. Die meisten Dichter dachten darüber genauso wie Asmus. Die Psalmen wiederum waren — ihrer Grund-
prägung nach — Anrufungen aus der Tiefe, die sicher zu sein
glaubten, den Adressaten in der Höhe erreichen zu können.

Huchels Winterpsalm jedoch spricht vom Winter ganz ohne Frühlingssehnsucht, und sein Psalm entbehrt des Glaubens. Einen anderen Psalm stellte Peter Huchel 1963 an den Schluß des Gedichtbandes *Chausseen Chausseen*. Der Gesamttitel bereits deutete auf endlose Wanderschaft ohne Ziel. Die Schlußzeilen des Schlußpsalms bestätigten, daß zur richtungslosen Unendlichkeit des Raumes die entsprechende Unendlichkeit der Zeit gehöre:

> Und nicht erforscht wird werden
> Ein Geschlecht
> Eifrig bemüht,
> Sich zu vernichten.

Bei Gottfried Benn hieß eine letzte Gedichtzeile, kaum zehn Jahre vor dem *Winterpsalm* niedergeschrieben: »Sela, Psalmenende.«

Dennoch wird die Hoffnung nicht ausgespart. In Peter Huchels Gedicht *Der Garten des Theophrast*, dem Ergänzungsgedicht zum *Winterpsalm,* ihm zugehörig wie der Süden zum Norden und die Sommersonne zur winterlichen Vereisung, steht — verwundet, bereits verurteilt, aber noch lebendig — der Ölbaum in den Trümmern, »und ist noch Stimme im heißen Staub«. Im Winterpsalm entspricht ihm die vom Wind freigelegte Mulde im Schnee. Was aber vermag die Mulde in einer Umwelt der allgemeinen Vereisung? Der Wind kann ihr nicht helfen. Der Dichter hat die natürlichen Vorgänge umgestellt. Nicht Wind ernährt die Flamme, sondern die Flamme allein vermöchte ihn zum Sprechen zu bringen. Man kann ihn hören, solange die Flamme ihn zum Erklingen bringt. Allein da ist keine Flamme. Der Gehende im Winter, der die Mulde fand, bleibt stehen. Meditation als Fortsetzung des Berichts. Wer vermag in der Winterlandschaft noch Stimme zu sein, so wie der Ölbaum es war im Garten des Theophrast? Der Wind kann nichts bewirken. Auch die Nacht nicht, »denn da ist nichts als vieler Wesen stumme Angst«. Das Licht allein kann Zeugnis ablegen. Aber da ist kein Licht.

Die Straße führt hinab zum Fluß, vorbei an der Mulde. Hier ist nun die Brücke. Träge Kälte, Endlosigkeit, Lichtlosigkeit. Der Fluß ist vereist. Dort aber am Schilfrohr scheint noch nicht alles zugefroren zu sein. Da fließt noch etwas, ist noch Bewegung, atmet er noch, der Fluß. Es ist, gleichsam, die Mulde im Fluß. Noch ein Stückchen Erde, das vom Winter nicht zugedeckt wurde. Noch ein bißchen Bewegung im Wasser, während ringsum sonst alles vom Eis bedeckt wurde. Er atmet noch, der Fluß. Atmet er noch?

Johannes Bobrowski

IMMER ZU BENENNEN

Immer zu benennen:
den Baum, den Vogel im Flug,
den rötlichen Fels, wo der Strom
zieht, grün, und den Fisch
im weißen Rauch, wenn es dunkelt
über die Wälder herab.

Zeichen, Farben, es ist
ein Spiel, ich bin bedenklich,
es möchte nicht enden
gerecht.

Und wer lehrt mich,
was ich vergaß: der Steine
Schlaf, den Schlaf
der Vögel im Flug, der Bäume
Schlaf, im Dunkel
geht ihre Rede —?

Wär da ein Gott
und im Fleisch,
und könnte mich rufen, ich würd
umhergehn, ich würd
warten ein wenig.

Johannes Bobrowski*

»Ich habe ein ungebrochenes Vertrauen zur Wirksamkeit des Gedichts — vielleicht nicht ›des Gedichts‹, sondern des *Verses*, der wahrscheinlich wieder mehr Zauberspruch, Beschwörungsformel wird werden müssen. Die Klarstellung von Sachverhalten, Lehrgedicht und sonst etwas, damit ists aus. Ballade usw. ist heute Karnevalslied, Schnulze. Schiller wird nie mehr möglich sein, auch Gerhart Hauptmann, Zola, Balzac nicht. Die Literatur wird entvölkert werden, geschichtslos sein müssen. Die Geschütze der Zukunft werden mit geweihten Kugeln geladen, ihre Bahnen mit Beschwörungszauber gelenkt. Das ist ziemlich grausig, aber es spricht alles gegen ein Aufgebenkönnen. Wir müssen unsere Litaneien in die gräßlichen Prospekte hineinsagen, ganz einfach sagen, nicht lautstärker als vorher. Das muß so sein — zwischen allen Stühlen, das ist eine Position ... Wir pflanzen auf das Chaos Blumen und ziehen uns mit einer Zeile Davids oder Deborahs wieder ins Tageslicht.«
». . . Gedicht: das fängt da an, wo das Interessante, der Kitzel aufhört.«

* Zitiert nach einem von Peter Jokostra aufgezeichneten Gespräch in: *Die Zeit hat keine Ufer*, 1963, S. 55/56 und 62.
Bobrowski schrieb der Herausgeberin, wenige Tage vor der schweren zu seinem Tode führenden Erkrankung: »Ihr Unternehmen scheint mir reizvoll und nützlich zugleich, es müßte — wegen der Zuziehung des interpretierenden Dritten — die Grenzen der Selbstinterpretation sichtbar machen, denn absentieren wird sich der Autor wohl nicht können, auch wenn ihm, wie mir, das Gedicht schon ein bißchen ferngerückt ist. Ich würde mich also gern an einem Text versuchen, obwohl ich so etwas noch nie gemacht habe, neugierig, wie das ausfällt ... Bitte teilen Sie mir mit, für welches Gedicht Sie einen Interpreten gefunden haben, damit ich Zeit habe, mich auf ›fremd und unbefangen‹ zu dressieren.« Seine erste Wahl war *Wiederkehr* (aus: *Sarmatische Zeit*, S. 73). Da nach seinem Tode die Herausgeberin den von Jokostra aufgezeichneten Text über das Schreiben abzudrucken beschloß, schlug Prof. Böschenstein das Gedicht *Immer zu benennen* dazu vor.

Bernhard Böschenstein

IMMER ZU BENENNEN

In diesen Versen legt sich Bobrowski Rechenschaft über sein Dichten ab. Benennung ist dessen wesentlichstes Merkmal. Sie hält sich in seinen übrigen Gedichten mit Vorliebe an die Elemente der sarmatischen Landschaft seiner Kindheit. Selten fehlen der Wald, der fischreiche Strom, der Vogelflug, der Wind, der Schlaf. Die evozierten Gegenstände sind demjenigen, der sie aus der Erinnerung hebt, schon poetisch, ehe er sie in eine sprachliche Ordnung bringt. Diese Ordnung zielt vor allem darauf, den Akt des Benennens dem Benannten gefügig zu machen, durch eine bewegliche, weder apodiktisch setzende noch auch aus bestätigender Wiederholung sich festigende Rhythmik, die durchaus von Klopstocks zugleich freier und stilisierter rhythmischer Erfindung mitbestimmt sein mag.

Hier aber wird, im Rück- und Überblick, anders als sonst bei Bobrowski kein Zusammenhang geboten, der *einem* Ort, *einem* Moment entstammt. Von der versammelnden Auswahl genauer Bilder *eines* Bereichs sieht der Dichter ab; er begnügt sich mit der Skizzierung eines Gerüsts zu seinen Gedichten. Deren Elemente werden nur in ihrer Allgemeinheit aufgezählt, mit Spezifizierungen, die den allgemeinen Charakter noch unterstreichen: »den Vogel im Flug«, »den rötlichen Fels«, »wo der Strom zieht, grün«. Es geht bei diesen Farbbezeichnungen darum, auf die individuelle Wiedergabe der Farbe zu verzichten, vielleicht, um die Ungerechtigkeit dichterischen Verfahrens bloßzustellen. Aber selbst in all den Gedichten, die einer geschauten Situation gerecht werden, ist der Farbgebrauch nicht sehr verschieden von dem in unserem Beispiel. So etwa:

> Himmel,
> die Bläue, Bogen
> alt, der mit uns
> geht, den das Grün
> bezaubert ...
> Da ist ein Streifen Rot,
> eine Spur
> Rot, wir sind es allein
> zwischen Grün und Blau,
> Himmel und Erde ...   (*Am Fluß, aus Schattenland*, S. 18)

61

Die Farbe unterstützt bei Bobrowski den Gesamtblick, die Verwandlung in Fundamentales. Diese Tendenz ist auch in anderer Weise in seinen Gedichten erkennbar und steht in schwer faßbarem Gegensatz zur Evokation unverwechselbarer, im Auge behaltener Erinnerung. Wenn also in unserem Gedicht der durchgängigen Selbstanklage sich dem Dichter seine Werke zu Mustern ihrer selbst reduzieren, so kommt darin eine Seite ihres Wesens zum Ausdruck, an der der Autor zu leiden scheint. Die Verfügbarkeit der Elemente seiner Gedichte faßt sich ihm als Spiel zusammen. Wie könnte ein Spiel das Wesen der Dinge bestehen lassen?

Dieselbe Frage nach der Gerechtigkeit des Dichtens angesichts seines Spielcharakters erhebt sich bei einem der großen Vorbilder Bobrowskis, bei Georg Trakl. Ihm ist »gerecht« ein Leitwort, das er dem transparenten Blick des in seinem Tod wohnenden Elis zuspricht. Was der letzte Vers des ersten Helian-Gedichts sentenzenhaft zusammenfaßt, gilt dem Auge, das die Dinge in einer gewaltlosen Reihe von Bildern aufzählend zur Ruhe bringt: »Doch die Seele erfreut gerechtes Anschaun.« Solche Vergewisserung der Gerechtigkeit mag auch bei Trakl der Furcht entspringen, er spiele mit einem immer wiederkehrenden Schatz vorgeprägter Bilder. Wie bei ihm Einsicht in den Zustand dessen, was er anschaut, sich mit der Notwendigkeit einer ästhetisch begründeten Kombination der evozierten Dinge durchdringt, wird nie auszumachen sein. Dies Ineinandergehen ist spannungsvoller, weil nach beiden Polen extremer entfaltet als in der Dichtung der Goethezeit. Bobrowski kennt denselben nie zu beschwichtigenden doppelten Anspruch der Kunst: die Dinge sich selber zurückzugeben und eine Ordnung eigener Setzung aufrechtzuerhalten. Die erste Aufgabe wird durch die zweite gefährdet. Wohl fügen sich die Dinge der Benennung. Aber ohne das Schattengewicht, ohne die Stummheit, die ihnen erst ihre Präsenz verschaffen.

Aber vergaß denn der Dichter diese nicht in das sichtbare Zeichen einzubringende Seite der Dinge? Verdient er seinen Vorwurf zu Recht? Wenn eine Ansicht der Dinge in seinen Gedichten vorherrscht, so ist es diejenige wurzelnden Verwachsens mit der finsteren Tiefe. Die Schwere der Wälder, die Versammlung der Schatten, das Schweigen desjenigen, der von Gras, Stein, Wasser und Wind den Tod lernen will, um in den Besitz einer anderen Sprache, die näher zu den Dingen hinführt, zu kommen, sie zeugen von der nie vernachlässigten Verpflichtung gegenüber der Herkunft des Benannten. Diese Herkunft deutet in einen unergründeten Bezirk nicht allein der Natur, sondern auch der Geschichte. Vorzeit steht in den vielen Greisen und Greisinnen der dörflichen Lieder auf. Pruzzische Sagenreste retten sich in Sprachtrümmer und epische Anrufung. Und noch immer wird dem Schlaf sein Recht nicht?

Hier verbirgt sich Bobrowskis Antrieb zum Dichten, die vergebliche Anstrengung, wahrhaft zu sein. Weil er den Schlaf in den Dingen zu verkennen meint, fügt er sein Gedicht aus Benennungen. Ihnen bürdet er die Last des unergriffenen Lebens auf. Aber die Benennung, wenn sie auch, wie bei Trakl, die gerechteste Weise der Darstellung verbürgt, steht, gerade weil sie am ehesten der faßbaren Perspektive entbehrt, zugleich im Verruf gefährlich willkürlicher Freiheit den Gegenständen gegenüber.

Aus diesem Versagen könnte allein derjenige retten, in dem der Ursprung alles Entstandenen beschlossen liegt. Wäre er vernehmbar anders als in den Dingen, unmittelbar durch Gegenwart und Anruf, so wüßte der Dichter, von wem er seine Sprache empfinge, so wäre er nicht mehr genötigt, sich einem Anspruch zu unterwerfen, der die Grenzen der Menschheit verletzt. Die Schüchternheit, mit der der Zweifel an zwingender Verbindlichkeit sich anmeldet, steht im Einklang mit der Gelöstheit der Verse. Keine zur Schau gestellte Verzweiflung, nicht einmal das Geständnis eines Leidens bedroht den sachten Bau der der Prosa so willentlich benachbarten Strophen. Selbst dort, wo Bobrowski die Ballung Klopstockscher Wortfolge übernimmt, selbst in den hymnischen Anrufen verschollener Völker und Stätten, weiß sich der Dichter jeglicher Selbstherrlichkeit des Tons zu enthalten. Er hat die nachhaltige Kraft glanzloser Sprache entdeckt. Der spätere Gedichtband, dem das Gedicht entstammt, baut Verse von geringerer Wucht, aus einer leiseren Teilnahme an der Kahlheit düsterer Gegend, in der das Licht sich in seltener, sparsamer Reinheit bewahrt.

Wolfdietrich Schnurre

DAMALS

Ich spür es am Kiel meiner Brust:
bevor ich
dieses Bündel von Wünschen hier war,
bin ich
ein Kranich gewesen. Ich stand,
den arglosen Hals
hoch ins All aufgerichtet, im Schilf
einer werdenden Welt
und sog, mit einem sanften
Klappern im Schnabel,
einen Odem ein, der
noch frei war von Schuld,
in dem
nur Frühe war, furchtloser Tau
und eine
Heiterkeit ohne Geruch;
spürbar allein
war zwischen den Zehen der Schlamm.
Alles, was sonst noch
am Himmel und über den Wassern geschah,
geschah gewaltlos
und still.

DAMALS

Dieses Gedicht wurde aus einer Art Heimweh geschrieben; aus Heimweh nach vorgeschichtlicher Schuldlosigkeit. Es ist das Protokoll einer Ahnung, ein Appell ans Gedächtnis, die Beschwörung des Archetyps Vogel. Der Mensch wird übersprungen, das Säugetier auch. Es wird auch nicht irgendein Vogel gewählt, sondern ein Vogel des Grenzbereichs zwischen Wasser und Land. Ein Vogel, der diese beiden Schöpfungselemente mit Fuß und Schwinge verbindet.

Der Kranich ist aber auch ein Schicksalsvogel; er ist der Vogel der Weite, der Freiheit; er ist stolz, unabhängig, gelassen. Der *heutige* Kranich argwöhnt, ist mißtrauisch, scheu. Der damalige durfte es sich noch leisten, den Hals arglos ins All aufzurichten, denn er hat weder Instinkte noch Feinde gekannt; er ist wunsch- und furchtlos gewesen. Er lebt in einer werdenden Welt. Sie ist weithin plan, eine endlose Fläche, mit Schilfwäldern durchsetzt, eben den Wassern entstiegen.

Das Klappern im Schnabel ist irdisch, ein irdisches Atemgeräusch. Es ist sanft, dieses Atemgeräusch, nicht habgierig; gelassen, nicht brutal. Es soll die Zeit akzentuieren, die, mit dem Beginn des Lebens, aus der Ewigkeit trat. Denn diese eingeatmete Luft, sie ist noch keusch, von keinem Staubkorn beschwert. Odem heißt sie hier im Gedicht.

Wer atmet hier *noch*? Gott. Gott in der zeitlosen Frühe eines der ersten Schöpfungstage, an dem der Tau es sich leisten darf, furchtlos zu fallen. Furchtlos, weil er nichts als erfrischen, als kräftigen soll, keine Gifte, keine Unreinheitspartikel: weder Ruß noch Strontium mitführen muß.

Heiterkeit herrscht in dieser Luft. Die durchschaubare, gefühlsfreie Heiterkeit hoher Himmel und endloser Horizonte. Die Heiterkeit Gottes, dessen Bewußtsein noch nicht vom Plan des Menschenbildes getrübt ist. Eine Heiterkeit, die allgegenwärtig ist, überall ahnbar, jedoch geruchlos: ohne jeden zweckhaften Beigeschmack. Man merkt ihr nichts als Klarheit an, als Bejahung.

Das einzige, was der Kranich an Hemmendem spürt, ist zwischen den Zehen der Schlamm. Dieser Schlamm bedeutet keine Trübung des bisherigen Bildes. Er ist die Materie, die Lebenssubstanz, Rohstoff des Kommenden: das Material Gottes; seiner Hand, seines Atems gewärtig.

Alles, was sonst noch geschah, geschah gewaltlos und still. Denn Gott war allein, und der Lebenskampf hatte noch nicht begonnen.

Ernst Zinn

DAMALS

Auf den ersten Blick

Was der Interpret beim ersten Lesen dieses Textes am wenigsten empfindet, ist ein Bedürfnis nach Interpretation, ein Drang zu interpretieren. Verdolmetschen — wem? in welche Sprache? Wer, welcher deutsche Leser verstünde das, was da steht, denn *nicht*?

Und das, was einer daran nicht zu verstehen bekennen möchte: die Metamorphose — ist es zu verdolmetschen, zu vermitteln? Ist ein solches Mythologem, ein so ins Fabulose gestelltes Empfinden oder Geschehen, noch ableitbar? Die Verwandlung könnte bloß gedacht sein, wäre dann Allegorie, gehörte in die Rhetorik. Sie kann »erlebt« sein, dann wäre sie Mythos, wäre Symbol. Welcher Sinn im Leser, im Aufnehmenden entscheidet darüber? Und wäre die Entscheidung begründbar? Gesetzt, der Leser spürte: es ist unerzwungen, ist erlebt, — ist gedichtet und nicht gedacht (und, gut denn, nehmen wir es so!): dann hat das Mythologem auch Anteil am »Pseudos« des Mythischen, das seit dem Vorherrschen des Logos und vom Logos aus gesehen nur Pseudos heißen kann — »Dichter erlügen vielerlei« — und erst seit einer widerlogischen Auferstehung der Dichtung und des Sinnes für Dichtung uns wieder Wahrheit heißt. Solche Wahrheit nun, ist sie, die vom Dichter unbegründend gesagte, nachträglich durch den Interpreten begründbar? Denn das, so scheint es, erwartet man letztlich vom Interpreten, daß er die vom Dichter in Wort und Vers gebildete, rhythmisch gestaltete, ohne Grund ausgesagte Wahrheit begründe und eben damit verdolmetsche. Also Umschreibung, Paraphrase ins dann nicht mehr dichterische, ins alltägliche Wort, Übersetzung ins Handliche, ins Verfügbare. Das hieße die Dichtung ums Leben, um ihr eigenes, unaustauschbares Leben bringen. Das sollte nicht sein! Denn wozu erst ein Gedicht, wenn sich's auch anders sagen, wenn sich's verdolmetschen läßt.

Oder war's so schlimm doch nicht gemeint? Nicht Beseitigung des Gebildes durch den Schein eines Ersatzes, sondern vielmehr: ein Fingerzeig, ein Sichtbarmachen, ein Hörbarmachen dessen, was schwer zu gewahren, schwer zu vernehmen ist. Ja, so ist die Aufgabe gestellt. Sie zu ergreifen, braucht es einen Entschluß und bedürfte es eigentlich der Fragen, die ein anderer Leser dieser Verse etwa stellen möchte. Denn aus dem glücklichen Gebanntsein durch die Form, aus dem fraglosen Innesein der festgehaltenen Regung, aus dem stummen Leben mit dem Gebilde heraus- und dem allen gegenüberzutreten, heißt Unwiederbringliches opfern, heißt Verzichten auf den ersten Blick, der vielleicht der glücklichste, der treffendste bleibt.

Auf den zweiten Blick

Die Identifikation aufgebend, nehmen wir Abstand, lassen das Gebilde zum Gegenstand werden, treten vor dem Gegenstand zurück, mustern ihn, betrachten ihn. Was, so frage ich mich, nehme ich wahr? Um was für ein Gebilde handelt es sich? So fragend habe ich es aufgegeben, den Text verdolmetschen, paraphrasieren zu wollen; ich suche mir und jedem Leser Rechenschaft zu geben vom Vorhandenen, suche zu sehen, zu merken, zu beschreiben. Zweiundzwanzig kurze reimlose Verse bilden eine Kolumne, deren Schlankheit wohl etwas zu tun hat mit dem Aufragen der empfundenen Gestalt, von der die Worte handeln; ebenso wie die Einfachheit der Worte und Wendungen, das Plane des Satzbaus und der Gliederung dem morgendlich Stillen, Beginnlichen der heraufbeschworenen Atmosphäre entspricht. Im Ich, das hier redet, erwacht etwas wie Erinnerung an einen Stand, in dem es sich vor Zeiten befand, in einem früheren Leben, mit dem es durch die Verkettung der Seelenwanderung verbunden ist und das in ihm kraft einer unwillkürlichen Metamorphose wieder erwacht. In eine unvordenkliche Urzeit deutet das »Damals« der Überschrift, das Wort von der »werdenden Welt« und die Rede von der klaren, gleichsam nirgends beschlagenen Reinheit der Luft, die jene Frühe erfüllte. Der Kranich steht, wie diese Vögel auf ihren Brut- und Futterplätzen, im Schilf, auf dem zwischen den drei kräftigen Vorderzehen spürbar werdenden Schlamm, mit hoch aufgerichtetem Hals, der »arglos« genannt wird, denn, so vorsichtig der Vogel sich im Raum seines Alleinseins hält, er ist nicht, was man scheu nennt. Wer Kraniche nicht kennt, mag in Brehms Tierleben nachlesen, wie es um diese Vögel bestellt ist, und ihn wird überraschen, wie die Wesenszüge dieses Geschöpfes in den wenigen Versen des Gedichtes versammelt sind. »Am Kiel der Brust« wird das Kranichhafte verspürt: nicht an den Kiel eines Bootes dürfen wir denken, denn der Kranich weiß zwar im Notfall auch geschickt zu schwimmen, aber dies bezeichnet ihn nicht, ihn, der fliegt oder schreitet, stelzt oder, wie hier, steht. Aber: »das Brustbein ist der merkwürdigste Teil des Gerippes, ist lang und schmal ...

und fällt auf wegen seines starken und dicken, am Rand flach gewölbten »*Kieles*«; dieser Brustbeinkiel ist ausgehöhlt und nimmt in sich die große Schlinge der merkwürdigen Luftröhre auf, aus der beim Zuge die weithin schallenden Schreie dringen, deren Laut wohl der Name des Tieres nachzubilden sucht. An diesem »Kiel der Brust« verspürt der Sprechende sein Einssein mit dem Vogel, mit ihm, dem der tierkundige Beobachter von vor hundert Jahren soviel gute, muntere und besondere Eigenschaften nachrühmt: zu dem Stattlichen der schmalen langen Gestalt die Geselligkeit, die Anmut, die Laune, den Sinn für Zeremonien, für Spiel und Tanz. Gezähmt, schließt er sich in edler Bildsamkeit seinem Herrn an, zeigt sich »als ein wahrer Mensch im Federkleid« und vergilt gelehrig und dankbar dem die Pflege, der sich in ihm »nicht bloß einen unterhaltenden Hofvogel, sondern einen wahren Freund, ich möchte sagen, einen gefiederten Menschen erziehen will«. Welche Spanne von der Art und Weise des wild lebenden Tieres bis zu dem Wesen, das die Domestizierung aus ihm entwickelt. Solches Menschwerden des Tieres *spiegelt* wohl die Tierwerdung eines Menschen, dessen Einbildungskraft die Verwandlung gerade in *diese* Gestalt vollzieht. Aber der Dichter hält sich hier nicht an das Anthropomorphe des Kranichs (sieht er doch sogar ab von seiner Geselligkeit in Schwarm und Zug), sondern an sein urweltlich-menschenfernes Tiersein. Er erlebt ihn als einzelnen, in der fast leeren Landschaft aus Sumpf und Ried, Wasser und Himmel, im Leeren der Unberührtheit, der Freiheit von Schuld, der Furchtlosigkeit, der »Heiterkeit ohne Geruch«, der Gewaltlosigkeit alles Geschehens. Unausgesprochen bleiben die Gegensätze unserer »gewordenen« Welt, aus der die Metamorphose, die Rückkehr in jene Urstufe vor der Seelenwanderung, das erinnernde Bewußtsein entrückt.

Christine Busta

IN DER MORGENDÄMMERUNG

Draußen beginnt schon der Himmel zu schweben.
Ich weiß, daß furchtbare Asche regnet auf unseren Stern,
und es fällt auch viel Asche auf die Herzen.

Der Tod ist nahe,
der Atem des Lebens geht leise,
und reicht er dir auch nur vom Mund
bis zum armen Gesicht eines Nächsten,
du kannst noch die Asche bewegen,
noch mit dem schwindenden Hauch
dem Anflug des Gräßlichen wehren.

Auch Gott hat nichts als geatmet,
als er den Menschen erschuf,
sein Ebenbild für die Gräber
unsres verlornen Gestirns.

Christine Busta

IN DER MORGENDÄMMERUNG

Auf die knappste Formel hin interpretiert ist dieses Gedicht ein Zeitgedicht im ambivalenten Sinn des Wortes. An der Schwelle des Übergangs von der Schlafenthobenheit zur Tagverantwortung, in der Konfrontation von kosmischer und menschlicher Zeit verraten sich Lust und Unlust, Staunen, Entzücken und Erschrecken unserer existentiellen Grundhaltung und Stimmung in ihrer ganzen Widersprüchlichkeit.

Seit Mörikes »flaumenleichter Zeit der dunklen Frühe« ist unser Bewußtsein mit so vielen Erkenntnissen und Erfahrungen faktischer und potentieller Katastrophen belastet, daß sich die seligen Dämmerzustände unserer Seele zwischen Traum und Tag erheblich verkürzt haben. Unsere Himmelsräume sind nicht nur erhellt von schwebendem Licht, sondern erfüllt von kosmischem Staub. Sie sind auch verdunkelt von Restbeständen ungeheuerlicher irdischer Verbrennungsprozesse. Nicht der industrielle Rauch bedrängt uns am schwersten, was uns den Atem nimmt, ist Asche wie die von Auschwitz und Hiroshima. Wir selber haben sie ausgeworfen. Unauflöslich fällt sie auf uns zurück und erstickt und vergiftet unser Lebensgefühl. Und wir sind drauf und dran, sie täglich durch neuen Auswurf zu mehren. Diese Asche ist eine Metapher für den verschuldeten Tod, für alles menschliche Verschulden, nur in der Reuter des Gewissens könnte sie zur Metapher der Wiedergeburt werden. In unserer Jahrhunderthälfte ist jeder neue Tag ein Jüngster Tag im eschatologischen Sinn. Nicht daß nicht alles Leben zu allen Zeiten bedroht gewesen wäre, aber unsere Existenz ist nicht mehr allein fragwürdig aus kreatürlicher Ohnmacht, sondern aus usurpierter menschlicher Machtbefugnis. Wir stehn schon mitten im Weltgericht. Nur unsere Ausgesetztheit ist Schicksal, nicht unsere Schuld. Wo der Mensch den Namen Mensch verdient, und er hat ihn nur aus dem Geist der Menschlichkeit und nicht aus seiner materiellen Natur verdient — natura non contristatur —, bleibt er verantwortlich, auch auf verlorenem Posten. Die furchtbaren Feueröfen, in denen der Mensch seinen Mitmenschen verbrennt und den Menschengeist aufgibt, werden nicht an einem Tag gezündet und nicht auf Geheiß eines einzigen Menschen und auch nicht nur an den so gräßlich augenfällig gewordenen Orten. Unzählige Scheiterhaufen aus dem Kleinholz menschlichen Versagens und Versäumnisses, der eigenen bagatellisierten Rücksichts- und Bedenkenlosigkeit werden täglich zusammengetragen, auf denen einer den andern erbarmungslos röstet, an denen wir eilig und einspruchslos vorübergehn, daß uns die eigene Haut nicht angesengt wird, oder weil wir selber einem einheizen wollen und vielleicht sogar eine eigene Brandwunde zu versorgen haben. Wir haben uns ans Zündeln gewöhnt in Wort und Tat. Wir zündeln mit Butterbrotpapier, mit Zeitungspapier, mit der materiellen Armut des andern und mit unserer eigenen geistigen. Jeder steckt jeden an, wir blasen an, nicht aus. Und irgendeinmal kommt ein böser Wind auf und verstärkt die heimtückische Zugluft, facht all die scheinbar unbedeutenden Brandherde an, verdichtet den lästigen Qualm, an dem man nicht gleich erstickt ist, und eine Hölle bricht los, an der, wenn noch einer davonkommt, wieder keiner schuld gewesen sein wird.

Es war schon einmal zu spät. Wir kennen die Dauer der Frist nicht, die uns noch bleibt. Aber wer früher erwacht als die andern, hört den vergänglichen Atem der Schläfer, sieht ihre Wehrlosigkeit, erkennt die Verletzlichkeit des Menschen im fast schon verschütteten Antlitz des Nächsten. Im Schrecken der Menschwerdung haben wir die Wollust des Daseins verloren. Sie ist unter der Asche verglüht. Aber wenn wir tief genug graben in den Schlacken unserer Schuld, könnten wir eine vom Feuer gereinigte Liebe freilegen. Der Mensch geht mit seinem Nächsten unter, er wird mit seinem Nächsten gerettet. So schwach wir auch sein mögen, in der Zuneigung zum Mitmenschen können wir noch mit vergehendem Atem das Mysterium der Schöpfung erneuern.

Paul Böckmann

IN DER MORGENDÄMMERUNG

Die Überschrift des Gedichts von Christine Busta heißt: *In der Morgendämmerung* und scheint auf einen bekannten Gedichttypus hinzudeuten, auf Verse, die aus dem Stimmungseinklang von Mensch und Natur sprechen, wie Mörikes *An einem Wintermorgen, vor Sonnenaufgang.* Noch die erste Zeile scheint wie ein Wort der Annette von Droste-Hülshoff auf das Geschehen in der Landschaft, auf das steigende Licht zu achten, das den Menschen zur Tätigkeit ruft:

> Draußen beginnt schon der Himmel zu schweben . . .

Aber in diese stets mögliche Gefühlsverbundenheit von innen und außen bricht ein Wissen ein, das Wissen um die »furchtbare Asche«. Unversehens ist der Stimmungshorizont zerrissen und mit ihm der menschlich umgrenzte Raum. Das Gedicht spricht nicht mehr von der Vertrautheit mit Ort und Stunde, dem Hier und Jetzt, sondern von »unserem Stern« und damit von einer kosmischen Ordnung, die wie »Asche« zerfällt:

> Ich weiß, daß furchtbare Asche regnet auf unseren
>
> > > > Stern . . .

Dieser Widerstreit zwischen dem vertrauenden Einssein des Gefühls mit den Rhythmen des Lebens und einem Wissen von zerstörerischen Gewalten, die alles Existierende auszulöschen drohen, bestimmt das Sagen des Gedichts. Ein chiliastischer, endzeitlicher Ton klingt auf, als würde die Eitelkeit alles Irdischen, die Vergänglichkeit aller Reichtümer beschworen, nicht anders als bei dem Psalmisten, der die Menschen mit dem Gras vergleicht, »das da frühe blüht und bald welk wird und des Abends abgehauen wird und verdorrt«. Aber der Unterschied will beachtet sein: das Leben verdorrt nicht wie Gras, sondern verbrennt zu »furchtbarer Asche«. Es fällt nicht zurück in seinen Ursprung, sondern verfällt der Vernichtung. Es handelt sich nicht mehr um die Zeitlichkeit als dem mitgegebenen Maß des Menschen, sondern um die von ihm selbst erst entdeckte Möglichkeit der totalen Vernichtung, um den Aschenregen der

Atomspaltung, der die unwiderrufliche Verwüstung bringen kann und den Menschen seiner selbst entfremdet. Denn was kann er noch sagen, wenn seine Herrschaft über die Natur nicht nur deren Zerstörung ermöglicht, sondern damit zugleich seine Gefühlsbindung an sie aufhebt: »Und es fällt auch viel Asche auf die Herzen«.

Das Wort »Asche« ist für die Gedichte der Christine Busta zu einer Art Leitwort oder besser einem Signalwort geworden, so daß es gelegentlich in anderen Gedichten an bedeutsamer Stelle wiederkehrt. In *Der Traum vom jüngsten Gericht*, in dem Band *Lampe und Delphin* (1955) wecken nicht mehr die Posaunen die Schlafenden, sondern die »Stille« als Zeichen einer unbewohnbaren Welt; ein »lautloser Wind ... stäubte verfinsternd Asche empor aus den grauen Kratern der Erde«. In einem anderen Gedicht wird der Mensch zum »Aschenbläser«, der zur Maske versteinte und »verbrannte Zeit von ihrem Rund« bläst. Er verliert seine dichterische Stimme, wie es in Gedenk-Versen für die Droste heißt:

> Der Balken barst und ist zu Moos verglommen,
> Der Vers verschüttet unter Aschenmohn ...

Der Dichter müßte den Stimmungseinklang, wie ihn die Droste kannte, erst wieder lernen:

> Wird uns die fromme Biene wiederkommen,
> der du vorzeiten dein Gedicht vertraut?

Wohl gehörte die Asche auch sonst zu den gleichnishaften Bildern des Lebens; der Herd heißt in dem Gedicht *Der Mohnsamenesser* das »Aschennest«, an dem nun einer »ohne Namen« sitzt, »der weiß, wie warm das Feuer war«. Zu ihm kehrt die Liebe ein, die noch »vom letzten Goldglanz eines Halms« auf dem Herde lebt, »ehe die Asche erkaltet«. So dringt das Gedicht mit einer Chiffre in den Raum des Ungesagten vor, nicht um aktueller Beängstigungen willen, sondern um in einer dem Menschen entfremdeten Welt der eigenen Stimme wieder zu begegnen und die drohenden Zeichen bewußt zu machen.

Schon immer erfuhr die Dichtung ihre Ohnmacht, wenn sie das schlechthin Erschreckende und Grausige aussagen sollte, die Folgen des Krieges, der Pest, der Armut. Sie konnte nur davon sprechen, wie der Mensch sich im Leid behauptet oder Ergebung lernt. Aber wo der Erfindungsgeist sich gegen sich selbst wendet und die Vernichtungsmaschinen nur noch den Tod pro-

duzieren, erlahmt das Wort vor der Konsequenz des Schrek-
kens, ist der Tod so nahe gerückt, daß er den Atem des Lebens
zu ersticken droht. Damit ist zugleich ein neues Signalwort
aufgerufen, das dem Vernichtungszeichen der Asche als ein Le-
benszeichen entgegengehalten werden kann: die Chiffre des
»Atems«. Das Wissen um die mögliche Entwertung des Menschen zum vertilgbaren Insekt verlangt nach einer neuen Vereinigung mit dem Gefühl, das den Menschen zu seiner Gottes-
ebenbildlichkeit zurückruft. Davon sprechen die Verse, die in
der Todesgefahr der Stimme Raum geben, die nur ein wenig
Atem braucht, um »mit dem schwindenden Hauch dem Anflug
des Gräßlichen zu wehren«. Noch besteht die Aufforderung
zu Recht, mit dem »Atem des Lebens« dem nahen Tod zu begegnen: »Du kannst noch die Asche bewegen«. Aber dieses
Zeichen weist nicht allein auf den Menschen, sondern auf den
Herrn des Lebens selbst:

> Auch Gott hat nichts als geatmet,
> als er den Menschen erschuf.

Es geht nicht nur um die Stimme des Menschen, sondern um
den Atem des Glaubens, der doch durch das Wissen um die
»furchtbare Asche« sich schon in Frage gestellt weiß.
So gehört zu dem Gedicht zugleich der Ton der Schwermut,
daß seine Stimme die ordnende Kraft schon preisgeben mußte.
In manchen anderen Gedichten wird davon deutlicher gesprochen, von der »längst unlesbar gewordenen Landschaft der
Herzen«, von den »Worten, die wir nimmer glauben«, von
dem »Salz verbrauchter Silben« oder von den »ungelesenen
Zeichen mählich verharschten Vertrauens«. Der Mensch unter
den Zeichen der Asche und des Atems gerät in die Nachbarschaft des Wortlosen und muß mit ihm vertraut werden: »Vom
Leben blieb die unlesbare Schrift« heißt es; und so bleibt nur
übrig »mit geöffneten Händen« zu warten oder sich unter ver-
schlüsselte Worte zu stellen, die den Menschen über sich hinaus-
weisen: »Ich bin den Schiffen voraus mit ungelesener Botschaft« heißt es in dem Gedicht *Flaschenpost*.
So könnte es scheinen, als zeuge auch diese Gegenwart nur
wieder von der biblischen Situation, als erneuere sich die alte
Erfahrung von der Eitelkeit des Irdischen, als wären auch vor
den heutigen Bedrohungen tausend Jahre wie ein Tag, als bliebe
nur die Hinwendung zum Ewigen, um in der Zeit zu bestehen. Christine Busta nimmt gern die altgewohnten Vorstellungen in ihre Gedichte auf und erinnert an die »Landschaft

des Nazareners, die Wohnstatt des tröstlichen Worts«. Sie kennt »Dornkranz« und »Kreuzholz« so gut wie das »Korn der Gnade«. Aber auch solche Formeln gehen ein in die Zeichensprache, die sich nicht mit dem Gefühlsausdruck der Erwartung und Mahnung begnügt, sondern nüchtern und wach bleibt, um sich als Stimme zu behaupten, trotz der »Gräber unsres verlorenen Gestirns«. Die religiösen Bilder wollen nicht als Zeugnis oder Bekenntnis genommen sein, sondern den Horizont eröffnen helfen, in dem der Mensch sein Ausgesetztsein erfährt. Paul Valéry stellte in *Le Bilan de l'Intelligence* die Frage, ob der Mensch es noch einmal fertigbringen werde, die von ihm selbst so veränderte Welt mit sich wieder in Übereinstimmung zu bringen: »L'esprit peut-il nous tirer de l'état oú il nous a mis?« Es ist die Frage, die dem besprochenen Gedicht seine Lebendigkeit gibt und auf eine Stimme horchen läßt, in der der Mensch zu sich selbst zurückfindet.

Christa Reinig

ROBINSON

Manchmal weint er wenn die worte
still in seiner kehle stehn
doch er lernt an seinem orte
schweigend mit sich umzugehn

und erfindet alte dinge
halb aus not und halb im spiel
splittert stein zur messerklinge
schnürt die axt an einen stiel

kratzt mit einer muschelkante
seinen namen in die wand
und der allzu oft genannte
wird ihm langsam unbekannt

Christa Reinig

ROBINSON

Robinson ist ein Gedicht von mir. Wenn ich es ansehe, denke
ich: Die Wörter, so wie sie da stehen, sind mir vertraut, aber
den Menschen, der diese Wörter gesetzt hat, kenne ich nicht.
Es gibt ihn nicht mehr. Ich kann mit dem Gedicht nichts an-
fangen. Ich bin jahrelang damit hausieren gegangen. Endlich
hatte ich es geschafft. Es gab einen Gedichtband. Ich war sehr
stolz darauf, auf den Umschlag, auf die Schrifttypen, auf meinen Namen. Ich schlug den Band nicht auf. Wenn ich gewollt
hätte, hätte ich den Inhalt auswendig hersagen können. Aber
dieser Inhalt ging mich gar nichts mehr an. Ich kann nun nichts
anderes tun als mich erinnern, was war das für ein Mensch,
mein Vorfahr, der damals »Ich« hieß. Mir fällt ein, ich nannte
mich gar nicht ich. Ich rief mich bei meinem Namen: Christa
Reinig. Was machst du jetzt, Christa Reinig, was willst du,
Christa Reinig, wer ist Christa Reinig. Vielleicht wußte ich am
Ende dann wirklich nicht mehr, wer Christa Reinig war.
An einem Sonntag stieg ich aus den Holzschuhen, mit denen
ich gewöhnlich den Rhythmus zu meinem Namen klapperte,
zog Lederschuhe an und besuchte eine alte Dame. Ich machte
literarische Konversation, zum Beispiel: »Wer ist dieser Rilke
eigentlich, über den sie dauernd in den Zeitschriften schreiben.
Ein Dichter, ja, ich habe noch nie eine Zeile von ihm gelesen.
Hat er wirklich, außer daß er gelebt hat und herumgereist ist,
auch Gedichte gemacht?« Sie zog ein Büchlein aus dem Regal,
schlug es auf und begann: »Werkleute sind wir, Knappen, Jün-
ger, Meister . . .« Ich hörte wortlos und benommen zu. Es wurde ein unhöflich kurzer Besuch. Ich zog mit dem Buch ab und
fuhr nach Haus. Ganz nebenbei hatte ich endlich mitbekom-
men, woher die anderen jungen Dichter immer ihren wohlge-
lungenen Lyrikton hatten, während ich mich mit meinen
Reimen plagte, wie mit Holzhacken. Aber daran dachte ich im
Augenblick noch nicht.
In der S-Bahn gab es damals viel mehr Schilder und Sprüche
als heute, außer »nicht hinauslehnen« und »Bullrichsalz für die
Verdauung« auch »kennt ihr euch überhaupt« und »die Mor-
genröte einer neuen Zeit«. Ich faßte alle Sprüche, die ich las,
in einen einzigen Rilke-Singsang zusammen. Früh, wenn ich

zur Arbeit ging, und der erleuchtete S-Bahnzug fuhr über die Brücke, mittags, wenn die Federbälle der Spatzenküken um die Krümel sprangen, jede Bewegung faßte ich auf und dachte: Wie würde das Rilke benennen. Abends dichtete ich weiter an Rilkes gesammelten Apokryphen und konnte es bald genauso gut wie der Dichterkreis, der im *Horizont* veröffentlichte. Nur, daß mir der *Horizont* die Manuskripte noch immer zurückschickte.

Ich erfand mir ein dreistrophiges Gedicht, das über alle zwölf Zeilen hinweg mit nur zwei Reimen durchgereimt war, so daß ein Gleichklang von sechs entstand, und hatte eine neue Abart der Poesie erfunden. Eine Reihe merkwürdiger Gebilde entstand. Als ich das satt hatte, ging ich noch einen Schritt weiter. Die Strophenform blieb, wie sie war, gereimt wurde aber nunmehr zweizeilig, wie das die Dichter gewöhnlich tun. Das Thema jeden Gedichts war mit der Überschrift gegeben und wurde in den Strophen durchgeführt. Den Zyklus hätte man zünftig benennen können: Der Mensch in seiner Arbeit. Ich änderte den Namen der Sache alle halbe Jahre und zum Schluß bekam das Ganze die Überschrift: *Die Steine von Finisterre*. Die Berufsliste meiner arbeitenden Menschen war etwas ausgefallen: Henker, Pirat, Selbstmörder, Turmseilläufer usw. Ich war noch im Anfang und auf der Liste stand als nächstes: Strafgefangener.

Ich studierte die Knastliteratur und begann auf das Geschwafel der Kolleginnen zu achten, wenn sie jedem, der es wissen oder nicht wissen wollte, auf die Nase banden, wie oft und wie lange sie »im Barnim« gesessen hatten und was es da alles aus dem Blechnapf gab. Verachtungsvoll hörte ich wieder weg. Das war nicht »mein Gefängnis«. Mein Gefängnis gab es vielleicht noch gar nicht. Ich mußte es mir erfinden.

Das Kopfzerbrechen ging weiter. Mein Strafgefangener mußte selbstverständlich in Einzelhaft sitzen, allein auf sich gestellt, vom Rest der miesen Menschheit durch sieben Mauern getrennt, das war würdevoller als die übliche Zellenkumpelschaft. So schien es mir damals. Ich war meinem eigenen Thema so fremd, daß ich nicht einmal ahnen konnte: Einzelhaft sei die klug erdachte schrecklichste Folter, einen Menschen mit Sicherheit zu zerbrechen.

Nun das Lokalkolorit: Einmal war ich in ein Gefängnis eingedrungen. Alle Türen standen weit offen. Es war leer, die Zellen bis unter die Decke mit Namen bekritzelt. Damals hielt ich mich nicht damit auf. Denn dies Gefängnis hatte einen Fehler, es gab kein Holz darin. So zog ich davon mit Beil und

Sack, woanders Holz zu schlagen. Nun erinnerte ich mich, Korridore, Türen, Klos, Fensterluken. Ich konnte alle Einzelheiten zusammenkriegen, die insgesamt das Gefängnis ausmachten. Aber ich konnte mich nicht hineinversetzen. Wie lebt man da? Ich wußte es nicht.

Ohne rechts und links zu blicken trieb ich inmitten einer Menschenmenge über den Alexanderplatz. Ich landete mit der Nase dicht vor einem Bauzaun. Daran hing ein Theaterplakat, halb zerrissen und längst verfallen. »Robinson soll nicht sterben«. Ich las den Text und dachte: Robinson? Das bin ich. Zu Hause angekommen, schrieb ich das Gedicht auf.

Wulf Segebrecht

ROBINSON

Das Althergebrachte steht im Gespräch über die deutsche Lyrik unserer Zeit nicht gerade hoch im Kurs: Neuigkeiten in der
Lyrik gelten mehr als Erneuerungen der Lyrik. Man verständigt sich, aus solcher Sicht, leicht über das Gewöhnliche, Unauffällige, Althergebrachte, kurz: über das »Konventionelle«
eines Gedichtes wie *Robinson*: Der einfache Kreuzreim und
das strenge Metrum dieser »Volksliedstrophen«, ja selbst die
Dreistrophigkeit sind aus zahlreichen Gedichten der Romantiker, Heines, C. F. Meyers und anderer bekannt. Wortwahl
und Syntax geben sich unproblematisch und einfach.
Der Griff zur Robinson-Thematik selbst, die Variation eines
alten Themas, ist Ausdruck einer bewußten Traditionsverbun-
denheit, auch wenn das Gedicht dann weder das Abenteuer-
liche und die selbstbewußte Energie der Defoeschen Robinson-
Dichtung noch das Idyllische der nachfolgenden Robinsonaden
wiederholt, sondern die »Ausgesetztheit« betont, die das »Moderne« a dem alten Thema ist. Diese Traditionsverbunden-
heit, in der Themenwahl, im Strophenbau und im Reimschema verwirklicht, formuliert das Gedicht als »alte dinge« zugleich so ausdrücklich, daß man es auch als ein Gedicht über die
Dichtung lesen kann und soll. Form und Thema lassen sich als
künstlerische Mittel der literarischen Verbindlichkeit erkennen:
Wo die Selbstbesinnung der Dichtung mit dem Thema des Gedichts eine Verbindung eingeht wie hier, da erklärt sich die
Notwendigkeit des konventionellen Äußeren. Allerdings:
wenn sich das Gedicht auf die »alten dinge« zu beschränken
scheint, so besagt das nicht zugleich, daß es sich auf vorschnel-
le Harmonie, blasse Problemlosigkeit und freundliche Unverbindlichkeit zurückzöge; vielmehr entfaltet sich die eigentliche
Paradoxie dieses Gedichts, das sich von seiner Gestalt und von
seiner Diktion her so konkret auf die Verbindlichkeit als ein
Definitionsbestandteil der Dichtung beruft, erst dann, wenn
man es mit den Ergebnissen der Formdeutung nach seinen
Worten befragt.
Von ihnen, von den Worten, ist gleich zu Beginn die Rede. Sie
haben ihre Mitteilungsfunktion und ihren Verbindlichkeits-
charakter verloren und kennzeichnen damit einen Zustand der

Isolation und Ungeselligkeit: Es ist ein durchaus unliterarischer Zustand, der anfangs so beschrieben wird. An die Stelle der vermittelnden Sprache tritt unvermittelt das Leid, das unkontrolliert ist vom Bewußtsein. Wo Sprache fehlt, sagt das Gedicht, wird das Leid namenlos, unsäglich. Das Namenlose und Unsägliche aber ist unverbindlich, ungesellig, kunstlos, und der Versuch, die Unverbindlichkeit des Unsäglichen durch die Verbindlichkeit der Sprache zu überwinden (den die sogenannte »Stimmungslyrik« zu ihrem Schaden oft genug unterließ), kann fast als definitorisches Postulat der Poesie bezeichnet werden. Ein solcher Versuch setzt aber die Bewußtheit vom eigenen Ich und von dessen Standort voraus; auch davon spricht das Gedicht: die Verse 3 und 4 zeigen es. Zudem fordert dieser Versuch Formen der Verbindlichkeit, die das Gedicht in der Wendung »mit sich umzugehn« nachvollzieht. Wie sich die menschliche Gesellschaft in Umgangsformen konstituiert, so ist die Dichtung durch die Formen ihrer Verbindlichkeit bestimmt. Wer sich — auch in der Isolation — in solchen Formen bewegt, begibt sich nicht ganz der Möglichkeit einer Gemeinsamkeit über alle Einsamkeit hinweg. So hat das Gedicht auch seine politische Relevanz. Dem Tätigen wächst ein Lebenswerk zu, das sich nicht allein an den Bedingungen der Notwendigkeit, sondern ebenso an denen der Kunst orientiert. Not und Spiel gehen darin eine Symbiose ein. Der Wille zur Ganzheit dieses Werkes schafft sich, auf der Grundlage der in der Isolation erlernten Umgangsformen, neue Ausdrucksmöglichkeiten. Dabei ergänzen sich das analytische und das synthetische Verfahren (»splittert«, »schnürt«) zu Werkzeugen, mit deren Hilfe das Lebenswerk zu bewältigen ist, das darin besteht, neue Zusammenhänge, neue Welt aus alten Dingen zu formen. Dieser Welt drückt ihr Schöpfer schließlich seine Signatur auf, er gibt ihr »seinen namen«, wobei er sich eines Werkzeugs bedient (der »muschelkante«), das in sich die konstruktive Schärfe des weltschaffenden Bewußtseins mit der geheimnisvollen Verborgenheit des Schöpferischen vereint. In einer Situation, die den Austausch von Namen sinnlos gemacht hat, bekennt sich der Tätige trotzdem zu seinem Namen. Die Formen des Umgangs mit sich selbst und die Handhabung der alten Dinge haben ihm sogar da noch das Vertrauen in die Verbindlichkeit des Namens geschenkt, wo er eigentlich keine Verbindlichkeiten üblicher Art mehr eingehen könnte. Das Namengeben, von dem hier die Rede ist, ist offenbar von anderer Art als das Namengeben, dem die Sprache ihren Informationscharakter verdankt. Es ist aufs engste an die Ausdrucksmöglichkeiten und -ergebnisse dessen gebunden, der hier seinen Namen gibt. Es richtet sich auf die Verbindlichkeit der Sprache des Schöpfers und gegen die Sprachunverbindlichkeit dessen, der Sprache reproduziert. Wer solche Verbindlichkeit eingeht, dem wird die »allzu oft genannte« Rede, die auf Reproduktion von Bekanntem beruht, unbekannt. Der Name ist, wie man sieht, das Gedicht selbst, geschrieben in der Isolation, ohne aber seinen Anspruch auf Öffentlichkeit aufzugeben.

Die Interpretation hat, wie das Gedicht selbst, den Namen »Robinson« verschwiegen. Allein der Titel des Gedichts nennt ihn (wie das oft der Fall ist), und sogar die dritte Person, in der das Gedicht gehalten ist, wird von der zweiten Strophe an vermieden. Vor die Figur stellen sich die Dinge, die sie freilich handhabt und produziert. Nicht weil der Titel des Rätsels Lösung wäre, sondern weil von Robinson nur ausgeht, was zuletzt weit über ihn hinausgeht, bleibt der »allzu oft genannte« Name im Gedicht ungenannt. Robinson ist kein erlittenes, kein »Erlebnis«- und Ichgedicht, wie solche Distanzformen zeigen. Und wie die Einheit von Werk und Figur im Gedicht selbst gerade darauf beruht, daß zuletzt die Vorstellung vom einsamen Robinson überwunden ist, so stellt sich auch die Einheit von Autor und Gedicht nicht als Identität, sondern als Verwandlung dar. Dem Dichter muß das fertige Gedicht »unbekannt« werden, um der Welt bekannt zu werden. Das ist der Preis, den die Einheit der Kunst fordert. Der Weg zu solcher Einheit, den das Gedicht verfolgt (und den der Reim, vom Kontrastklang über die Assonanz bis zum fast vollkommenen Gleichklang aller vier Verse in der letzten Strophe nachbildet), führt von der Überwindung des Namenlosen über das Bewußtsein vom Ich und seinem Standpunkt in Zeit und Ort (als Voraussetzung aller Kunst) zur Anerkennung von Tradition und Gesellschaft durch das Medium der Sprache, die gerade aus der Situation der Isolation heraus das Postulat der Verbindlichkeit betont. Dies sind die Voraussetzungen zur Handhabung der Formen und zur Neugestaltung der Welt. Nicht zufällig steht das Bild von der Wand, der Mauer, aus der der Dichter »mit unendlicher Geduld mit Feilen und Fingernägeln eine Fuge herauskratzen« muß, in der anläßlich der Verleihung des Rudolf-Alexander-Schröder-Preises gehaltenen Dankrede Christa Reinigs, in der sie ihre dichterische Arbeit in der Isolation erläuterte. Die Überlieferungsformen der Ausdrucksmöglichkeiten verlangen eine Revision der Verbindlichkeitsstrukturen der Sprache. Dichtung hat — sind alle diese Voraussetzungen erfüllt — ihre eigene Einheit und ihre eigene Verbindlichkeit. So haben sich die Verhältnisse umgekehrt: das Neue ist möglich geworden auf der Grundlage des Vertrauens zu dem Alten; die Verständigung mit den Mitteln der Kunst geschieht gerade dort, wo diese Mittel zu versagen schienen. Das Gedicht erneuert, indem es seine eigene Verbindlichkeit und Einheit vollzieht, zugleich Möglichkeiten der Dichtung selbst, verbindlich und einheitlich zu sein — so erklärt es sich, ohne daß damit alles erklärt wäre.

Heinz Piontek

MIT EINER KRANICHFEDER

Dein harscher Ton.

Am Kehllaut erkenn ich
die Schönheit.
Die Partisanin.

Erhell mein
hinterlistiges Herz.

Schwarz auf weiß.

Heinz Piontek

MIT EINER KRANICHFEDER

Motto: Mit mir gegen mich

Heute etwas mit der Feder eines Vogels zu schreiben, gilt als unzeitgemäß. Darüber gar ein Gedicht zu machen, wird nicht wenigen als Pose vorkommen.

Daß die Vogelfeder jahrhundertelang das einzige Handwerkszeug der Verseschreiber war, habe ich nie für einen Zufall gehalten. Vogel und Vers sind mir immer wie Geschöpfe eng verwandter Arten erschienen. Die scharfe metallene Spitze am Halter in meiner Hand betrachtend, freue ich mich, daß sie zur Erinnerung an das taugliche tierische Werkzeug Feder heißt.

Es ist nicht zu ändern: Was wir als wahr erkennen, wird, sobald wir es fixieren, schwarz-weiß. Ein harter Kontrast, der härteste, den wir unter Farben haben. Wird er zur Manier, so sprechen wir von einer Gefahr für die Wahrheit. Schreiben aber heißt, Buchstaben gegen das Licht halten in einer bestimmten Manier.

Nehme ich eine, sagen wir: schneeweiße Kranichfeder zur Hand und schreibe damit Verse in schwarzer Schrift, so kann mir plötzlich diese Gefahr sehr deutlich werden. Es ist die Feder selbst, die mich durch ihren Ton darauf aufmerksam macht. Ein Zuruf — jenen Geräuschen ähnlich, die man erzeugt, wenn man über Eis geht, das nicht unbedingt mehr tragfähig ist —, ein Warnruf. Eis ist wieder etwas Weißes, und ein solcher Ton, für einen Moment in der Luft hängend, steht wie ein großer wilder Vogelschatten über dem Eis.

Wer das lyrisch auszudrücken hat, wird es nicht beschreiben, sondern so formulieren, daß es durch sich selbst da ist und man es sich nicht erst zu imaginieren braucht. Höchstens drei Worte.

Das Eis haben wir angenommen, konkret allein bleibt der Vogel, sein Federgeräusch. Mit meinem Sprachsinn nehme ich den Vogel als primär männliche Erscheinung wahr. In ihm steckt ein Wächter von weithin vernehmbarer Schreikraft. Was ihn aber umkleidet, was ihn kleidet, ist die weibliche Feder. Durch sie wiederum ist männliches Blut geflossen. Jetzt, hier in meiner Hand, bringt sie mich auf beides: ihre Schönheit und ihren Widerstand auf eigene Faust.

Schönheit. In der Lyrik ist sie heute so unzeitgemäß wie die zum Gedichteschreiben dienende Feder vom Schreihals eines Vogels. Ein Wort der Schönheit hat heute so viele Gegner, daß es sich verbergen muß. Es taucht unter, verkleidet seine Schönheit. Doch im Untergrund verteidigt es sich, unpathetisch, beinahe lautlos.

Wer davon spricht, wird die Stimme senken, es hinter der Hand hervorstoßen, mit wenig Atem: Kehllaut, Schönheit, Partisanin. Höchstens drei Verse.

Achthabend überall, entdecken wir die verborgene Schönheit. Außer ihr sehe ich weit und breit niemanden, an den ich mich anschließen könnte, wenn ich mit dem schwarzweißen Gedicht gegen das Schwarzweiß des Gedichts vorgehen will. Das ist ein Partisanenkampf, der von Blutsverwandten ausgetragen wird. Es geht um die reine Helligkeit in dieser hinterlistigen Auseinandersetzung und gerade nicht um eine, für die die Philosophie aufklärerische Waffen führen könnte, sondern um die Helligkeit der auf sich selbst gestellten Verskunst, die eine dunkle Zitadelle besetzen und schleifen will. Das Herz.

Wieder so ein altmodischer Begriff, der an die Poesie wie an eine verlorene Sache gemahnt. Bei Pablo Neruda heißt es: »Und vergessen wir niemals die Melancholie, die verschlissene Sentimentalität, Früchte wunderbarer vergessener Kräfte des Menschen, unrein, vollkommen weggeworfen vom Wahn der Literaten, das Licht des Mondes, der Schwan in der Dämmerung, ›Herz, mein Herz‹.« Er folgert: »Wer sich vor dem Geschmacklosen fürchtet, den holt der Frost.«

Für mein Gedicht bedeutet das einen neuen, in zwei Teile zerbrechenden Satz. Die Ansage des Kampfes in der Befehlsform und die Schwierigkeit, ihn im Dunkeln auszutragen — wobei zu bedenken ist, daß ich sowohl auf dieser als auf jener Seite mein eigener Gegner bin.

Bis zum Schluß spielt sich alles auf der Spitze der unbesudelten weißen Feder eines Kranichs ab. Es liegt nahe, daß Helligkeit, die auf Flügeln herangetragen wird, eine außerordentlich leichte Form von Erkenntnis ist. Aber ich bin vorsichtig. Ich halte das Herz nicht für schwarz, die Vernunft für weiß. Ich sehe eine Gefahr für die Wahrheit.

In dieser Weise bin ich mittels einer Feder an den Ausgangspunkt zurückgekehrt. Jetzt kann ich die Vogelfeder entbehren, mit meiner Stahlfeder fortfahren.

Die Gefahr, die im Schwarzweiß des Gedichts liegt, vor der ich warne —

die gegen das Herz gerichtete Schönheit, mit der ich mich verbünde —

und die andere Gefahr, die mir dabei bewußt wird: die An-
schwärzung des Herzens auf einem weißen Blatt —:
Wer sich darauf einen Vers macht, kann es wieder nur schwarz
auf weiß tun. Es sind die Farben, mit denen wir stehen und
fallen.

Heinz Politzer

MIT EINER KRANICHFEDER

Das Gedicht ist ein Rätsel. Als ersten Schritt zu seiner Lösung empfiehlt sich die Beschreibung.

Das Gedicht besteht aus einem Titel und achtzehn Wörtern. Die achtzehn Wörter sind in Reihen geordnet; die erste und letzte Reihe zählen je drei Wörter — genausoviel wie der Titel — und besitzen weder Subjekt noch Prädikat: Akkorde des Anfangs und des Endes, Stimmungsträger zunächst. Der eigentliche Leib des Gedichts gliedert sich in einmal drei und einmal zwei Reihen, wobei das erste Zeilengefüge klingend, das zweite stumpf endet. So wird eine gewisse Unruhe erzeugt, die das an sich symmetrisch intendierte Gebilde aus dem Gleichgewicht hebt. Dieser Mangel an Balance hätte sich zumindest im Druckbild beheben lassen, wenn die vierte Zeile — »Die Partisanin.« — für sich allein stünde und mit der ersten und letzten Reihe korrespondierte. Über den Sinn dieser Unebenheit wird noch zu sprechen sein. Das Gedicht ist reimlos; lange Vokale und Diphthonge genießen den Vorzug; die Vortragsweise ist *portamento*, durchbrochen nur durch das Gedränge der spitzen »i«-Laute des »hinterlistigen Herzens« in der vorletzten Zeile. Auch hier eine Störung, auf die Unruhe verweisend, die den ganzen Mittelteil bewegt. (Zudem schlägt das »hinterlistige Herz« am Ende dieser Mitte.) Aus dem Dreischritt von Gleichmaß, Störung und Wiederherstellung besteht der Lautkörper des lyrischen Gebilds.

Indem das erste Wort — »Dein« — du sagt, setzt es ein Ich. Die lyrische Person führt sich im Zwiegespräch ein; beinahe könnte man sagen, sie bestehe aus ihm. Da dieses »Dein« auf die »Kranichfeder« im Titel verweist, wird dieser miteingeschlossen und zum integralen Bestandteil des Ganzen gemacht. Es ist freilich ein Ding, eine Feder, was hier angesprochen wird; dieses Ding aber wird nicht um seiner selbst willen apostrophiert, sondern gewinnt in seiner dialogischen Spannung mit der lyrischen Person Gestalt. Diese verbirgt sich zunächst im enklitischen »ich« der zweiten Zeile — »erkenn ich« —, um dann in der fünften als Possessiv — »mein« — breit und selbständig am Ende der Reihe aufzutauchen. Dadurch stellt sich zunächst eine innere Korrespondenz mit dem ersten Wort des Gedichts ein, diesem »Dein«, das auch ein Possessiv, wenn auch der zweiten Person, ist. Um Persönliches handelt es sich hier, darum, was diesem Austausch zwischen du und ich, Feder und lyrischem Ich, entspringt. Aus dein wird mein: ein Vorgang der Aneignung ist im ersten Umriß wahrnehmbar geworden. Mehr noch, zwischen der zweiten und fünften Zeile, zwischen »erkenn ich« und »erhell mein« findet eine Entwicklung statt. Aus Erkennen wird Erhellen, wobei es bemerkenswert bleibt, daß beide Verben auf dem kurzen »e«-Laut aufgebaut sind und die gleiche Anzahl von Konsonanten besitzen. Erkennen ist ein rationaler, erhellen ein mystischer Akt. Das (enklitische) Ich erkennt; das Du soll dieses Ich erhellen, das dann als »mein« ponderiert in einer Senkung auftritt und dem daher doppeltes Gewicht zukommt. Die Schlußzeile hebt das Erhellte ins Allgemeine von »schwarz auf weiß«, das sich bekanntlich getrost nach Hause tragen läßt.

Das »Du« des Gedichtes ist also eine Feder. Daß es die Feder eines Kranichs sein muß, gibt dem Gedicht das Air von etwas Erlesenem. Freilich sind Kraniche von Schiller bis Brecht Vögel des Geheimnisses, und um ein Geheimes, den Akt des »Erhellens«, geht es hier ja wohl. Die Feder gibt einen Ton, einen »harschen Ton«, einen »Kehllaut«. Die »Kehle« dieses Lautes klingt an Kiel an und verrät, wozu diese Feder dient: als Schreibutensil. (Dabei wird wieder eine Stilisierung deutlich: der moderne Dichter dichtet mit einem Federkiel. Was aber wäre das für ein Rätsel, das es dem Löser nicht durch Abwegiges schwerer machte?) Im Schreiben tönt der Kiel; es ist, als erlöse sich der Ruf der Kraniche im Geräusch der Feder, die über das Papier zieht. Dabei ist dieses Geräusch keineswegs angenehm; es ist »harsch«, strikt, diktatorisch, ein Befehl; der »Kehllaut« assoziiert einen Seufzer entbundener Leidenschaft: in ihm befreit sich ein Stöhnen, das auf diese Gelegenheit gewartet hat. Tyrannisch und animalisch, an diesen Eigenschaften des gleitenden Kiels erkennt die lyrische Person die Schönheit. Schönheit als Auftrag, Schönheit, dem Schluchzen verwandt — verlautet hierin das Credo des dichterischen Ich und seines »hinterlistigen Herzens«?

Hinterlistig heißt dieses Herz wohl darum, weil es sich auf den Schleichwegen der Vernunft, mit den Finten des »Erkennens«, der »Erhellung« bislang entzogen hat. Es giert nach dem Augenblick der Erleuchtung, es arbeitet ihm vor, indem es die Schönheit erkennt (und zwar am nicht eigentlich Schönen), und weiß doch, daß sich der schöpferische Augenblick durch Vorarbeit nicht erzwingen läßt. Es greift zur Feder, zur Feder eines Kranichs gar, es lauscht dem Ton des Kiels auf dem Papier und gerade darin, daß es die Schönheit im »Harschen«, im

»Kehllaut«, zu vernehmen gesonnen ist, zeigt es sich in den Kategorien einer Zeit befangen, die so »hinterlistig« ist wie es selbst, das Herz. »Harsch« deutete dann etwa auf das Diktat, unter dem der Dichter einer *poésie automatique* stünde, der »Kehllaut« auf die psychologisch erfaßte Lust des schöpferischen Unbewußten, die Libido des Primitiven. Das sind die modernen »Listen«, hinter denen sich die echte Empfangsbereitschaft der lyrischen Person verschanzt hat. Der Dichter aber weiß, daß er nur um Gebet beten, um Gedicht dichten kann. So sagt diese dritte Strophe auch nicht, daß das Ich sein Gedicht empfangen hätte, sie erschöpft sich in der Selbstbezichtigung — »hinterlistig« — und im Flehen um die Erhellung. Daß dieses Ich sich in der Mitte des zwanzigsten Jahrhunderts als »Herz« setzt (wenn auch in der pejorativen Form eines »hinterlistigen Herzens«), weist auf einen konservativen Einschlag im spröd-modernen Wortgeflecht, auf eine modifizierte Sentimentalität. Wenn aber einer, wie die lyrische Figur hier, auf die Gnade des schöpferischen Moments wartet, ja um sie bittet, wirkt er unweigerlich restaurativ. Dichter, diese geliebten Anachronismen.[1]

Bleibt die Mittelzeile: »Die Partisanin.« Wenn ich Heinz Piontek richtig verstehe, dann ist eine Partisanin für ihn ein Mitglied der *résistance*. Darf man diesen Widerstand als den der Schöpfung selbst deuten? Denn tatsächlich widersetzt sich die Schönheit, auch jene am »harschen Ton« erkannte, dem Eintritt in die Welt, und nun gar auf dem Weg über ein »hinterlistiges Herz«. (Welch ein Geschenk der Sprache, daß Schönheit weiblich ist und der Widerstand zur Partisan*in* werden kann.) Partisanen kämpfen für das Rechte. Nach klassischem Glauben aber ist das Rechte auch das Schöne: Kalokagathia; so

[1] Auf Befragen der Herausgeberin erklärte Prof. Politzer brieflich, daß er die Vokabel »Herz« als solche nichts als »restaurativ« betrachtet (»restaurative Wörter gibt es doch wohl eigentlich nicht«), vielmehr durchaus *für* die Verwendung von »Herz« oder auch »Seele« sei, daß sie ihm aber in diesem Kontext »in Dissonanz zum harschen Klang des Übrigen« zu stehen scheine und deswegen »restaurativ« wirke. Zur gleichen Gefühlslage wie »Herz« gehöre auch die »Kranichfeder«. (Die Herausgeberin glaubte eine Klärung über diesen dem Autor so wichtigen Punkt schaffen zu sollen. Über die Befangenheit in der Benutzung tabu-verdächtiger Worte siehe auch oben S. 13, Anm. 6.)
In andern Literaturen scheint die Frage sich nicht so zu stellen. Vgl. die Unbekümmertheit, mit der Olson die Vokabel »Herz« in sein poetologisches Programm aufnimmt: »das HERZ, über den ATEM, zur ZEILE« (Höllerer: *Theorie der modernen Lyrik*, I, S. 399). In dieser Sammlung vgl. die Texte von Busta, Huchel, Lavant. Ebenso unbekümmert z. B. Bachmann, Celan, Domin, Sachs, *passim*. 1927, also vor vier Jahrzehnten, mokierte sich Ivan Goll bereits über dies »tabu« (*Die Furokokke*, letzter Absatz): ». . . einige Polizisten . . . Sofort . . . schrie ich die drei verbotenen Worte dieser Zeit: ›Mein Herz! Mein Gott! Ich liebe!‹ . . . und freute mich, daß man mir den Mut und die Willenskraft eines Mörders zutraute . . .«

kämpft die Schönheit als Partisanin für ihren Sieg. Partisanen gebrauchen Gewalt — auch hier ist die Gewalt des Rechten und Schönen vonnöten, um das Gedicht der »Erkenntnis« zu entreißen und der »Erhellung« zuzuführen. In jedem Augenblick der Begnadung steckt eine menschliche Katastrophe verborgen. Und wie die Partisanen einer tyrannischen Besatzungsmacht mit der dieser eigenen Taktik entgegentraten, so wendet auch die Schönheit als Partisanin »Hinterlist« an, um das »hinterlistige Herz« der lyrischen Person mit den eigenen Mitteln zu schlagen und zu sich, dem Rechten, dem Schönen, zu zwingen. Sie kommt »harsch« und als »Kehllaut«. Darum ist auch, was dann auf dem Papier steht, partisanenhaft schwarz vor dem strahlenden Weiß einer Schönheit, die zu sich selbst gefunden hat.

Wir haben »Die Partisanin« als Apposition zu »Schönheit« gedeutet. Von dieser ist sie jedoch durch das entschiedene Satzzeichen eines Punktes abgesetzt. Die beiden Wörter bilden, wie schon gesagt, die Mittelzeile des lyrischen Gebildes. Indem sie zur zweiten Strophe geschlagen werden, stören sie das Gleichmaß. Wie aber, wenn gar nicht die Schönheit, sondern die Kranichfeder des Titels diese Partisanin wäre? Auch sie eine Kämpferin — des Rechten und Schönen, wollen wir hoffen —; auch sie weiblich, nicht nur der Grammatik nach, sondern in der Erotik ihres »Kehllauts«, auch sie, wie das Gedicht zeigt, eine mögliche Quelle der »Erhellung«. Und da der Titel auf das ganze Gedicht ausstrahlt, ließe sich eine Korrespondenz zwischen »Kranichfeder« und »Partisanin« durchaus imaginieren. Aber nicht um die Feder geht es, nicht das Utensil ist das wahrhaft Angesprochene des Gedichts und die Lösung des Rätsels, sondern das von diesem Schreib-Werkzeug Geschaffene, die Schönheit, wie fragwürdig diese auch immer sein möge. Eine melancholische Ironie liegt in der Tatsache beschlossen, daß der Dichter das Gleichmaß dieser Schönheit aufs Spiel setze und die Mittelzeile — »Die Partisanin.« — nicht dahin rückte, wohin sie dem Gesetz der Symmetrie nach gehörte, in die einsame Mitte des Gebildes nämlich, sondern daß er sie resolut der Schönheit beiordnete, obwohl gerade diese Beiordnung diese Schönheit stören mußte. Aber die Qualität eines modernen Gedichtes erweist sich gerade daran, daß seine Symmetrie durch Unebenheiten dieser Art verdorben werden muß. Balancierte Schönheit ist ein Relikt aus vergangenen Tagen.

Auch die Schlußzeile ermangelt nicht der Paradoxie: Die »Erhellung« besteht aus jener »Schwärze«, die sich auf dem weißen Papier kundtut — als Gedicht. In Worten bleibt freilich ungesagt, ob diese »Erhellung« nun tatsächlich stattgefunden hat oder das »Schwarz auf weiß« nichts als ein Wunschtraum der lyrischen Person ist. Jedoch diese Worte, diese drei Silben »Schwarz auf weiß«, wie sie in aller Endgültigkeit auf dem Papier stehen, bieten die Gewähr der Erfüllung. »Schwarz auf weiß«, dies *ist* die erbetene Erleuchtung. Die Worte sprechen aus, was sie verschweigen; die Partisanin, die Schönheit, hat ihren Sieg erfochten, und zwar vermöge des toten Dings, der Kranichfeder, die durch diesen Triumph erst ihr Leben erhält. Die Lösung des Rätsels ist das Gedicht, wie es nun vor dem Leser liegt.

Marie Luise Kaschnitz

AUFERSTEHUNG

Manchmal stehen wir auf
Stehen wir zur Auferstehung auf
Mitten am Tage
Mit unserem lebendigen Haar
Mit unserer atmenden Haut.

Nur das Gewohnte ist um uns.
Keine Fata Morgana von Palmen
Mit weidenden Löwen
Und sanften Wölfen.

Die Weckuhren hören nicht auf zu ticken
Ihre Leuchtzeiger löschen nicht aus.

Und dennoch leicht
Und dennoch unverwundbar
Geordnet in geheimnisvolle Ordnung
Vorweggenommen in ein Haus aus Licht.

Marie Luise Kaschnitz

AUFERSTEHUNG

Schon die zweite Zeile macht deutlich, daß es sich nicht um ein gewöhnliches Aufstehen, wie etwa am Morgen, handelt. Das »wir« steht zu etwas Besonderem auf, zu einer Auferstehung im transzendentalen Sinn. Durch die Wiederholung derselben schweren Worte, »stehen auf«, »stehen zur Auferstehung auf«, wird die Bedeutung des Vorgangs unterstrichen. Danach sind einige Zeilen absichtlich weggelassen. Aber, könnte es heißen, nicht aus dem Grabe, nicht aus der Dunkelheit des Todes, nicht als Skelett. Es heißt aber nur »mitten am Tage«. »Mitten am Tage« kann auch in der Mitte des Lebens bedeuten. Das spricht kein Toter. Das Haar lebt, die Haut atmet, das »wir« des Gedichts schildert ein Erlebnis, das jeder Lebende und sogar mehr als einmal, »manchmal« haben kann. Die in der ersten Strophe verschwiegene Verneinung wird in der zweiten ausgesprochen. »*Keine* Fata Morgana«, *keine* Vorspiegelung alter kindlicher Träume vom Paradies. Das »wir« des Gedichts lebt also nicht nur, es bleibt sogar im »Gewohnten«, es verläßt seinen Alltag nicht. Es hört und sieht die Weckuhr, die hier für alle unerbittlichen Forderungen des Alltags steht. Es wird nicht, wie im Tode, aus der Zeit entlassen, die Zeit bleibt ihm auferlegt. Mit dem zweimaligen »und dennoch« der letzten Strophe wird dann das eigentliche Erlebnis eingeführt. Die Tätigkeitswörter erscheinen nur in der Form des Partizips, auch die Hilfsverben sind weggelassen. »Und dennoch leicht« — schon die schwebende Satzkonstruktion deutet einen Zustand der Schwebe an. Das Ende spricht für sich, für einen jener möglichen Augenblicke völlig grundloser Harmonie, auf denen vielleicht jede Paradiesesvorstellung beruht.

AUFERSTEHUNG

Auferstehung: ein Wort alten Glaubens: jetzt Religionsgeschichte; und die Dichter haben es natürlich als innere Erfahrung verbraucht. Ist sie hier ganz simpel geworden? »Nur das Gewohnte ist um uns ... Und dennoch ...«?
Oder eher wie erinnerte Auferstehungsbilder von Präraffaeliten — freilich ohne Jüngstes Gericht! —: »Mitten am Tag/Mit unserem lebendigen Haar/Mit unserer atmenden Haut...« Also Bild im Rahmen auf moderner Wand? Bildgefühl, alte Struktur reizvoll sprachlich verfremdet? Die zweite Zeile »Stehen auf zur Auferstehung« zitiert die Auferstehung doch geradezu, montiert das fertige alte Wort in eine Argumentation von genrehafter Dialektik: »Mitten ... Mit ... Nur ... Keine ... hören nicht auf ... Und dennoch ...«
Nur ist damit noch nicht viel vom Gedicht, vom Gesagten gesagt. Montage der Auferstehung in eine Dialektik zwischen »... leicht ... unverwundbar« und »Mitten am Tage ...«, zwischen, simpel genommen, Erhebung und Genre, innen Öffnung und außen Fortbestand, würde nicht so münden in »Geordnet ... Vorweggenommen ...« Diese Schluß-Sätze, die Schluß-Wörter »... geheimnisvolle Ordnung ... Haus aus Licht« geben nicht einfach innere Erlösung kund, wie das »wir« des Anfangs nicht nur innere Erfahrung psychologisch überträgt. Das Sagen in diesem Gedicht bleibt vor der Entzweiung von lyrischer Subjektivität und genrehafter Objektivität stehen. Besser: es nimmt sie zurück in einen Vorgang, der »Mitten am Tage ...« eine Öffnung werden läßt zwischen Hierleben und Dortleben, zwischen Lebenden und Toten. »Auferstehung« bleibt Balance, gewiß und gerade in genrehafte Erfahrung gestellt, aber so auch gerettet zur Erfahrung. Erfahrung welchen Orts denn, welchen Rechts?
Weiterleben ist Fortleben von den Toten. Und es gibt da nach dem Riß der Trennung zuerst eine grauenvolle, nur langsam sich lösende Verwandlung von Sichselbstfühlen und Gewohntsein des Lebens, Verwandlung von Ich und Umwelt, allein geblieben, ins Genre. Ein Weitergehen der Uhren, ein schreckliches Stilleben-Leben all dessen, was vorher einfach Leben war. »Mitten« darin sagt das Gedicht die »Auferstehung« an, das »Haus aus Licht«. Das ist Aufblitzen eines neuen Zu-

sammenschießens neuer Lebenselemente — nicht mehr gelebt in der süßen Gewohnheit des Daseins, nicht mehr geordnet in der Zeit der »Weckuhren«. Sondern »vorweggenommen«, erweitert um eine neue Dimension. Daß sie nur in der subjektiven Innerlichkeit liegen könnte oder andrerseits nur in irgendeinem Glaubens-Realismus, ist nicht mehr relevant. Die »vorweggenommene« andere Dimension ist seins- und sogar wertneutral. Aber sie ist, ist Kräftefeld zwischen Toten und Lebendigen, ist mögliche Auferstehung zu einem anderen, erweiterten Leben, wie und wo immer. Und davon leben wir — »Manchmal . . .«

WIRKLICHE TAFEL

Wenn die Schieferwand bricht,
gewinn ich
die wirkliche Tafel,

schreibe den Berg darauf,
rieselnden Schieferberg.

Schwalben umstechen ihn
und den wachsenden Wein.

Ihr Nest:
die Achsel
des Herrn auf dem Weinberg,

die Achsel des Bettlers.

Ernst Meister

WIRKLICHE TAFEL

> »— Ich breche ab! Denn ich
> kann mich unmöglich zwingen,
> einen Kommentar über meine
> eigene(n) Versuche zu schreiben.«
> Lessing, *Von einem besonde-*
> *ren Nutzen der Fabeln für die*
> *Schulen.*

Was bei diesem Gedicht zuerst in den Blick fällt, ist eine moti-
vische Einartigkeit, die sich zugleich als eine materielle kund-
gibt. Im Geiste einer sicher unfreiwilligen, das meint entste-
hungsspontanen Reduktion funktioniert, im Zusammenspiel
mit dem Ich, ein System aus dreifacher Schiefergestalt.
Bezeichnenderweise entspricht die Reihenfolge Wand — Tafel — Berg nicht dem naturhaft-kausalen Verhältnis, ja im
vollen Gegensatz dazu wird der Berg, statt der vorausgesetzte
zu sein, auf der Tafel hervorgebracht; in einem absoluten Mo-
dus heißt es: »(Ich) schreibe den Berg darauf.«
Mit dem Verkehrten des Verhältnisses, das seine Art von
Wirklichkeitsdimension anzugeben scheint, hängt offenbar das
Attribut »wirklich« für die Tafel zusammen. Dies bedacht, ergibt sich, daß dieses Wirklich, welches bei der Schiefersache nur
im wesenssteigernden Sinne einleuchtend ist, von keinem anderen Prinzip bewirkt sein kann als von dem des Ich. Somit
wäre das »Gewinnen« dahin zu begreifen, daß »ich« es »mir«
selbst verdanke.
Nicht zu leugnen: Der Satz »Wenn die Schieferwand bricht,
gewinn ich die wirkliche Tafel« bringt es »sinnlicher«weise
mit sich, daß ich mich an den splitterträchtigen Ort der Spreng-
meister versetzt glaube — ehe ich, nun wahrhaft vor Ort ge-
langend, mich einer alten Grundfigur gegenübersehe: der Abstraktion. Das Gedicht könnte *diese selbst* »meinen« und
hierbei — Vorblick auf den Berg — dem »schreibenden« Ich
unmittelbar seine Stelle anzeigen.
Den »Berg« angeschaut: Ist er, durch »mich« erschaffen, nicht
ein innerer? Ins Innere gehört aber auch die »Wand«. Der aus-
führlichen Bedeutung nach nur indirekt faßbar, das heißt allein durch das sich ihr entgegensetzende Moment, stellt sie im

inneren Bezuge das ganz Außenhafte, »Äußerliche« dar. Sie widersteht, indem sie verbirgt.

Was bricht sie? Der Augenblick. In dem Augenblick, wo die Wand, »Schiefer«, von selber im Selbste bricht, ist der Berg im gleichen Zug der sie brechende. Der Berg wird »gegen« sie »abstrahiert« (Hegel); er ist Idee.

Und die Tafel — mittlerweile? Das im Text und seinem Takt leibhafteste, untilgbare Ding? Wenn es ein inneres wäre, könnte ich schwerlich »darauf schreiben«. Das Problem erledigt sich indessen, wenn ich mir bei dem Wort den Bruch nun doch zweideutig denke. Die Tafel ist Bruchstück, *wird* aber das zweideutig Eine (Wirkliche) als mittlerer und vermittelnder Teil der dreifaltigen Assoziation. Sie wird, symbolisierbar, Tafel, die wie von sich aus »ihren« Text zeigt, so als identifiziere sie sich mit ihm. »Schreibe den Berg darauf . . .« Dieser: ein »Klassisches« der Vollstreckung, ein Anderes seinem Gehalt gemäß. Präsentiert er sich wie mancher am Rhein oder in Frankreich, so doch ohne sein Hauptmoment: den Herrn und dessen Schwalben. Den »Herrn auf dem Weinberg« einmal beiseite gedacht, so könnte ein anderer ihm, dem rieselnd gelösten, Patron sein: Dionysos. Doch ein Gott steht nicht in Frage, der Mensch ist der Betreffende, der von diesem Berg betroffen wird. — Subjekt, das ihn subjektiviert, und zwar so, daß gedacht werden kann, der Schiefer wolle im Weine nach oben, entgegen seiner ihm als Materie gleichfalls innewohnenden Neigung, den Berg einzuebnen.

Mir scheint nun in der Tat, daß die Schwalben dieser vertikalen Gegenläufigkeit gewidmet sind in einer Art von Provozieren und Pointieren, das ist »Umstechen«.

Abgeordnete gleichsam sind sie des Menschen, desjenigen auf dem Berge, in welchem der Bettler die Herrlichkeit des Herrn und der Herr die Bettelhaftigkeit des Bettlers parodiert. Die resultierende dritte Person ist die zum Verwalten des Berges geschickte. Sterblich entäußert und den Berg nicht selbstisch an sich veräußernd, hat sie den Willen zum Berge und — zweifellos ein Verhältnis zur Spitze.

Die Schwalben bewohnen des Menschen Achsel. Diese rückt aus der Symmetrie. Von beiden Achseln wird die Achse »gehalten«; sie halten sie aber nicht unbedingt. Das Unbedingte ist bei der einen Achsel; es ist bei ihr als dem Winkel und der schweißigen Höhle; es ist bei ihrem Bedingenden, demjenigen, das die Grenze heißen muß für den Anstieg und das Steigern.

Die Achsel: materielle Höhle. Es geht die Sage, Ymir, Stammvater der Riesen (von ihm hat der Autor bei Abfassung des

Gedichts nicht gewußt), Ymir habe in seiner Achsel die Menschen ausgeschwitzt. Dieser Entstehungsort ist das Nest der spirituellen Schwalben. Das sagt für ihren Herrn, für dessen Bild und das Bild, das er sich von sich macht, genug.
Es gibt »alte« und »neue Tafeln«.

WIRKLICHE TAFEL

Die Überschrift des Gedichtes erscheint wieder in seiner dritten Zeile, ist somit stark akzentuiert. Zunächst scheint es, als
sei hier das Beiwort »wirklich« in jenem emphatischen, beteu-
ernden Sinne verwendet, der in der Umgangssprache geläufig
ist: in Wendungen wie »ich habe mich wirklich sehr gefreut«.
Solche Wendungen sind freilich (auch wenn man absieht von
Formeln wie »wirklicher Geheimer Rat«) durch Schablonisie-
rung abgeblaßt, sie wirken eher abschwächend als steigernd.
Die Aufwertung dieser gängigen Formel in der lyrischen
Sprache Meisters wird dadurch möglich, daß hier der empha-
tische Sinn nur mitschwingt, als begleitende Mitbedeutung sich
einer anderen gesellt. Wer nur die umgangssprachliche Funktion der Wendung auffaßt, verstellt sich die Rezeption ihres
wesentlichen Sinnes. Insofern ist die Formel »wirkliche Tafel«
irreführend, sie provoziert die Frage, was tatsächlich gemeint
ist. Bezeichnet wird nicht nur die rechte, wahrhaft geeignete
Tafel, sondern diejenige, die im genauen Sinne wirklich ist,
wahre Wirklichkeit besitzt. Erst von dieser Deutung aus läßt
sich der erste Vers interpretieren. Das Brechen der Schieferwand, die als massive Realität vordergründig ist und die
eigentliche Wirklichkeit versperrt, ist Gewinn: es verschafft
dem Sprechenden ein Bruch-Stück der wahren Wirklichkeit.
Wer es gewinnt, ist der Dichter — das wird in der ersten Versgruppe nur durch das Wort Tafel angekündigt. Das abgesplitterte Stück der Schieferwand ist die rechte Schreibtafel, weil
es ein Stück der wahren Wirklichkeit ist und nicht jener schein-
haften Realität zugehört, die das verfestigte, erstarrte Gebilde der Schieferwand verkörpert. Die Verbundenheit des Dichters mit dieser Wirklichkeit, auf die er beim Schreiben angewiesen ist, wird sinnfällig. Ein Stück von ihr, das der Einsturz der vorläufigen Realität zutage gefördert hat, trägt sein
Gedicht.
Das ist in der ersten, dreizeiligen Versgruppe gesagt. Von Strophen kann man kaum sprechen. Ernst Meister baut dieses Gedicht wie viele andere aus Versgruppen ohne Reimbindung
auf; sie sind von verschiedener Länge. Es sind fünf, die letzte
ist auf eine Zeile reduziert, Schwundstufe der Versgruppe.
Aber die eine Zeile erhält dabei besonderes Gewicht. Sinn-Ein-

schnitte verschiedenen Grades ergeben sich bei dieser Aufgliederung zwischen den Versgruppen. Zwischen der ersten und zweiten Versgruppe wie zwischen der vierten und fünften ist der Einschnitt geringer als bei den anderen. Syntax und Interpunktion verbinden I mit II und IV mit V. Auch die Verszahl hat eine gliedernde Funktion: zwei Gruppen von je drei Versen umgeben zwei zweizeilige Gruppen, die fünfte schließt einzeilig das Ganze.

Diese Aufteilung strukturiert ein Gedicht, dessen dominierendes Formprinzip die engste Verschränkung der Motive bei sparsamster Wortzahl ist, ein gepreßtes Ineinanderfügen, das eines Minimums an entfaltender Aufteilung als formalen Gegengewichts bedarf. Beim Brechen der Schieferwand als der starren, hart verkrusteten und sich selbst entfremdeten Wirklichkeit wird nicht nur die Schreibtafel gewonnen, sondern auch der »rieselnde Schieferberg«, dessen gelockerte Materie fruchtbar ist. Auf die Schreibtafel wird eben dieser im Einsturz der Wand entstehende Weinberg geschrieben. Das Gedicht entsteht, ebenso wie der Weinberg und gleichzeitig mit ihm, aus dem Aufbrechen der erstarrten Formation, die sich als Realität gibt. Die Möglichkeit des Gedichtes bildet sich gleichzeitig mit dem Entstehen eines Gegenstandes, der in Worte gebracht, »geschrieben« werden kann. Diese fundamentale poetologische Einsicht wird nicht unmittelbar zum Thema gemacht, sondern sie ist als integrierender Bestand in dem Gedicht mitenthalten. Sie erscheint weder als versifizierte These noch als pathetische Verkündung, sondern als mitklingendes Motiv in einem komplexen Gebilde. Die Wahrheit dieser Einsicht bezeugt sich durch das Gedicht selbst, durch sein Gelingen.

Daß die Tafel ein Stück echter Wirklichkeit ist, erweist sich in der dritten Versgruppe. Die Schieferwand (I), zum »rieselnden Schieferberg« geworden (II), zeigt sich als Weinberg (III), der Wachstum trägt und Lebendiges anzieht, nämlich die Schwalben, die ihn »umstechen«. Diese Metapher, statt konventioneller Wendungen wie umfliegen, umschwirren gesetzt, hält durch ihren schärferen Charakter das Idyllische fern. Sie bezeichnet die rasche, zielbewußte Art des Schwalbenfluges, und vielleicht läßt sie zugleich die Vorstellung des Säumens mitklingen. Der Rand eines Gewebes wird säumend umstochen, so hat der Weinberg einen bewegten Saum sich regenden Lebens, das auch im Wachstum der Reben sich bekundet. Was wächst, sind die Reben und die Trauben, nicht unmittelbar »der Wein«. Folgt der norddeutsche Lyriker dem Sprachgebrauch der Gegenden ohne Weinbau, wo zuweilen die Traube als

»Wein« bezeichnet wird? Eher ist es wohl so, daß hier dieser Sprachgebrauch benützt wird, um in einer Art Verkürzung sogleich mit der Evokation des Wachsens das Produkt des Wachstums, den gekelterten Wein, ins Bewußtsein zu rufen. Er ist das kostbare Erzeugnis des Schieferberges, der Extrakt seiner Wirklichkeit; als ihre Essenz der Dichtung verwandt, die durch diese Wirklichkeit ermöglicht wird.

Nach der dritten, die Mitte bildenden Versgruppe liegt der tiefste Sinn-Einschnitt. Die vierte bringt ein neues Motiv: den Herrn auf dem Weinberg. Die strenge Ökonomie des Gedichtes stellt die Verbindung durch eines der wenigen bereits ins Spiel gebrachten Motive her: Die Schwalben nisten unter der Achsel dieses Herrn. Die biblische Wendung vom Herrn des Weinbergs (Matth. 20,8; 21,40) klingt leise an, doch ohne näheren Bezug. Wer dieser Herr ist, sagt und verschweigt zugleich die Schlußzeile. Es ist der Bettler. Damit ordnet sich der Herr auf dem Weinberg jener wahren Wirklichkeit zu, die im Zerbrechen der Schieferwand sichtbar wurde. In ihr ist alles verändert, auch die erstarrte Ordnung der Menschenwelt. Nicht der Reiche, der Besitzende, sondern der Arme ist der »wirkliche« Herr des Weinbergs, so wie das abgesplitterte Stück Schiefer die »wirkliche Tafel« ist und der »rieselnde Schieferberg« der wirkliche Fruchtboden.

Die Realitätsbezüge der ersten Versgruppen sind stimmig, das in Tafeln splitternde, zu fruchtbarem Boden zerfallende Schiefergestein ist für den Weinbau günstig. Man könnte fragen, ob die Figur des Herrn auf dem Weinberg auf eine reale Reminiszenz zurückgeht, etwa auf eine Heiligenfigur, wie sie sich häufig auf Weinbergen findet. Wichtiger scheint es, daß solche Bezüge assoziierbar sind. Insbesondere läßt sich an Franziskus denken. Wie seine Legende berichtet, veränderte er durch seine Predigt zuweilen das ganze Land »und begann der ungepflegte Weinberg wohlduftende Sprossen vor dem Herrn hervorzubringen«.[1] Auch rettete er Weinberge vor verwüstendem Hagel. Er predigte den Weinbergen und den Vögeln. Ein Vöglein, so heißt es, schmiegte sich »wie in ein Nest in seine Hände«. Er predigte auch gerade den Schwalben und redete sie einmal an: »Meine Schwestern Schwalben!« Die Vorstellung der Schwalben, die in der Achselhöhle des Bettlers nisten, erinnert an Franziskus, obwohl das Gedicht ihn nicht nennt. Seinem Stil sind Deutlichkeiten dieser Art nicht gemäß. Die Figur des Bettlers fügt sich zur Reihe jener gültigen Wirklichkeiten, die beim

[1] *Leben und Wunder des heiligen Franziskus von Assisi*, ed. Engelbert Grau. Werl 1955, S. 109.

Brechen der sperrenden Schieferwand hervortraten: Schreibtafel, Schieferberg, Schwalben, Wein und Schwalbennest. Sie
sind gegenständlicher Natur und treten im Gedicht zu einem
Sinngefüge zusammen, das von dem als Beiwort zu Tafel gesetzten Leitwort »wirklich« aus in seiner Bedeutung durchsichtig wird.

DIE STADT ist oben auferbaut
voll Türmen ohne Hähne;
die Närrin hockt im Knabenkraut,
strickt von der Unglückssträhne
ein Hochzeitskleid, ein Sterbehemd
und alles schaut sie an so fremd,
als wär sie ungeboren.
Sie hat den Geist verloren,
er grast als schwarz und weißes Lamm
mit einem roten Hahnenkamm
hinauf zur hochgebauten Stadt,
weil er den harten Auftrag hat,
dort oben aufzuwachen.
Der Närrin leises Lachen
rollt abwärts durch das Knabenkraut
als Ein-Aug, das querüber schaut
teils nach dem Tod, teils nach dem Lamm,
dem schwarz und weißen Bräutigam
in feuerroter Haube.
Ihr Herz keucht innen rund herum
und biegt das Schwert des Elends krumm
und nennt es seine Taube.

Christine Lavant

DIE STADT IST OBEN AUFERBAUT

Dies Gedicht ist, wie fast alle anderen meiner Gedichte, der
Versuch, eine — für mich notwendige — Selbstanklage verschlüsselt auszusagen.

DIE STADT IST OBEN AUFERBAUT

Der metrische Aufbau gehorcht keinem starren, aber immerhin einem unverkennbaren und im lyrischen Gesamtwerk der Christine Lavant in ähnlicher Form öfters wiederkehrenden Schema. Die formale Gliederung des Gedichts ergibt sich aus dem Zusammenspiel von Vier- und Dreihebern, wobei ausnahmslos die Dreiheber auf unbetonte, die Vierheber auf betonte Silbe ausgehen. Für die konkrete Realisierung der damit gegebenen Möglichkeiten ist es wichtig, daß in dem ganzen Gedicht die Satzenden mit dem Ende des Dreihebers zusammenfallen. Das verleiht diesen Satzschlüssen (zu denen auch schon die syntaktische Zäsur am Ende des zweiten Verses zu rechnen ist) den Charakter der Knappheit und lakonischen Raffung. Die metrisch akzentuierten Satzschlüsse ergeben kräftige Einschnitte. Man könnte sich höchstens fragen, weshalb die dadurch erzielte Gliederung nicht zugleich als eine Strophengliederung in Erscheinung tritt. Der Grund dafür ist im Reimschema zu suchen. Noch lange nicht alle Gedichte der Christine Lavant bedienen sich des Reimes. Wo er aber auftritt, läßt sich eine gewisse Vorliebe für einfache Reimpaare erkennen, wenn dieses Prinzip auch kaum jemals streng durchgeführt wird. In unserem Gedicht ist es lediglich der Mittelteil, der Reimpaare aufweist. Die ersten und dann wieder die letzten vier Verse reimen nach einem andern Schema: Kreuzreim am Anfang, umarmender Reim am Schluß des Gedichtes. Immer aber können wegen des verschiedenen Versausganges Dreiheber nur mit Dreihebern, Vierheber nur mit Vierhebern in den Reim treten. Ich muß darauf verzichten, hier die recht komplexen Spannungen vollständig zu analysieren, die sich aus diesen Prämissen, vor allem im Mittelteil des Gedichtes mit seinen Paarreimen, zwischen der Syntax, dem Metrum und dem Reimschema ergeben. Das konkrete Ergebnis dieser Spannungen ist, daß sich die Gliederung des Gedichtes nicht mehr auf eine einfache Formel bringen läßt. Die syntaktischen Grenzen sind durch ihre metrische Profilierung stark herausgehoben, gleichzeitig sorgt aber das Reimschema dafür, daß sie wieder überspielt werden und die einzelnen Sätze gegenseitig formal sehr deutlich verklammert bleiben. Daß ein solches Verfahren bei Christine Lavant nicht einer mehr oder weniger zufälligen und halb unbewußten Improvisation entspringt, läßt sich daraus ableiten, daß es sich in sehr ähnlicher Form unter anderem in dem auch thematisch benachbarten Gedicht *Mein schwarz- und weißgeflecktes Lamm* (*Spindel im Mond*, S. 63) findet. Der Hinweis auf den komplizierten formalen Aufbau sollte zugleich auch schon zeigen, daß Christine Lavant vermutlich nicht die reine Naturbegabung und Wurzelfrau aus Kärnten ist, die man — von der Kenntnis ihrer biographischen Umstände her — vielleicht gern in ihr sehen möchte.

Der Inhalt des überschriftslosen Gedichtes ist, auf eine kurze Formel gebracht, die Beschreibung einer armen Irren, einer Närrin. Dieses Motiv hat in der neueren deutschen Lyrik eine bestimmte Tradition, deren Ansätze sich in die Romantik zurückverfolgen lassen. Vom französischen Symbolismus her setzte es sich in der Dichtung der Jahrhundertwende durch und wurde von da unmittelbar an den Expressionismus weitergegeben. Dennoch ist es ein Motiv, das nicht so rasch konventionell werden kann. Es bezeichnet zu eindeutig eine Extremform menschlichen Daseins. Nicht einmal die einst beliebten Spekulationen über den Zusammenhang zwischen Dichtung und Wahnsinn haben es auszulaugen vermocht. In dem Gedicht der Christine Lavant fällt auf, wie weit die Identifikation mit der Gestalt der Irren getrieben ist. Zwar spricht das Gedicht diese Identifikation selbst keineswegs aus, aber vom Gesamtwerk her ist der Zusammenhang unschwer zu erkennen. Die Närrin dieses Gedichtes steht genau an der Stelle, die in der Regel das lyrische Ich einnimmt. Der Ort der Närrin im Knabenkraut ist in die Spannung zwischen einem einfachen Oben und Unten gestellt. Es ist ein radikal unvertrauter Ort (»und alles schaut sie an so fremd, / als wär sie ungeboren«). Mit dem Geist scheint die Närrin auch das Wahrnehmungsvermögen verloren zu haben. Lediglich ihr Lachen dient ihr — gemäß der anschaulich nicht mehr nachvollziehbaren Metapher, die uns das Gedicht zumutet, als seitwärts schielendes Ein-Auge, das abwärts rollt. Die Richtung nach oben ist diesem Auge und damit auch der Närrin verschlossen, deren Herz sich deshalb im eigenen Kreise herumquält. Das Auge schaut nach dem Tod und nach dem Bräutigam; diese Doppelung entspricht der andern von Sterbehemd und Hochzeitskleid, an denen die Närrin strickt (und zwar von ihrer »Unglückssträhne«: am Rande sei vermerkt, daß hier ein für die Dichtung der Christine Lavant wie für moderne Dichtung überhaupt charakteristisches

Reduktionsverfahren vorliegt, das darin besteht, daß ein geläufiger Ausdruck wörtlich genommen, einer längst erstarrten Metapher, wie hier dem Wort Unglückssträhne, die ursprüngliche Bedeutung zurückgegeben und diese zu einer neuen metaphorischen Kombination benutzt wird). Die Richtung nach oben in die gleich am Beginn des Gedichtes evozierte Stadt ist dagegen dem verlorengegangenen Geiste aufgebürdet. Er ist der seltsame Bräutigam, der in poetischer Objektivierung und Verfremdung »als schwarz und weißes Lamm / mit einem roten Hahnenkamm« erscheint. Es sei an dieser Stelle auf das bereits erwähnte Gedicht verwiesen, das mit den Versen beginnt:

> Mein schwarz- und weißgeflecktes Lamm
> Blökt oben in der Schädelspalte;

Im weiteren Verlauf dieses Gedichts erscheint dieses blökende Lamm als »mein Gedächtnis«. Diese Parallele, ja allein schon die Tatsache, daß in unserm Gedicht ausdrücklich die Gleichung zwischen Geist und Lamm hergestellt wird, könnte zu der Annahme verleiten, es ginge bei der Interpretation lediglich um die Aufschlüsselung fremdartiger Metaphern. Das trifft nicht zu, denn selten nur lassen sich in den Gedichten der Christine Lavant die Wesen und Dinge in dieser Weise als eindeutige Übertragungen auf einen abstrakten Begriff zurückführen. Auch im Fall der poetischen Gleichung »Lamm« — »Geist«, respektive »Lamm« — »Gedächtnis«, ergibt sich der dichterische Sinn der Übertragung nicht aus ihrer Auflösbarkeit. Es kommt weniger auf die dechiffrierbare Bedeutung als vielmehr auf den Umkreis an, mit der ganzen Fülle seiner möglichen Detailbezüge, in den eine solche Metapher hineinführt. Das läßt sich schon dem Umstand entnehmen, daß das schwarz und weiße Lamm in unserm Gedicht für den Geist, in seinem Gegenstück aber für das Gedächtnis steht, was ja immerhin nicht dasselbe ist. Deshalb wäre es falsch, nun etwa die Stadt, die in unserm Gedicht von Anfang an das Oben repräsentiert und damit das Gegenmotiv zu der unten hockenden und seitwärts und abwärts orientierten Närrin darstellt, bedeutungsmäßig starrer festlegen zu wollen, als es durch das Gedicht selbst geschieht. Immerhin würde es naheliegen, da Christine Lavants Werk nun einmal Einschläge christlich-religiöser Thematik aufweist (sie deshalb schlicht als christliche Lyrikerin zu bezeichnen, würde bereits viel zu weit gehen), die oben auferbaute Stadt mit einer Art von himmlischem Jerusalem zu assoziieren. Es scheint mir indes für Christine Lavant charakteristisch, daß sie Assoziationen dieser Art in ihren Gedichten niemals pietätvoll und gläubig ausdekoriert, sondern viel eher — wenn schon solche Vorstellungen sich aufdrängen — ihnen eine schockierende Wendung zu geben weiß. Das führt dann bis zu jenen offenen Aggressionen gegen den religiösen Vorstellungsschatz, die sie Gottvater einem Werwolf vergleichen (*Die Bettlerschale*, S. 72) oder vom lauten Geheimnis feindlicher Engel sprechen lassen (*Spindel im Mond*, S. 125). Der Geist ist aufgefordert, zur Stadt aufzusteigen, um dort — diese Kombination innerhalb unseres Gedichtes ist wohl erlaubt, obwohl in andern Gedichten der »Hahnenkamm« primär als Pflanzenname erscheint — mit seinem roten Hahnenkamm das Wächteramt der auf ihren Türmen noch fehlenden Hähne einzunehmen und der Stadt seine Stimme zu leihen; aber es wäre verkehrt, daraus zu schließen, daß hier die Lavantsche Dichtung sich selbst so etwas wie einen prophetischen Auftrag erteilt. Dazu ist das in dieser Dichtung auffallend häufig vertretene Bild des Hahnes nicht eindeutig genug. Sehr oft hat es einen bedrohlichen Aspekt, erinnert an die Verleugnung des Herrn durch Petrus oder wird als »roter Hahn« im volkstümlichen Sinn für das Feuer im Dach gesetzt.

Der eigentliche Ort der Lavantschen Dichtung ist unten bei der Närrin, im zweimal genannten Knabenkraut. Dieser Pflanzenname steht hier als eine der naturmagischen Chiffren, wie sie so charakteristisch sind für diese Dichtung und für die moderne Naturlyrik überhaupt. Im vorliegenden Fall ist die Chiffre zentral genug, um angemessen nur mit Hilfe einer vollständigen Beschreibung der dichterischen Landschaft der Christine Lavant ausgedeutet werden zu können. Grundsätzlich läßt sich sagen, daß jede solche Chiffre für eine rätselhafte lyrische Verstrickung ins Kreatürliche steht. Es ist eine Art von traumhaft-luzider Selbstvergessenheit, die das lyrische Bewußtsein gefangenhält. Die Schlußverse des Gedichtes evozieren diese Verfassung in verdichteter Form. Hier ist nicht mehr von der hochgebauten Stadt die Rede, sondern von dem umgetriebenen Herzen der Närrin, das noch das Schwert, das es durchbohrt hat, durch eine kühne Umbiegung und Umbenennung zur Taube zu verwandeln vermag. Die Taube kommt in den Lavantschen Gedichten öfters vor, und sie kann nach dem Ausweis anderer Belegstellen als verkörperte Hoffnung interpretiert werden wie jene Taube, die Noah ausschickte und die ihm den Ölzweig zurückbrachte. Daneben gilt es zu beachten, daß die Taube auch als Spottvogel genannt wird, der das lyrische Ich verlacht (*Spindel im Mond*, S. 13). Der Schluß des Gedichtes ist damit durch jene Ambivalenz gekennzeichnet, die seinem Thema angemessen erscheint. Es ist zugleich die Ambivalenz eines Ortes und Spielraums von lyrischer Dichtung, in welchem sich die Hoffnung auf Erlösung mit dem Bewußtsein der eigenen Gespaltenheit und der totalen Verstrickung ins Kreatürliche auf unlösbare und faszinierende Weise verbindet.

Nelly Sachs

In der Flucht
welch großer Empfang
unterwegs —

Eingehüllt
in der Winde Tuch
Füße im Gebet des Sandes
der niemals Amen sagen kann
denn er muß
von der Flosse in den Flügel
und weiter —

Der kranke Schmetterling
weiß bald wieder vom Meer —
Dieser Stein
mit der Inschrift der Fliege
hat sich mir in die Hand gegeben —

An Stelle von Heimat
halte ich die Verwandlungen der Welt —

*Nelly Sachs**

IN DER FLUCHT

»In der Flucht welch großer Empfang unterwegs« meint die
Flucht an sich. Ist ganz aus innerster Dimension wie alles übrige auch entstanden... Empfang ist in jeder Minute oder niemals.

Wie aller Geschöpfe Verwandlung geht die unbewußte Sehnsucht der Geschöpfe weiter in die Elemente zurück. Darum
sehnt sich der Schmetterling wieder zum Meer. Beim Menschen bricht der Todesschweiß aus. Das Gedicht ist ganz auf
»Verwandlung« gestellt. Auch der Stein ist Universum. In un-
gezählten Weltjahren verfällt er sich drehend in Staub. Aber
dies ist ja keine wissenschaftliche Abhandlung. Dies ist ja ein
Gedicht und ein Geheimnis.

Auf jeden Fall ist eine kosmische Verwandlung gemeint — wie
der Stein in meinem Gedicht Seite 181 im großen Buch: »In der
blauen Ferne« — wo der Stein sich wieder in Musik verwandelt, also die Materie die innere geistige Kraft entläßt, an die
ich glaube, jene Unsterblichkeit, die im Tode uns allen geschieht.

---

* Aus drei Briefen an die Herausgeberin. — Im Selbstverständnis der Dichterin
ist die Interpretation »Verwandlung« als Sprache nicht enthalten, wie aus dem
letzten Brief (27. 1. 66), den ich nur teilweise ausziehe, hervorgeht. Die zitierte
Stelle lautet: »... und der Stein seinen Staub/tanzend in Musik verwandelt«.

Horst Bienek

IN DER FLUCHT

Das Gedicht hat keinen Titel. Es könnte jenen tragen, mit dem der Gedichtband, worin es als siebtes enthalten ist, überschrieben ist: *Flucht und Verwandlung*. Keines der Gedichte von Nelly Sachs drückt diese Thematik so signifikant aus, lebt so sehr von der dialektischen Spannung dieser beiden Begriffe; ja, nirgendwo hat sie Flucht und Verwandlung in eine so vollkommene Einheit gezwungen wie hier. Nicht ohne Grund hat sie die letzten zwei Zeilen des Gedichts als Motto dem Gedichtband vorangesetzt:

> An Stelle von Heimat
> Halte ich die Verwandlungen der Welt

Man könnte diesen Versen mit einem gewissen Recht die Bedeutung eines Titelgedichts einräumen. Titelgedichte sind niemals zufällig. Sie drücken fast immer auf eine demonstrative Weise die geistige, aber auch formale Intention des Verfassers aus. Sie sind oft vom Zeitgeschmack nicht zu lösen. Nelly Sachs wollte wohl mit diesem Gedicht ihre eigene lyrische Position vor dem Hintergrund der Zeit markieren. Denn gerade für sie waren Titel immer auch eine äußerliche Skizzierung (eine Art Kürzel) ihrer literarischen und thematischen Entwicklung. Den *Wohnungen des Todes* (1946), unmittelbar unter dem Eindruck der Verfolgungen entstanden, folgte als nachhallende Erinnerung *Sternverdunklung* (1949), dann jene resignierende, hilflose Geste des *Niemand weiß weiter* (1957). In *Flucht und Verwandlung* (1959) zeigt sie die Überwindung des Schmerzes, weist sie auf die Hoffnung hin, die aufrührerisch ist, auf das große, elementare Erlebnis der Flucht. Mit diesem Buch hat die Dichterin den Themenkreis der Fluchtgedichte abgeschlossen. Was später noch in diesem Zusammenhang auftaucht, ist weniger Flucht vor den Verfolgern als das Fortgehen aus der Welt. Sie hat jetzt endgültig, auch geistig, das Niemand-weiß-weiter hinter sich gelassen: hat den Weg zur »Verwandlung« gefunden, die ewige, unendliche, alles überdauernde Zeit der Metamorphosen. Von hier führt ihre lyrische Eroberung geradewegs zu jenem schwarzen Dithyrambus

Noch feiert Tod das Leben, der in *Fahrt ins Staublose* so expressiv und wortgewaltig angestimmt wird.

»In der Flucht« beginnt die erste Zeile, und sofort wird lapidar und kräftig das Thema angeschlagen, ohne schmückende oder retardierende Beiwörter, ohne Ablenkungen; demonstrativ das Substantiv: Flucht. Das klingt wie ein schwerer Glockenschlag, dem zwei weitere folgen:

> welch großer Empfang
> unterwegs —

Dann erst verhallt dieser Satz, der Gedankenstrich ist wie eine Fermate. Man ist nicht allein gekommen: ein großer Empfang ist die Flucht; ein Empfang wohl für Gott. Wohin kann man schon fliehen, als zu IHM? Dort enden alle unsere Fluchten.

Nun aber wird alles herbeigerufen, um das Bild der Flucht zu verstärken und auszubreiten: die »Winde«, »Füße im Gebet des Sandes / der niemals Amen sagen kann / denn er muß / von der Flosse in den Flügel / und weiter ...« das ist Synonym für die Eile, die Hast; Gleichnis auch für alles, was »unterwegs« ist, was den Ort verändert, was sich bewegt: der Fisch treibt sich mit der »Flosse« an, der Vogel erhebt sich mit Hilfe der »Flügel« in die Lüfte, der »Sand« wird vom »Wind« getrieben. Metaphern für das Flüchtige ... Der zittrige, zickzackähnliche Flug des Schmetterlings (wie ein Kranker) kommt hinzu, auch er noch ein Bild der Bewegung, aber formal steht er schon in der nächsten Strophe, um den Umbruch vorzubereiten. Das Bild schlägt jetzt um: es sucht nach dem Gegenbild, dem Gegensatz, sucht nach dem Beständigen, sucht nach Dauer. Zunächst ist das Meer da, flüchtig in den Wellen, aber beständig in seiner immerwährenden Gegenwart. Diese Zeile gehört zum einen Bild wie zum andern. Aber der Stein, der in der nächsten Zeile angerufen wird, demonstriert nun endgültig das Unveränderbare und zeigt mit der Inschrift der Fliege (jener im Bernstein eingeschlossenen Fliege) die Dauer an, Geschichte, Jahrtausend; vielleicht Ewigkeit.

Keine Rede war vorher von dem Stein; aber er wird eingeführt als ein längst vertrauter: »dieser Stein ... hat sich mir in die Hand gegeben«. Beweist er, der unveränderliche, nicht, daß diese Flucht nur ein einziger Augenblick ist, eine flüchtige Spanne Zeit, die vorübergeht, morgen vielleicht schon vorbei sein wird, übermorgen nicht mehr ist als eine dunkle Erinnerung? »Dieser Stein ... hat sich mir in die Hand gegeben«, das geschah also fast nebensächlich, ohne Demonstration, ohne

Aufsehen, eher als eine geheime Weisung, als eine Tröstung inmitten der Flucht und der Verfolgung, als ein Hinweis: Unser Schicksal ist nur ein Augenblick, was aber bleiben wird, ist die »Inschrift der Fliege« im Stein, das Zeichen Gottes!

Warum aber gerade dieses Bild des Steins, in dem eine Fliege eingeschlossen ist? Vielleicht eine persönliche, ganz private Assoziation. Eine Assoziation an die Kindheit, an das Zuhause als einen letzten Ort der Beständigkeit. Denn gerade in Berlin hat das Bürgertum, dem Nelly Sachs angehörte, auf eine besondere Weise solche Bernsteine geschätzt und gesammelt. Erinnerung an einen Sommer an der Ostsee? Erinnerung an das väterliche Haus im Tiergartenviertel? Erinnerung an die Heimat, die jetzt, in der Flucht, für immer verloren ist? »An Stelle von Heimat [die so flüchtig geworden ist] halte ich die Verwandlungen der Welt.« Beinahe ein poetisches Paradoxon: die Verwandlung, die nichts anderes als ein stetiges Verändern impliziert, erhält dadurch Dauer, Beständigkeit, Immerzeit. In den unaufhörlichen Verwandlungen (man beachte den Plural!) der Welt manifestiert sich: Ewigkeit. Nach der Flucht — die Verwandlung, die Rettung, die Auferstehung, das neue Leben in einer anderen Welt, in einem anderen Haus, unter einem anderen Dach. In der Hand der Stein mit der Inschrift der Fliege: vielleicht als letzte Erinnerung an das Unveränderbare, an eine Zeit, in der noch alles auf seinem rechten Platz beharrte, in einer Zeit vor der Flucht und vor der Verfolgung.

Wir finden »Flucht« in der ersten, »Verwandlung« in der letzten Zeile. Flucht und Verwandlung umschließt dieses Gedicht. Flucht und Verwandlung, so könnte man sagen, umschließt das ganze Werk der Nelly Sachs. Wir haben dieses Gedicht vor dem Hintergrund unserer Zeit, aber auch vor dem Hintergrund der Biographie der Dichterin gesehen. Eine solche Deutung könnte irrtümlich oder zumindest umstritten sein, wenn uns dazu nicht ihr gesamtes Werk eine gewisse Berechtigung böte. Alle ihre Gedichte sind aus ihrer Biographie zu erschließen. Sie hat zwar schon Ende der zwanziger Jahre angefangen, Erzählungen und Legenden zu schreiben, aber nach ihren eigenen Worten begann ihr »gültiges Werk« erst in den »furchtbaren Jahren des Schmerzes, dem Tod schon anverwandt«. Ihre Quelle ist im Cayrol'schen Sinn die konzentrationäre Gesellschaft, und sie ist nie davon abgekommen, in ihren Versen wie auch in ihren szenischen Werken das »Zeitalter der Konzentrationslager« zu beschreiben. Cayrols Definition der »lazarenischen Literatur«[1] trifft auf das Werk der Nelly Sachs genauestens zu. Auch in ihren späten Gedichten (wie etwa in *Glühende Rätsel*), in denen sie eine gewisse »Zeitlosigkeit« anstrebt, ist sie nie darüber hinausgekommen. Ihre »Flucht« aus einer bestimmbaren Gegenwart (»eingehüllt in der Winde Tuch«) endete immer wieder im Gleichnis, im Analogen zu dieser Gegenwart, und sie bewies damit nichts anderes, als daß diese Vergangenheit noch lange unsere Gegenwart sein wird.

Ihr hier zur Interpretation stehendes Gedicht hat gewiß keine didaktischen Absichten, es ist vollkommen in der Metapher integriert, so sehr, daß es, wie Benjamin über einige Gedichte von Brecht sagt[2], durchaus mehrere Deutungen zuließe, aber es entläßt uns nicht aus der Zeit und nicht aus der Verantwortung. So vermag uns dieses Gedicht anzurühren. Denn wir erkennen: hier ist eine Dichterin aus dem Einzelfall ins Allgemeine hinausgetreten, aus der Beschreibung in die Metapher, aus der Zeit ins Zeithafte. Heimatlos ist Nelly Sachs geworden, die seit 1940 in Schweden lebt, aber sie schreibt in der Sprache ihrer einstigen Heimat, in Deutsch. An Stelle von Heimat hat Nelly Sachs die deutsche Sprache gewählt. (»Ein Fremder hat immer seine Heimat im Arm.«[3]) Sprache als Heimat. Sprache als Verwandlung der Welt: Das ist das Werk der Nelly Sachs.

[1] Cayrol, *Pour une littérature lazarène.*
[2] Walter Benjamin, *Schriften*, Bd. II, Frankfurt 1955.
[3] *Flucht und Verwandlung*, S. 44.

LIEDER VON EINER INSEL(2)

Wenn du auferstehst,
wenn ich aufersteh,
ist kein Stein vor dem Tor,
liegt kein Boot auf dem Meer.

Morgen rollen die Fässer
sonntäglichen Wellen entgegen,
wir kommen auf gesalbten
Sohlen zum Strand, waschen
die Trauben und stampfen
die Ernte zu Wein,
morgen am Strand.

Wenn du auferstehst,
wenn ich aufersteh,
hängt der Henker am Tor,
sinkt der Hammer ins Meer.

Der Schriftsteller — und das ist in seiner Natur, wünscht, sich Gehör zu verschaffen. Und doch erscheint es ihm eines Tages wunderbar, wenn er fühlt, daß er zu wirken vermag — um so mehr, wenn er wenig Tröstliches sagen kann vor Menschen, die des Trostes bedürftig sind, wie nur Menschen es sein können, verletzt, verwundet und voll von dem großen geheimen Schmerz, mit dem der Mensch vor allen anderen Geschöpfen ausgezeichnet ist. [...]
. . . .
So kann es auch nicht die Aufgabe des Schriftstellers sein, den Schmerz zu leugnen, seine Spuren zu verwischen, über ihn hinwegzutäuschen. Er muß ihn, im Gegenteil, wahrhaben und noch einmal, damit wir sehen können, wahrmachen. Denn wir wollen alle sehend werden. Und jener geheime Schmerz macht uns erst für die Erfahrung empfindlich und insbesondere für die der Wahrheit. Wir sagen sehr einfach und richtig, wenn wir in diesen Zustand kommen, den hellen, wehen, in dem der Schmerz fruchtbar wird: Mir sind die Augen aufgegangen. Wir sagen das nicht, weil wir eine Sache oder einen Vorfall äußerlich wahrgenommen haben, sondern weil wir begreifen, was wir doch nicht sehen können. Und das sollte die Kunst zuwege bringen: daß uns, in diesem Sinne, die Augen aufgehen.
Der Schriftsteller — und das ist auch in seiner Natur — ist mit seinem ganzen Wesen auf ein Du gerichtet, auf den Menschen, dem er seine Erfahrung vom Menschen zukommen lassen möchte (oder seine Erfahrung der Dinge, der Welt und seiner Zeit, ja von alldem auch!), aber insbesondere vom Menschen, der er selber oder die anderen sein können und wo er selber und die anderen am meisten Mensch sind. Alle Fühler ausgestreckt, tastet er nach der Gestalt der Welt, nach den Zügen des Menschen in dieser Zeit. Wie wird gefühlt und was gedacht und wie gehandelt? Welche sind die Leidenschaften, die Verkümmerungen, die Hoffnungen? [...]
. . . .
Nun steckt aber in jedem Fall, auch im alltäglichsten von Liebe, der Grenzfall, den wir bei näherem Zusehen erblicken

---

* Das Gedicht wurde im Einverständnis mit Ingeborg Bachmann ausgesucht, die sich »außerstande fühlt«, eines ihrer Gedichte zu interpretieren. — Auszug aus *Die Wahrheit ist dem Menschen zumutbar*, Rede zur Verleihung des Hörspielpreises der Kriegsblinden, 1959, in *Gedichte, Erzählungen, Hörspiel, Essays*.

können und vielleicht uns bemühen sollten, zu erblicken. Denn bei allem, was wir tun, denken und fühlen, möchten wir manchmal bis zum Äußersten gehen. Der Wunsch wird in uns wach, die Grenzen zu überschreiten, die uns gesetzt sind. Nicht um mich zu widerrufen, sondern um es deutlicher zu ergänzen, möchte ich sagen: Es ist auch mir gewiß, daß wir in der Ordnung bleiben müssen, daß es den Austritt aus der Gesellschaft nicht gibt und wir uns aneinander prüfen müssen. Innerhalb der Grenzen aber haben wir den Blick gerichtet auf das Vollkommene, das Unmögliche, Unerreichbare, sei es der Liebe, der Freiheit oder jeder reinen Größe. Im Widerspiel des Unmöglichen mit dem Möglichen erweitern wir unsere Möglichkeiten. Daß wir es erzeugen, dieses Spannungsverhältnis, an dem wir wachsen, darauf, meine ich, kommt es an: daß wir uns orientieren an einem Ziel, das freilich, wenn wir uns nähern, sich noch einmal entfernt.

Wie der Schriftsteller die anderen zur Wahrheit zu ermutigen versucht durch Darstellung, so ermutigen ihn die anderen, wenn sie ihm, durch Lob und Tadel, zu verstehen geben, daß sie die Wahrheit von ihm fordern und in den Stand kommen wollen, wo ihnen die Augen aufgehen. Die Wahrheit nämlich ist dem Menschen zumutbar.

[...] Ich glaube, daß dem Menschen eine Art des Stolzes erlaubt ist — der Stolz dessen, der in der Dunkelhaft der Welt nicht aufgibt und nicht aufhört, nach dem Rechten zu sehen.

LIEDER VON EINER INSEL (2)

> Nous ne reviendrons plus vers vous
> Paul Claudel, *Ballade*

Die Insel dieses Liedes der *Lieder von einer Insel* ist süd-
liches Eiland und zugleich *Richtstätte*, metaphorisches Golga-
tha, der Ort der Kreuzigung und der Garten der Auferstehung.
Die Insel ist der Schauplatz der Passionsgeschichte einer Liebe,
die der Passion Christi die Sinnbilder ihrer Leiden zu entnehmen sich nicht scheut. Der »Hammer« der Kreuzigung, der
»Henker«, der »Stein« vor dem Grabe der Auferstehung (»kein
Stein vor dem Tor«) sind Zitate der Leidensgeschichte Christi.
Die Geschehnisse der Liebe werden mit Worten der Passion
und Auferstehung Christi erzählt. Die »Kreuze« mit der
»sterblichen Last« der Liebenden — im Liede, das unserem
voraufgeht — sind die »Mastbäume« der Schiffe, die sie auf
die »Richtstätte« der Insel trugen. (Der Mastbaum, der mit
der *antenna* ein Kreuz bildet, ist seit frühchristlicher Zeit bedeutsamer Teil der nautischen Symbolik, in welche die Kir-
chenväter die Geheimnisse der christlichen Heilslehre kleide-
ten.) Die Verse

> Nun sind die Richtstätten leer,
> sie suchen und finden uns nicht

spielen an auf Lukas 24,3: »et ingressae non invenerunt corpus
Domini Jesu«.

Marter, Kreuzigung und Tod der Liebenden sind »vollbracht«
im Sinne des »Consummatum est« Christi. Eine im poetischen
Sinne überaus kühne, im religiösen Sinne blasphemische, in der
Verquickung des Poetischen und Religiösen romantische Analogie. Die Liebenden sind Lamm und Schlächter, Opfer und
Henker zugleich, sind einander das Kreuz, an das der eine den
andern schlägt, und zugleich das Kreuz, das der eine für den
andern auf sich genommen hat. Mit Worten des Evangeliums
wird hier die romantische Religion des Liebestodes verkündet,
daß der eine dem andern der Erlöser, der Heiland sein könne,
der im unwiderruflichen Abschied, diesem sacrificium durch

und für den andern, die Auferstehung, die endgültige Wiederkehr erzwingen könne:

> Dann wird er wiederkommen.
> Wann?
> Frag nicht.

So heißt es am Schluß des vorletzten Inselliedes.

Die Dichterin schreckt nicht nur nicht davor zurück, die christlichen Positionen, die sie durch die Passionsanalogie markiert, in heilloser Ausschweifung zu verlassen, sondern sie muß sie vernichten. Denn wenn der gekreuzigte Liebende auferstehen will, muß er nicht nur alles Seine, den »Tisch, den er seiner Liebe deckte«, ins Meer stürzen, sondern auch die Emblemata der christlichen Heilshaltungen »Herz«, »Anker« und »Kreuz«, die zugleich wieder säkularisierte Devotionalien der irdischen Liebe, der tödlichen Leidenschaft sind. Nur derjenige wird also auferstehen, der alles Begehren, Hoffen und Glauben fahrenläßt. Nur der Exzeß eines Abschieds, der alles tilgt, und das dauernde Unvermögen der Liebenden, die, wenn sie nicht sterben, »von Verrat leben«, in diesem Abschied, der für die Liebenden der Tod ist, aufhebt und überwindet, kann die Wiederkehr, den unzerstörbaren Besitz des Geliebten erzwingen.

Diese erotische Dialektik ist so alt wie die romantische Liebe, und schon in der mittelalterlichen *Tristan und Isolde*-Dichtung Gottfrieds von Strassburg hat sie die gewagtesten geistlichen Analogien ermöglicht. In der romantischen Liebesreligion soll der Geliebte durch den Liebenden erlöst werden wie der Christ durch Christus. Romantische Liebesdichtung — und die Lieder von einer Insel sind romantische Liebeslyrik — entzündet sich an dieser Analogie bis zur Schwelgerei, in der sich der ungetaufte Eros nach Rechtfertigung sehnt und doch immer wieder die Bedingungen ihrer Unmöglichkeit erfährt. So ist hier das Analogon des christlichen Paradieses die Utopie einer Auferstehung, die nicht stattfinden wird: Auferstehung, die erotische Utopie ist und als solche die ebenso verzweifelt wie versucherisch entliehene Vorstellung jener Verheißung, die allein im Glauben des Christen verwurzelt ist. —

Die Insel des Auferstehungsgedichts ist ein Ort antiker Bräuche und christlicher Riten, eines südlichen Kirchenfestes mit Bootsprozessionen, Fürbittlitaneien, Messen, Mahlzeiten und Feuerwerk. Das geistliche Inselfest schwindet jedoch spurlos wie ein Spuk. Die Anrufung der Heiligen hat nichts verändert.

Ein Ritus, der nur noch das verdinglichte Zeremoniell des Glaubens ist, richtet nichts aus:

> . . . törichte Heilige,
> sagt dem Festland, daß die Krater nicht ruhn!

Weder die Krater werden ruhn noch die Liebenden von ihrem mörderischen Tun, ihrem Henkergeschäft, ihren Marterspielen, ihrer Zerfleischung und Kreuzigung lassen. Der Ohnmacht des kirchlichen Ritus und Festes, dem die Liebenden sich anvertrauen, entspricht die Auferstehungsutopie und der Abschied ohne Wiederkehr. Alle Hoffnungen wirft der geliebte Ermordete auf den geliebten Mörder. Bleiben ist Mord, Gehen ist Mord. Und so wird der Widerspruch eines erotischen Jenseits geboren. Denn der Ruhm der Liebe dieser Liebenden ist der, daß sie sich selbst genügen will, daß sie nichts kennt neben sich und über sich und alles, was außer ihr ist, vernichten muß, ja, die Liebenden selbst, die ihr nicht genügen und die sich durch dieses Ungenügen zerreißen und in den Kämpfen einer hoffnungslosen, glaubenslosen, lieblosen Liebe umkommen.

Die Vision eines erotischen Jenseits ohne Schuld und Verrat und ihrer beider Mutter, der Lust, zeigt ein Auferstehn aus einem Grab, das durch keinen Stein mehr verschlossen ist. Kein Boot ist mehr da, das den Abschied erlaubte, die Fahrt in die Niedertracht des Zeitlichen, des Fleisches, das selig sein sollte, wenn es sündigt. Die Sohlen sind gesalbt wie die Füße der Erwählten, und die Trauben der Leiden werden zum Wein einer Freude gekeltert, die nicht wie die des Inselfestes wie ein Rauch verweht. Der »Hammer« des Quälers versinkt im Meer, der »Henker«, der gehängte, wird die Liebenden nie mehr schänden.

Was freilich diese Liebe ist, die hier als Paradieseszustand der auferstandenen Liebesgekreuzigten verkündet wird, zeigt ein anderes Inselgedicht eines in seinem Christentum romantisch tiefverheerten Dichters, Baudelaires *Un voyage à Cythère:*

> Dans ton île, ô Vénus! je n'ai trouvé debout
> Qu'un gibet symbolique oú pendait mon image.

Nicht die »Auferstehung« des Fleisches prophezeit Baudelaire den Liebenden in ihrer fleischlichen Passion und Erlösung, sondern ihren am Galgen pendelnden Kadaver, über dem die Geier kreisen.

Hans Magnus Enzensberger

AN ALLE FERNSPRECHTEILNEHMER

etwas, das keine farbe hat, etwas,
das nach nichts riecht, etwas zähes,
trieft aus den verstärkerämtern,
setzt sich fest in die nähte der zeit
und der schuhe, etwas gedunsenes,
kommt aus den kokereien, bläht
wie eine fahle brise die dividenden
und die blutigen segel der hospitäler,
mischt sich klebrig in das getuschel
um professuren und primgelder, rinnt,
etwas zähes, davon der salm stirbt,
in die flüsse, und sickert, farblos,
und tötet den butt auf den bänken.

die minderzahl hat die mehrheit,
die toten sind überstimmt.

in den staatsdruckereien
rüstet das tückische blei auf,
die ministerien mauscheln, nach phlox
und erloschenen resolutionen riecht
der august. das plenum ist leer.
an den himmel darüber schreibt
die radarspinne ihr zähes netz.

die tanker auf ihren helligen
wissen es schon, eh der lotse kommt,
und der embryo weiß es dunkel
in seinem warmen, zuckenden sarg:

es ist etwas in der luft, klebrig
und zäh, etwas, das keine farbe hat
(nur die jungen aktien spüren es nicht):
gegen uns geht es, gegen den seestern
und das getreide, und wir essen davon
und verleiben uns ein etwas zähes,
und schlafen im blühenden boom,
im fünfjahresplan, arglos
schlafend im brennenden hemd,
wie geiseln umzingelt von einem zähen,
farblosen, einem gedunsenen schlund.

Hans Magnus Enzensberger[*]

AN ALLE FERNSPRECHTEILNEHMER

»etwas, das«. Der Schreiber findet sich nicht damit ab, das Unbekannte unbekannt sein zu lassen. Er versucht es zu qualifizieren, sich seiner zu bemächtigen, indem er Worte dafür sucht, die ihm noch nicht zur Hand sind. Er stellt dem namenlosen Etwas eine Falle, indem er einen Relativsatz anhängt.
Der erste Halbsatz ist pleonastisch. [. . .] Dagegen ist der zweite Halbsatz ein kleiner Schritt voran. »Etwas« verliert seine Leere. Es wird aus einer nichtssagenden Abstraktion zu einem Gegenwärtigen. Man kann es anfassen. Keinem Sinn glauben wir unbedenklicher als dem Tastsinn. Er meldet: »Etwas Zähes«. Das ist schon eine Art von Gewißheit. Sie nimmt freilich der Erscheinung das Beunruhigende nicht. Zwar hat sie eine Eigenschaft gewonnen, aber immer noch keinen Namen. Und die Eigenschaft, die ihr zugeschrieben wird, macht sie faßlicher, aber nicht angenehmer; ja sie erweckt sogar Ekel. Wer das Zähe anfaßt, beschmutzt sich die Finger. Er verwickelt sich in die Fäden, welche das, was zäh ist, zieht. Es ist schwierig, sich vom Zähen zu befreien. Das haftet und klebt. Fast könnte man sagen: Man ist sein Gefangener, wenn man es berührt.
Das Etwas breitet sich aus, und da es zäh ist, bröckelt es weder, noch rinnt es, sondern es »trieft«. Auch dieses Verbum rührt, nebenbei bemerkt, an die Sphäre des Ekels. Und nun legt der Schreiber es darauf an, sein Etwas zu lokalisieren. Ein Verstärkeramt ist eine Einrichtung, deren sich jedermann bedient, ohne sich ihrer Existenz und Funktion bewußt zu werden. Jedes Ferngespräch, das wir führen, geht über ein solches Amt. Es läuft über eine Zentrale, wo die Schwachstromimpulse elektronisch verstärkt werden. Solche Zentralen liegen gewöhnlich irgendwo auf dem Land, unscheinbare Gebäude, in deren Kellern die Automaten ihre Arbeit verrichten. Aus ihnen soll nun, dem Gedicht zu glauben, etwas Zähes triefen. Dieses Etwas ist offenbar in der technischen Zivilisation, und zwar in ihren verborgenen Nervenzentren zu Hause: mithin kein

[*] Auszug aus *Wie entsteht ein Gedicht?*, mit Zustimmung des Autors.
Die Herausgeberin stellte mit Freude fest, daß Prof. Lohner, einem genauen Kenner des Werks von Enzensberger, die Auswahl der Gedichte mit dem Anhang *Wie entsteht ein Gedicht?* in Kalifornien ganz offenbar nicht zur Hand war, so daß die nachfolgende Interpretation völlig unbeeinflußt davon entstehen konnte.

ahistorisches Gespenst, sondern etwas, das sich in der Geschichte, in unserer Geschichte ausbreitet, ohne daß wir es auf Anhieb beim Namen nennen könnten. Die Folgen dieser Ausbreitung sind verhängnisvoll, wenigstens für jene Ordnung der Welt, die ihrer technischen Organisation vorausgeht, also die kreatürliche; denn es stirbt daran, wie der Text sagt, »der salm in den flüssen« und »der butt im meer«.

Auch die Radarspinne gehört zum Inventar der Technik. Ihr Begriff stammt aus der Funk-Navigation. Dort bezeichnet sie ein Koordinatensystem, das den Radarschirm nachbildet — ein sogenanntes Nomogramm, das in der Tat einem Spinnennetz gleicht. Der Schreiber des Textes verwendet das Wort »Radarspinne« nicht in seinem terminologischen Verstand, so wie es in einer technischen Abhandlung erschiene; er nimmt es buchstäblich, er nimmt es beim Wort, er zitiert es gewissermaßen. Jedermann weiß, daß ein unsichtbares Netz von Peilstrahlen und Koordinaten unsern Himmel überzieht, ein Netz, das auf den aeronautischen Karten erscheint und für jeden Piloten unentbehrlich ist, obschon wir von ihm sowenig Notiz nehmen wie von den Verstärkerämtern. Der Gedichtschreiber macht sich das Kunstwort zunutze. Er meint nicht mehr, oder nicht allein, das Nomogramm der Navigatoren, sondern eine wirkliche, wenngleich unsichtbare Spinne, die unsern Himmel zuwebt, und das heißt: ihn als das, was er eigentlich ist, verdeckt. In den Fäden, welche die Spinne zieht, kommt übrigens das Zähe wieder zum Vorschein, das zu dem namenlosen Etwas gehört. Weil es so zäh ist, kann das Netz der Radarspinne nicht mehr zerreißen, sowenig wie das Telefonnetz. Und schließlich ist der Vorgang am Himmel verborgen wie die Verstärker in ihren Kellern. Niemand nimmt davon Notiz, sowenig wie vom Sterben des Salms. Das Leben geht weiter, es ist Sommer, der Phlox blüht, als wäre nichts der Fall, und es werden nach wie vor Resolutionen gefaßt; sie wuchern wie jene Sommerblumen, die so vorlaut duften.

Mit dem Wort »Resolutionen« steuert der Verfasser des Textes die Sphäre der Politik an. Was hat das »zähe Etwas« des Gedichts mit ihr zu tun? Daß es geschichtlichen Wesens ist, nicht zeitlos wie Tod oder Schwerkraft, hat sich in den ersten Zeilen schon ausgesprochen. Aber auch die Politiker beschäftigen sich mit ihm. Das Zähe, das sich ausbreitet, geht alle an. Es ist keine private Sache. Ob ihm freilich mit Resolutionen gerecht zu werden und, falls nötig, zu wehren ist, bleibt offen.

Die Grundbewegung des Gedichts ist deutlich: ein fortwährendes Suchen und Einkreisen. Wie aber soll diese Bewegung sistiert werden? Theoretisch scheint es auf eine Sammlung von immer neuen Attributen für sein Subjekt, das »Etwas« hinauszulaufen, von dem so viel die Rede ist.

Der Schreiber tastet sich weiter vor in die technische, in die verwaltete Welt, in der sich »etwas« ausbreitet. Das Zähe steigt in den Kokereien auf und verunreinigt die Luft. Die Tanker auf der Werft sind bereits seine Mitwisser, ehe sie zum erstenmal auslaufen, »eh der lotse kommt«. Hier meldet sich von neuem die Navigations-Metapher an. Das Schiff befindet sich schon im Netz, dem Netz der Radarspinne, ehe es überhaupt von Stapel geht, will sagen: es ist im Hinblick auf jenes Netz von vornherein gebaut, es ist auf unser Etwas ganz und gar angewiesen, nicht imstande, seinen Kurs ohne diese verstrickende Hilfe zu finden. Das Gemauschel der Ämter, die leere Gestikulation und der unverständliche Jargon antworten auf die Resolutionen der Politiker. Aber auch der Geist, die sogenannte Kultur, ist gegen das Zähe nicht immun, sondern handelt mit ihm, geht eine schwer durchschaubare Komplizität damit ein, knüpft heimliche Gespräche mit ihm an. Daher das Getuschel, das um die Professuren geht. Es ist etwas Tückisches an diesem halben Einverständnis des Geistes mit dem Etwas, das sich nicht benennen läßt. Wäre er nicht verpflichtet, dem, was sich namenlos ausbreitet, sein wahres Wesen zu entreißen, es ans Licht der Aufklärung zu rücken, es zu erforschen und zu exponieren, statt sich schlechten Gewissens mit ihm zu verabreden? In den Druckereien treten die Früchte dieser Verabredung ans Licht. Das Metall der Lettern enthält ein tückisches Gift. In den Druckereien, wo das zähe Etwas trieft, wird das Blei zu einem strategischen Rohstoff, dienstbar der geistigen, der ideologischen Aufrüstung. Mit dem Wort »aufrüsten« kehrt der Text zur Politik zurück und macht zumindest eine Ansicht jenes Etwas, von dem er ausgeht, dingfest. Gegenwärtig ist es überall, wo aufgerüstet wird. Jede Aufrüstung aber richtet sich beim gegenwärtigen Stand der Dinge nicht gegen einen abgrenzbaren Feind, sondern gegen »uns«, nämlich alle.

Mit dem »wir« des letzten Satzgliedes erreicht der Text sein Ziel, ein zweites Subjekt, das dem ersten, dem »zähen etwas«, gegenübertritt. Dieses Wir widersteht dem Zähen, das sich ausbreitet, als sein Opfer oder als sein Herr und stellt es damit fest. Formal sistiert es die suchende, aufzählende Bewegung des Textes und bewirkt sein Ende.

Ich resumiere: Das Etwas [...] breitet sich unaufhaltsam aus, ist unsichtbar, für den gewöhnlichen Sterblichen nicht festzustellen, obwohl er direkt davon betroffen wird, obwohl täglich Resolutionen dagegen verfaßt werden. Das ist eine Beschreibung der Radioaktivität und ihrer Wirkungen — oder könnte es zumindest sein. Atomenergie treibt Tanker an, dient der Energieerzeugung, gefährdet Luft und Wasser, verseucht Himmel und Meer. Das Wort »aufrüsten«, das in dem Text vorkommt, scheint diese Auslegung zu besiegeln.
Sie ist dem Schreiber willkommen, er bestreitet sie nicht. Dagegen bestreitet er, daß sie die einzig mögliche ist, daß sie den Text erschöpft.
Gewiß, die Radioaktivität geht »gegen uns« — aber nicht nur sie. Sie tötet »den butt im meer« — aber nicht nur sie. Jenes Etwas des Gedichts ist umfassender als jede Qualifikation, jede Einzelbedeutung, die es annehmen kann. »Etwas, das« ist der Name oder vielmehr das Anonym dessen, was die einzelnen Bedrohungen, denen wir ausgesetzt sind, überhaupt erst ermöglicht. Bedrohungen übrigens, die sich nicht nur gegen uns, sondern auch gegen Tier und Pflanze richten, alles was lebt, »die austern und das getreide«. Wir begegnen ihnen schlafend. Ohne es zu wissen, sind wir bereits Gefangene des Zähen, seine »geiseln«. Dieses Wort bezeichnet Menschen, die einer Gefahr besonders ausgesetzt sind und deren Möglichkeiten zur Gegenwehr besonders beschränkt sind. Geiseln werden über ihre wahre Lage gern im unklaren gelassen: man verbindet ihnen die Augen. Die Deutschen sind ja, freilich ganz allein durch eigene Schuld, heute so etwas wie die Geiseln der Weltpolitik: Sie werden, wenn überhaupt jemand, als erste erschossen.
[...] Es ist also ohne Zweifel ein politisches Gedicht. [...] Ich glaube, und unser Beispiel scheint mir recht zu geben, daß die politische Poesie ihr Ziel verfehlt, wenn sie es direkt ansteuert. Die Politik muß gleichsam durch die Ritzen zwischen den Worten eindringen, hinter dem Rücken des Autors, von selbst. Er ergreift nicht Partei für diese oder jene Fraktion. Das Etwas, von dem er spricht, trieft über Partei- und Ländergrenzen, ebenso wie die radioaktiven Isotope in der Luft.

Nachzutragen ist zu diesem Text die Überschrift. Ich halte den Titel für einen unentbehrlichen Teil des Gedichts. Er kann als

Nenner oder Schlüssel, aber auch als Falle oder Sigel fungieren. [...] Im gegenwärtigen Fall habe ich mich für eine Überschrift entschieden, die als ironische Adresse wirkt. Wenn es in dem Gedicht heißt »gegen uns geht es«, so sind damit alle gemeint. »An alle« hätte die Anschrift zu lauten, mit der es zu versehen wäre. Ein lauter, bellender und undeutlicher Titel, kahl, ohne Mehrwertigkeit, ohne inneren Bezug auf den Text. Ich greife deshalb eine Phrase auf, die man zuweilen auf Postwurfsendungen liest, auf Massendrucksachen, mit denen dem Empfänger eine Seifenmarke, ein Weg zum ewigen Leben oder ein Abgeordneter empfohlen wird, und setze sie über das Gedicht. Mein Titel lautet:
an alle fernsprechteilnehmer.

Offen bleibt, was ein Gedicht eigentlich ist, ob es sich bei dem vorliegenden Text überhaupt um ein Gedicht handelt. Das ist ein Titel, den nicht der Autor zu vergeben hat.

Edgar Lohner

AN ALLE FERNSPRECHTEILNEHMER

Der Sinn des vorliegenden Gedichts erschließt sich dem Leser ohne große Schwierigkeiten. Es erübrigt sich daher, im einzelnen auf die Bedeutung einzugehen, selbst wenn sich darüber streiten läßt, ob es sich bei dem Unheilvollen und Bedrohenden, das im Gedicht zur Sprache kommt, um den Atomausfall, die Wirkungen der Bombe selber oder um alle von der moralisch indifferenten Findigkeit des Menschen heraufbeschworenen Vergiftungs- und Vernichtungserscheinungen handelt.

Interessanter ist die Frage, wie das Bedrohende im Gedicht strukturiert, mit welchen Mitteln es zum Ausdruck gebracht wird. Die Untersuchung des Wie ist wichtiger als die des Was. Denn das Was ließe sich auch in einer Proklamation oder, um Enzensbergers Worte zu gebrauchen, auf »Plakaten« oder »Flugblättern« mitteilen. Die Erkenntnis des Wie aber ermöglicht eine Aussage über Wert und Wirksamkeit des Gedichts.

Das Ganze des Gedichts, so will es die organologische Methode und das traditionelle Gesetz der Hermeneutik, ist induktiv aus seinen Teilen zu verstehen. Eine vorläufige, durch bestimmte Worte oder bestechende Bilder bedingte subjektive Resonanz bildet die Grundlage kritischen Verständnisses. Danach folgt die Erkenntnis.

Das indefinite Pronomen »etwas«, dieser unbestimmte Mengenbegriff, steht syntaktisch als Subjekt der ersten und letzten, inhaltlich funktional aber auch als Subjekt der anderen Strophen. »Etwas«, das insgesamt achtmal vorkommt, bildet, als Unbestimmtes und Ungreifbares, das Leitwort des Gedichts. In der ersten Strophe wird in einem einzigen Satz versucht, das Eigentümliche dieses »etwas« zu fassen; es wird gesagt, wo und in welcher Form es auftaucht. Die ersten beiden Zeilen bringen es, von Nebensätzen umkreist, in dreifacher Wiederholung und fixieren es dann zum ersten Mal in einem appositionellen Attribut als etwas »zähes«. Dieses »Zähe« ist farb- und geruchlos, gedunsen, klebrig und fahl. Der Dichter sagt, es triefe, es setze sich fest, rinne, sickere und töte. Doch das unsichere Suchen nach einengender Bestimmung erzielt die gegenteilige Wirkung: größere Unbestimmtheit und völlige Verständnislosigkeit gegenüber diesem »etwas«. Es scheint so viele

Eigenschaften zu besitzen, daß es im einfachen Wort nur andeutungsweise festzuhalten ist. Seine unheimliche Wirkung
wird durch bestimmte Kunstgriffe, das concetto vor allem,
suggeriert. Diesem Kunstmittel gewinnt Enzensberger erschreckende Überraschungseffekte ab. Das concetto, also die
concordia discors von Begriffen und Bildern, wendet er hier
in der Form des Zeugma an. Das triefende, zähe »Etwas«

>setzt sich fest in die nähte der zeit
>und der schuhe

Indem der konventionelle Genetiv »nähte der schuhe« durch
den raffinierten Einschub »der zeit« gesprengt ist, wird durch
die Heterogenität der so koordinierten Worte Überraschung
und Spannung erzeugt und das Unpassende, das Unnatürliche
ins Gedächtnis gerufen. Diese Figur verdeutlicht das hartnäck-
kig Durchdringende dessen, was der Dichter zu fassen sucht.
Die »zeit« charakterisiert er als ein künstlich Zusammenge-
setztes und durch die »schuhe« wird angedeutet, wie nahe uns
dieses Etwas auf den Leib rückt. Dadurch aber nimmt es bereits hier Aspekte der letzten Strophe vorweg.
Das »semantisch komplizierte Zeugma« (verbunden mit einer
metonymisch synekdochischen Katachrese) erscheint wieder in
den Zeilen.

>   ...bläht
>wie eine fahle brise die dividenden
>und die blutigen segel der hospitäler

Ein außergewöhnliches, ein grauenerregendes Bild, das das
vorhergehende verdeutlichend weiterführt und eine Verstär-
kung der erschreckenden Wirkung erzielt, wie sie sich prägnan-
ter in zwei Zeilen wohl kaum darstellen läßt. Auffällig ist der
Anklang an die Schlußstrophe von Trakls Gedicht *Winter-
dämmerung*:

>Kirchen, Brücken und Spital
>Grauenvoll im Zwielicht stehen.
>Blutbefleckte Linnen blähen
>Segel sich auf dem Kanal.

Um dieses Bild in seinen Einzelheiten zu deuten, wäre mehr
Raum nötig, als mir zur Verfügung steht. In ihm ist das Frag-
liche und Ungeheuerliche des ganzen Gedichts in einem wichtigen Aspekt zusammengefaßt und der Schluß vorweggenom-

men oder doch zumindest angedeutet. Es lohnte sich, die von diesem Bild ausstrahlenden Assoziationen auf andere Teile des Gedichts zu prüfen und herauszufinden, wie sehr sie, vor allem in dem in diesen Zeilen verschwiegenen, ihre Entsprechung fänden. Denn auch das Verschwiegene, ja dies besonders, gilt es zu beachten, das mir, in vielleicht vereinfachenden Worten, im Heilen und Natürlichen zu liegen scheint. Im Grunde ist ja der Gegensatz zwischen Heilem und Unheilem, Leben und Zivilisation, Natur und Unnatur das eigentliche Thema des Gedichts. Deutlich ist dies angeschlagen in der mesozeugmatischen Figur der dritten Strophe:

> ... nach phlox
> und erloschenen resolutionen riecht
> der august ...

Diesmal steht der überraschende Teil der zeugmatischen Figur in der Mitte. Ganz offensichtlich ist die Antithese zwischen »phlox« und »erloschenen resolutionen«. Letztere werden durch die knappe Feststellung: »das plenum ist leer« erweitert. Beide Formulierungen sind Ausdrücke des gegenwärtig Zivilisatorisch-Politischen und deuten unmittelbar auf den Bereich, wo die Verantwortung für das »etwas« zu suchen wäre. Antithesen im Sinne des Grundthemas finden sich auch in den nächsten Zeilen: zwischen »himmel« und dem »zähen netz der radarstrahlen«, zwischen den Tankern, noch vor ihrem Auslauf, und den Ungeborenen, die einen Gefahr in sich bergend, die anderen künftigen Gefahren ausgesetzt.
Nachdem so das Ungeheuerliche am Ende der dritten Strophe abgesteckt, durch Anspielungen, durch paradoxe Äußerungen (»die minderzahl hat die mehrheit / die toten sind überstimmt«), durch Bilder, rhetorische Figuren und sonstige Stilmittel (Alliteration etc.) umkreist wurde und damit das Bedrohliche dem Leser stärker ins Bewußtsein gerückt ist, beginnt die letzte Strophe mit zusammenfassend wesentlichen Worten aus der ersten Strophe, die jetzt jedoch auf die vorbereitete Bewußtseinsebene des Lesers treffen. Die thematischen, das Unheimliche bezeichnenden Schlüsselworte stehen in eindringlicher Betonung am Anfang und Ende der Strophe. Doch jetzt wird der an der Zivilisation teilhabende Mensch (der Fernsprechteilnehmer?), nämlich wir selber, angesprochen. Das Ich des Gedichts tritt nun in der ersten Person auf. Die Dringlichkeit wird Sprache. Einfache Bilder, wie »seestern« und »getreide«, erscheinen als Sinnbilder des Lebens. In dem scheinbar ungeschickten und unpoetischen Wort »einverleiben« findet

sich der Brennpunkt von Thema und Struktur. Der Mensch macht das Bedrohliche, das, was den »salm« und den »butt« tötet, »arglos« und indifferent zu einem Teil seines Lebens. Man kann sich kaum treffendere Bilder für das den Menschen Bedrohende, für sein Ausgesetztsein und das unabänderlich Hoffnungslose seines Lebens vorstellen als die Bilder dieser letzten Zeilen. Ein farblos gedunsener »schlund« »umzingelt« ihn. Hier sind die überlieferten Bilder des Abgrunds seit Hölderlin, Jean Paul und Baudelaire um eine neue Dimension erweitert, nämlich die des Grauens, das durch die Hybris menschlicher Erfindungsgabe und die damit verbundene moralische Indifferenz hervorgerufen wird. Das Leben, die Natur, die eine thematische Komponente des Gedichts, wird vergiftet durch jene andere, das ungeheuerliche und nicht zu fassende Etwas, das sich ins Leben hineinfrißt. So gelingt, wenn man die thematische Struktur des ganzen Gedichts überblickt, dem alexandrinischen Stilvermögen des Dichters, das aus der Kombination disparater Elemente innerhalb des Gedichts überraschende Wirkungen erzielen will, eine wahrhafte discordia concors.

Helmut Mader

UMGEBUNG DER LOGIK VII

Wir erwarteten den Aufgang der Sonne. Der Windball ging auf und trieb uns den Sand in die Augen.

In diesen Gegenden nicht. Hier wird es nicht mehr entschieden. Tot die redeten, tot die starben. Schuldbedürfnis und spricht über Sprache.

Die Gegenstände in ihrer Verzerrung. Syntax, glatt vor Entscheidungsfremdheit.

Helmut Mader

UMGEBUNG DER LOGIK VII

Der Unterschied zwischen mir und jedem anderen Interpreten ist, daß ich nicht mein eigener Leser sein kann, daß ich das, was ich gemacht habe, nie als Objekt unabhängig von der Subjektivität seines Entstehungsprozesses betrachten kann. Was der Autor geben kann, ist ein annähernder Bericht über die Entstehung seines Werks, eine Erhellung des schöpferischen Vorgangs und seiner Methoden. Er kann dabei die möglichen Aussagen auf seine Absichten einschränken. — Das will ich tun.

Meine Absicht war, ein politisches Gedicht zu schreiben. Aber es ging mir nicht um ein aktuelles Pamphlet. Mein Gedicht bewegt sich in der Nähe einer Abhandlung. Das soll nicht heißen, daß es den Bereich der poetischen Schreibweise verläßt. Wenn ich der Ansicht gewesen wäre, ein Essay wäre geeigneter gewesen, meine Absichten zu verwirklichen, hätte ich diese Form gewählt. Das Langgedicht, bemerkt Eliot, entsteht immer in einer Auseinandersetzung mit der Prosa. Die Spuren dieser Auseinandersetzung sind in meinem Gedicht nicht zu übersehen.

Umgebung der Logik ist ein Gedicht aus zehn, meist in Prosaform geschriebenen Teilen. Die einzelnen Teile hängen miteinander zusammen und haben keine oder nur eine geringe Selbständigkeit. Einige Motive ziehen sich über mehrere der numerierten Teile hin, sie werden abgewandelt immer wieder aufgenommen. Etwa das »Windmotiv«. In III nicht mehr als eine beiläufige Bemerkung: ». . . viel Wind diesen Herbst und der Wein wie schon Jahre nicht mehr«, wird es in VI zur tragenden Metapher: »Im Wind stehen und mit dem Wind nicht Schritt halten können«; es erfährt dann in VII eine gewisse Steigerung: »Der Windball ging auf und trieb uns den Sand in die Augen«, und fällt im folgenden Teil zurück: »Im Wind und im Schritt gehn.« Es gibt mehrere solcher durchkomponierten Motive. Sie sind ein Indiz für den Zusammenhang der einzelnen Partien des Gedichts.

Deren fragmentarischer, abbrechender Charakter sollte dadurch aber keineswegs aufgehoben werden. Das Kompositionsprinzip des Ganzen ist sprunghaft. Ein Thema wird in einem Teilaspekt aufgegriffen, kurz hochgewirbelt und wieder fallengelassen. Das Gedicht nähert sich ihm von einer anderen Seite, greift zu oder ist im Begriff zuzugreifen und läßt gleich wieder von ihm ab. Es geht zu einem neuen Thema über, kehrt zum alten zurück, sucht einen weiteren Ansatzpunkt und so fort. — »Die Ablenkungen sind wesentlich, sie werden mit der Aufgabe identisch«, heißt es in einem meiner früheren Gedichte. Die ständigen Reflexionen im Gedicht über das Gedicht selbst — im gegenwärtigen Fall über die Sprache — gehören zu diesem Stilprinzip der »Umkreisung eines Themas«.

Soviel zur Komposition. Worüber wollte ich schreiben? Das Gedicht handelt nicht von *einem* fest umrissenen Thema. Von dreierlei ist die Rede: von einem Ich (das auch als wir, und zwar als das Wir einer Minderheit auftritt), von einer historisch-politischen Situation und von der Sprache. Ein Land nach einem Putsch, von gehässigem Provinzialismus und klerofaschistischem Terror beherrscht. Obwohl ich in IV einige Details dem spanischen Bürgerkrieg entnahm und mir Spanien überhaupt in mancher Hinsicht beim Schreiben als Beispiel vorgeschwebt hat, ist kein bestimmtes, sondern ein imaginäres Land gemeint. Es war meine Absicht, eine Art Modellfall zu beschreiben.

Es ist ein gelähmtes Land. Die geschichtliche Entwicklung ist gehemmt und diese Stagnation wird gewaltsam aufrechterhalten. Die vorhandenen politischen Zustände haben sich endgültig etabliert. Eine Veränderung erscheint unmöglich. Sie ist für unbestimmte Zeit hinausgezögert. *Hier* werden die Entscheidungen nicht fallen. — »Tot die redeten, tot die starben.« Reden und Handeln werden resignierend gleichgestellt, es ist egal, was von beidem man tat. Aber es wird ein Schuldbedürfnis registriert. Ob tatsächlich eine Schuld vorliegt, bleibt offen, das Gedicht blendet sofort wieder auf den Bereich des Sprachlichen über. In Teil VIII steht dann der Satz: »Selbstverwirklichung nur in den paar leichten Oden.«

Der Schluß des Gedichts (X) lautet: »Fast nur noch Gejagte, / aber die andern fallen mehr auf.« Der Terror, die Entwicklungs- und Entscheidungslosigkeit, die Verfolgungen sind verdeckt und kaum erkennbar. »Die Gegenstände in ihrer Verzerrung.« Woher kommt diese Verzerrung des Blicks, diese Blindheit gegenüber der Realität? Eine verfratzte Wirklichkeit zeichnet sich ab, irrational verfremdet und entstellt. »Gegen Ende des Imperialismus. Als alle Gespenster der frühen Kulturen noch einmal in den europäischen Kontinent einbrachen.« (V) Das Gedicht bringt außerdem das Mißverstehen, die Zwiespältigkeit des redenden Ichs ins Spiel. Eine Haltung zu den gesellschaftlichen Vorgängen wird aufgezeigt, die einerseits zu sehr im Emotionalen (Instinktiven) steckenbleibt und die andrerseits an ihrer eigenen Ambivalenz krankt. Zu ihrer Charakterisierung bediente ich mich einer Stelle aus Eliots Tennyson-Aufsatz *(In memoriam,* 1936), die ich etwas abgeändert zitierte: »Vertreter einer unbedingten Revolution, die am stärksten aufbegehrten, Rebellen aus Instinkt, waren wir doch die unbedingtesten Anhänger der bestehenden Gesellschaft.« (VI) Das erklärt aber noch nicht die Erkenntnisblindheit, die in meinem Gedicht herrscht.

Die Umgebung der Logik ist die Sprache. — In einer Zeit, in der Hegels Vermutung sich zu bestätigen scheint, daß, wie er sich ausdrückt, kein absolutes Bedürfnis des menschlichen Geistes mehr vorhanden sei, einen Gedanken in Form von Kunst zu formulieren, und daß die Wissenschaften die Kunst längst überflügelt haben, enthält jede künstlerische Betätigung den Zweifel an der Kunst überhaupt. Kunst verwirklicht sich heute immer an ihren Grenzen, immer im Hinblick auf ihre mögliche Selbstaufhebung. Dieses Bewußtsein ist in der ganzen Moderne vorhanden. Poesie entsteht im Mißtrauen gegen die Poesie. Jedes Gedicht, das geschrieben wird, antizipiert ihr Ende und hat die Chance, das letzte zu sein.

Aber nicht nur die Poesie, die Sprache selbst wird in Frage gestellt. Es ist zweifelhaft geworden, ob die Wirklichkeit einer Erfassung und Darstellung mittels der Sprache zugänglich ist. Die Erkenntnisblindheit in meinem Gedicht beruht auf der Blindheit der Sprache. Ich beschränke mich auf drei Beispiele aus dem Text: »Die Sprache verhaftet, den leeren, durchsichtigen Stellen der Welt.« (II) »Aber was nützt das? hingeschwemmt in Sprachen ohne Bedeutungen wie ich bin, ein Reden ohne Erkenntnis ...« (III) »Unterm Schattenlärm meiner Wörterwelt, die uns nicht wiedergibt (eher ein verrücktes Lachen).« (V) — Auch die Entscheidungsfremdheit, von der in VII die Rede ist, deutet darauf hin, daß über Welt nicht mehr mit den Mitteln der Sprache zu entscheiden ist. Ihre noch intakte Oberfläche verbirgt ihr Versagen und Zerbröckeln und gibt ihr den Anschein, als funktioniere sie noch. Diese Scheinfunktion, bei der dem Sprachverhalt kein Sachverhalt entspricht, macht sie zum geeigneten Instrument jeder Täuschung. Die Glätte der Syntax wird zu einer Grammatik der Verschleierung.

Christian Enzensberger

UMGEBUNG DER LOGIK VII

Die poetische Welt des Helmut Mader, so wie sie sich kundtut in dem kleinen Band, der dieses Gedicht enthält, ist in ihren Umrissen schnell aufgezeichnet. Der darin spricht, erlebt sich als einen Bewohner der Endzeit; sie bedroht ihn nicht mit Apokalypse, sondern mit einem vom Dilemma gelähmten Bewußtsein, dem Verschwinden jeden denkbaren Ziels, dem Zerfall aller verläßlichen Zusammenhänge; es scheint, als wolle sie aufhören *nicht mit einem Knall sondern einem Gewimmer.* Solche Erfahrungen sind vor zwei Generationen von Eliot und Gottfried Benn mit einem Reichtum und einer Nachdrücklichkeit beschrieben worden, wie sie vielleicht nur die erste Entdeckung mit sich bringen, und schwerlich, so sollte man meinen, lassen sie sich noch einmal erheben zur Höhe der Zeit — auch wenn sie, wie hier, vorgetragen sind in Zorn und Verdrossenheit, in der Sehnsucht nach seither noch verlorenen Realitäten und in bewegenden Klagen übers Versagen der Sprache: »Sand im Mund, zu und gelähmt die Fenster der Zunge«, heißt es noch im vorausgehenden Gedicht. In einer solchen Welterfahrung wird deutlich eine Nachfolge angetreten, nämlich die einer spätbürgerlichen Subjektivität, — »börsenbedingter Individualismus im Exzeß« nennt Mader sie selbst (56) — aber warum eigentlich nicht, so muß die Gegenfrage heißen, Nachfolgedichter von etwas, was uns noch so tief im Kopf und in den Knochen sitzt? Solang sie sich nur zur Sprache ihrer eigenen Zeit bringt, die Kraft nicht verliert zur Erfindung und Diagnose.

Es wäre ja auch in der Tat eine sonderbare (wenn auch keineswegs beispiellose) Art der Ausdeutung, die anfinge mit einem kulturhistorischen Panoram und endete mit der Ermahnung an den Dichter, nicht zu schreiben, was er schreibt, sondern vielmehr etwas ganz anderes. Dann schon lieber ein Anfang von unten her, nämlich der der Pedanterie. Wer also erwartet schon einmal »den Aufgang der Sonne«? Wir doch wohl, in unserem Allerweltsleben jedenfalls, kaum einmal. Von Anfang an erhebt die hier geführte Sprache den Anspruch, allgemein und zeichenhaft zu reden. Eine abstrakte Landschaft wird gesetzt, und eine Bedeutungssonne, eine literarische, eine (wenn man so will) Saint-John-Perse-Sonne soll darin aufgehen. Im

Jargon heißt ein solcher Gedichtanfang steil, und zwar ganz zu Recht: wenig fehlt, und der Leser ist überanstrengt, will nicht mehr mit, es geht ihm zu hoch hinaus. In seinem zweiten Satz vielleicht am deutlichsten muß das Gedicht zeigen, was es kann. Es gelingt ihm dies glänzend. Statt des erwarteten Sonnenballs läßt es einen »Windball« erscheinen, der »aufgeht« im Doppelsinn, nämlich sich erhebt und sich auflöst, den Sand bringt und in die Augen streut, irritierend, schmerzhaft und körnig, sie blind macht. Die hohe Erwartung ist kläglich zu Ende in einer Art von diffuser Katastrophe, wie ein jeder, augenreibend und plötzlich auf sich zurückgeworfen, sie schon einmal erlebt hat. So wird der steile Anfang gleichzeitig heruntergebracht und beglaubigt, und muß seinen Anspruch aufs Zeichenhafte doch nicht aufgeben: denn seinetwegen ist der in die Augen gestreute Sand mehr als ein wörtlicher.

»In diesen Gegenden nicht.« Mit der Erwartung ist es vorbei. Unschuldige Leser, denken wir noch an die Sonne und an alles Mögliche, was für sie stehen kann, wenigstens flüchtig, denn dieser Satz drängt weiter, will zu seinem Verbum, kaum daß man des neuen, weniger ornamentalen Tons gewahr wird. Gerade an der Stelle der Überraschung aber, und übrigens auch des Tempuswechsels, wo das, was vorher noch als ferne Gegend, als exotische Wüstenei sich abtun ließ, nun zu unserer eigenen Landschaft wird, wo das Gedicht zum Thema kommt, sein Stichwort nennt — gerade hier wird, mit Kunstverstand, ein festes rhythmisches Gebilde unterlegt (ein abgewandelter Hexameter), das keine ernsthafte Pause duldet. Noch bevor er recht merkt, was geschieht, wird so dem Leser auf den Kopf zugesagt: »Hier wird es nicht mehr entschieden« — und zwar auf eben jene Weise nicht mehr, die die Eingangsmetapher beschrieb.

Die hier bewiesene Kraft zur Verkürzung und Auslassung ist nicht alltäglich und beweist sich auch im Folgenden. Eine lange Liste von Gründen und Herleitungen wäre jetzt ja denkbar — hier hätte das Gedicht seine Gelegenheit, »groß« zu werden im Sinn des Titels *Große Landschaft bei Wien* von Ingeborg Bachmann: »So sind auch die Fische tot und treiben / den schwarzen Meeren zu, die uns erwarten. / Wir aber mündeten längst, vom Sog / anderer Ströme ergriffen, wo die Welt / ausblieb . . .« Das Stück von Mader aber bleibt, aus einem Grund, den es noch angeben wird, bei seinem Gesetz der Verkürzung und des lakonischen, gebrochenen Pathos, gebrochen im Ablauf des ganzen Gedichts wie auch in der nun folgenden Zeile. Anstatt sich zu verströmen und zu bebildern, sagt das Gedicht lieber sofort und genau, warum hier nichts mehr entschieden wird. Der Grund ist einfach: weil hier zuviel sich schon entschieden hat, weil zuviel Mord geschehen ist ohne Anhören der Opfer, gleichgültig ob sie redeten oder schwiegen. Daher verändert das Gedicht das offenbar zugrundeliegende Satzschema, das gelautet hätte: »Tot die redeten, tot die schwiegen« und bricht den zweiten Teil der Disjunktion zu der Tautologie »tot die starben.« So wird in einem Satz das Thema des Gedichts erläutert und gleichzeitig die Verfassung einer Sprache bestimmt, die damals nichts vermochte und die heute auf ein solches »tot ist tot« noch folgen kann.

Es ist da nicht mehr viel zu sagen, und doch muß, wer dichten will, es versuchen — dieses große Dilemma aller zeitgenössischen Poesie ist in diesem Band überall gegenwärtig. Sein Autor ist in der Lage des Dichters — und aus ihr erklären sich gleichermaßen die Stärken und Schwächen seines Buchs —, der sich nicht mit seiner Sprache identifizieren will, weil sie nicht kann, was er muß. Er nennt sie an anderer Stelle: »Latein von niemandem mehr gesprochen, / nichtige Gedankengänge, keusch dieses Laster, / abseitiger nichts und verwerflicher« (47); spricht von einem »Fluch auf den Bildern und Worten, du wirst verdursten, / während du dich betrinkst« (64); und sagt: »Gewiß. Auch ich nahm teil an den Exzessen des aufrechten Gangs« (68). So wird nur reden, wer sich den Ausschweifungen der Sprache nicht unbesehen überläßt.

So werden auch hier nun, angekündigt durch die Wortbesserung von »schwiegen« zu »starben«, die Schwierigkeiten der Dichtung mit sich selbst bedacht und zugleich abgebildet. Mit einer verächtlichen Satzkonstruktion fährt der Text fort: (Das hat) »Schuldbedürfnis und spricht über Sprache« — schamloserweise und aus Notwendigkeit. Um die Distanz zum Vorausgehenden zu zeigen, folgt auf das tautologische »tot die starben« ein ähnlich gebautes »spricht über Sprache« als klägliche Antwort; sogar das (selbst schon unzulängliche) Schuldbewußtsein verändert sich darin in ein noch unangemesseneres, wenn nicht unappetitliches psychologisches »Bedürfnis«: Mitgründe und Folgen davon, daß sich hier nichts mehr entscheidet. Die Einsicht ins Versagen der Sprache verschärft sich dabei zur Selbstbezichtigung der Dichtung. Was sonst noch als mögliches Verfahren erschien: »Nebensächliches scharf in der blinden / Inspiration am einzelnen Wort« (47) wird auch hier noch geübt, aber mit Bitterkeit; wenn an anderer Stelle noch notiert wird: »Schattenlärm meiner Wörterwelt, die uns nicht wiedergibt (eher ein verrücktes Lachen)« (71), so wird hier — übrigens mit Gewinn — selbst ein solches Gelächter noch ferngehalten. Festgestellt wird allein noch der Tatbestand: »Die

Gegenstände in ihrer Verzerrung.« Allein wessen Verzerrung — die der Sprache? Ihre eigene? Es läuft aufs gleiche hinaus. Auf welche Weise sie verzerrt werden, wodurch im einzelnen? Das wäre eben wieder jenes Reden über die Sprache, das sich das Gedicht in der Rücksicht auf seinen eigenen Gegenstand versagen muß; es hat sich in seinem Fortgang nun selber fast bis zur Bewegungslosigkeit gelähmt. Einen Satz läßt es noch zu, weil er mit dem Thema zu tun hat; er läßt sich lesen als Kommentar zu dem vorausgehenden doppeldeutigen Satz: selbst in einem so abstrakten Ding wie einem Pronomen ist über Sprache schon entschieden; so nämlich, daß sie sich nicht mehr entscheiden kann. Wie mit ihr umgehen, da sie überall abrutscht? Und zwar so sichtlich, daß sie, das Wort »Entscheidungsfreiheit« sichtlich ansteuernd, bei der sonderbaren »Entscheidungsfremdheit« landet? Indem man sich also ihre Glätte zunutze macht?

In einer anderen Sprache heißt dergleichen ein Rückzugssieg; denn im ganzen hat das Gedicht jetzt verloren. Weitab von Sonne, Sand und allen Fanfaren endet es ganz im Abstrakten, in ziemlich häßlichem Fehlton, und hat sich ergeben. Sonderbare Eigenschaft der Poesie, daß sie, wo sie unterliegt, gewinnt.

Hilde Domin

LIED ZUR ERMUTIGUNG II

Lange wurdest du um die türelosen
Mauern der Stadt gejagt.

Du fliehst und streust
die verwirrten Namen der Dinge
hinter dich.

Vertrauen, dieses schwerste
ABC.

Ich mache ein kleines Zeichen
in die Luft,
unsichtbar,
wo die neue Stadt beginnt,
Jerusalem,
die goldene,
aus Nichts.

Hilde Domin

LIED ZUR ERMUTIGUNG II

Von *Lied zur Ermutigung II* hätte ich zuerst nur sagen können, daß es etwas zugleich besonders Helles und besonders Verzweifeltes ist. Daß es die fatale Wirklichkeit formuliert, ohne sich zu drücken: die Vertrauenskrise, die Sprachkrise, die schon konstitutionell gewordene Verlogenheit, nach dem Zerbrechen der Zugehörigkeiten. Und daß aus dem Unlebbaren plötzlich etwas Lebbares auftaucht oder hingehalten wird, ein Trotzdem. Auch, daß das Gedicht besonders charakteristisch für mich ist, in diesem Zwiespalt, der immer da ist, aber nicht immer so deutlich. Daß aber alles aufs einfachste ausgedrückt ist und nichts darüber hinaus zu erklären bleibt.

Später könnte ich z. B. fragen, ob dies Lebbare im Unlebbaren, die »Stadt aus Nichts« vielleicht das Gedicht selber sei, das Wort, die Sprache. Etwas wie »Ich setzte den Fuß in die Luft / und sie trug«?[1] Aber das wäre zu eng, auch wenn es mit darin wäre. Es hat mehr zu tun mit dem Schluß von *Lied zur Ermutigung III:*

> Sieh,
> die Sonne kehrt wieder
> als goldener Rauch.
> Die fallende steigt . . .

Oder mit: »Sind dir die Schiffe heimgekehrt / heben hohe Bäume sich aus dir«. Den Umkippunkten im Unerträglichen.

Das alles sind Erwägungen »über« das Gedicht. Erst wenn das Gedicht noch fremder wird, sehe ich auf einmal seine Worte. Diese Worte, die so »natürlich« waren, als ich sie schrieb (und noch hinterher), als könne es keine andern geben. Die Worte sind plötzlich durchaus nicht »natürlich« und in ihrer Zusammensetzung manchmal sogar verwunderlich. Dabei benutze ich aus Prinzip keine »verwunderlichen« Worte oder Wortkombinationen, schon aus Angst, sie könnten ungemäß und willkürlich sein. Ich lasse sie einfach nicht durch, ich nehme nur

---

[1] Auch die »Rose als Stütze« stellte sich nachträglich — unter anderm, alles ist ja immer mehrdeutig, schneidet durch verschiedene Erfahrungsschichten — als die Sprache heraus, die deutsche Sprache. Ich erfuhr dies durch eine Interpretation von Jens, ich hatte es nicht gewußt, war sofort überzeugt.

das, was »notwendig« und also nicht verwunderlich ist. Das Gedicht erscheint mir dann plötzlich als eine Art »zweites Paradies«: wo unerwartete Worte friedlich beieinander sind wie der Löwe und das Lamm. Wie das zustande kommen konnte, weiß ich nicht. Aber an diesem Punkt gehe ich auf die Worte los, die doch meine Worte waren, meine »selbstverständlichen« Worte, und ziehe sie zur Rechenschaft, Wort für Wort. Ich fange also beim ersten Wort an.

Das »du«, das in der ersten Zeile angeredet ist, das du, das gejagt wurde, ist es identisch mit dem »ich«? Vermutlich. Aber wiederum auch nicht. Denn dieses »du« der ersten Zeile ist deutlich unterschieden von dem »ich«, das die letzte Strophe eröffnet. So sehr, daß fast zwei Gedichte da sind: ein dreistrophiges, das kurzatmig ist, drei kurze Atemstöße, dieses »du« betreffend. Und ein einstrophiges, ebenfalls siebenzeiliges, wo der Atem frei wird und steigt. Als Atemfigur wäre das Gedicht eine Sanduhr, mit enger Taille: der Atemengpaß am Ende des ersten Teils. Ein Sonderfall unter meinen Gedichten. Ich sehe fast mit Unbehagen, wie der Atem stranguliert wird und so spät sich löst, obwohl dies der Anlage entspricht. Denn es ist eine gegensätzliche Bewegung auf kleinstem Raum gegeben, zu dem Stichwort »Vertrauen« hin und von ihm ausgehend, gleichsam Rede und Gegenrede. Als habe das Gedicht keinen epischen, sondern sit venia verbo einen dramatischen Grund. (*Lied zur Ermutigung III*, die Fortführung dieses Gedichts, hat die Beengung hinter sich und steigt von der ersten Zeile bis zum Schluß, in großem Zuge.)

> Lange wurdest du um die türelosen
> Mauern der Stadt gejagt.

Die erste Zeile bricht bei »türelosen«, damit hier der Atem steigt: Man hört, man sieht nur »türelosen«, es ist das entscheidende Wort der ersten Strophe. Sind Stadtmauern türelos? Falls überhaupt, wieso nicht »torelos«? Ich erinnere mich noch, daß ich lieber »torelos« geschrieben hätte, aber es hieß »türelos« und ich konnte »torelos« nicht schreiben, »türelos« verdrängte »torelos« in mir, ließ sich auch später nicht weg-»redigieren«. Wohl hauptsächlich wegen des hohen Vokals, der den Atem hebt. Daß dem einzelnen schon eine Tür genügt zum Eintritt, zur Rettung, daß »Türe« auch sichtbarer ist (weil — bei einer Stadtmauer — unerwarteter) kann mitgespielt haben, ist vielleicht aber nur eine nachträgliche Rationalisierung der Wortwahl. Auf jeden Fall ist diese Mauer ohne Öffnung, ohne Zugang, für den Gejagten, der hineingehört und draußen ist, sei er nun ein Ich, ein Du oder wer immer. Wenn ich ihn sehe, wie er um die Mauer der Stadt gejagt wird, so fällt mir Hector ein, sein Todeslauf. Die Mauern von Troja hatten Türen auch Tore, in seinem Falle sogar schutzbereite Tore, nur er wurde so gehetzt, daß er nicht hineinkonnte. Praktisch waren sie für ihn also torelos. Dabei wäre eine einlaßlose Mauer als solche ein Absurdum. Eine Stadtmauer hat nun einmal Tore. Sie ist »türelos« nur vom Gejagten her gesehen, für den diese Türen nicht funktionieren, und also wird sie kurzerhand zu dem, was sie ex natura nicht sein kann. Auch die »Stadt« ist ja nicht die Stadt, sondern ein quid pro quo, steht für etwas anderes. Heute sind Städte offen, mit verfließender Peripherie. »Stadt« steht hier für etwas Geschlossenes oder doch Verschließbares, das Schutz, Zugehörigkeit gewährt oder versagt. Vielleicht ist diese Stadt das Land, aus dem das »du« dieses Gedichts vertrieben wurde, keine Ruhe findend als es draußen war. Oder ist sie ein anderes »ich«, das sich verschlossen hat? Man kann es auf beide Weisen lesen, beides ist oder kann darin sein.

Eine andere Stimme, in anderem Ton, antwortet im zweiten Teil[2] und sagt einen einzigen Satz, in einem einzigen Atemzug, obwohl der Atem mehrfach innehält, aber nicht um zu fallen, sondern um mehr Luft zu haben, um weiter anzusteigen, euphorischer, bis in die letzte Zeile, die vom Atem isoliert und besonders hingehalten wird: Rettung, die Beklommenheit löst.

Das rettende Zeichen ist ein unsichtbares, aufs äußerste wird betont, daß es sich hier um nichts Materielles handelt. Das »Zeichen« ist nichts als ein Zeichen, überdies »klein«, überdies »in die Luft« geschrieben, wie anders als »unsichtbar«? Das Attribut »unsichtbar« dient dazu, es wörtlicher und konkreter zu machen, sonst wäre es ja unnötig. Das Wort »unsichtbar« macht »sichtbar«. — Das Zeichen erscheint nicht von ungefähr, ich »mache« es. Da ist ein Entschluß, ein Mensch, der es übernimmt, etwas gegen die Angst zu tun. Ist das »ich« das gleiche wie das verfolgte und verängstigte »du« des ersten Teils, hat es sich gespalten? Tröstet es sich selbst? Tröstet es ein anderes? Ich lasse es offen. Gewiß ist nur, daß das »Zeichen« alles ändert, daß es die Verstrickung durchbricht. Die »neue

---

[2] Des Platzes halber kann ich nur noch die Schlußstrophe analysieren. Strophe 2 handelt von Flucht, Tarnung, Sprachverstörung. Der dritte »Atemstoß«, Strophe 5, ergibt angesichts der schwersten Aufgabe, der Wiederherstellung zerstörten Vertrauens (»Alphabetisierung in Vertrauen«. Gegensatzpaar: Angst, Sprachzerrüttung — Vertrauen, richtiges Benennen) jene Beklommenheit, die dem Nichteinlaßfinden des ersten Zweizeilers genau entspricht und die ich den »Atem-Engpaß« nannte.

Stadt beginnt«. Das ist zeitlich gesagt, sie »beginnt« in dem Augenblick, wo einer die Hand hebt und das Zeichen macht. Örtlich: in der Luft, bei dem Zeichen. Ein sehr genauer, unörtlicher Ort, überall und nirgends, aber in unserm Alltag gelegen, da beginnt sie, die Gegenstadt gegen die Stadt der ersten Strophe. Es ist eine »neue« Stadt. Sie hat also nichts von dem Schrecken und der Ungastlichkeit der alten, es ist ein Neuanfang. Aber eine »Stadt«, also eine Zuflucht. Warum Jerusalem? Ich dachte an spätrömische Mosaiken, in einer Apsiskuppel. Jerusalem, das vieltorige, die offenen Tore, die einladende himmlische Stadt, Schutz, Heil, Unvertreibbarkeit. Also auch Vertrauen, Sprachvertrauen, Wahrheit. Die utopische Stadt, die Stadt der Heilsverheißung, man sieht sie die Jahrhunderte hindurch am Horizont der alten Bilder liegen. Das Epitheton »golden« dürfte von den goldenen Mosaiken kommen. Gold ist auch die Farbe der umkippenden Verzweiflung, der »Euphorie in extremis«, die Farbe des äußersten Lichts.[3] Zum dritten und letzten wird die neue Stadt eine »Stadt aus Nichts« genannt. Aus Nichts, also unverlierbar. Ob dies nun auf das Land oder auf einen Menschen bezogen ist, gleichviel. Diese »Stadt aus Nichts«, die ein einziger Mensch mit einem einzigen Atemzug errichtet, macht die Welt wieder bewohnbar, für das Ich und das Du, denn beide wohnen darin, seien sie nun derselbe oder zweie. Und mit ihnen jeder, der sie braucht.

---

[3] Ebenso in *Lied zur Ermutigung III,* letzte Strophe. Auch, z. B. bei Hölderlin, *Menons Klage um Diotima. Der* transsubstantiierte Verlust hat die Farbe des Lichts: »Und aus Bächen herauf/glänzt das begrabene Gold«.

LIED ZUR ERMUTIGUNG II

Kein Wort ist einzeln. Kein Wort beginnt mit sich selbst. Man
hat immer schon zugehört. Man hat immer schon etwas gesagt.
Man hat immer noch etwas zu sagen. Auch die Worte eines
Gedichts sind nicht eine reine Information, die zur Aufzeich-
nung gelangt ist. Sie sind wie Zeichen und Winke, die ins Weite
deuten. Wenn die knappen Zeilen, die wir hier lesen, nicht von
anderen *Liedern zur Ermutigung* begleitet wären — sie kämen
dennoch nicht allein. Sie gehören in einen Zusammenhang von
Sinn, der fast so etwas wie ein einheitliches Thema hat. Freilich ist es ein dichterischer Zusammenhang. Bildhaftes, Gebär-
denhaftes, Metaphern (was wir so nennen) sind nebeneinan-
dergesetzt, als ob sie aufeinander folgten. In Wahrheit gravi-
tieren sie gegeneinander und bilden das Feld einer Erfahrung.
Die Zeile, die diese Erfahrung nennt, steht in der Mitte des
Gedichts: »Vertrauen, dieses schwerste ABC.«
Man fragt sofort: Muß man Vertrauen erst lernen? Kann man
es lernen, wie man schreiben lernt? Als ob einer ohne Vertrauen überhaupt leben könnte. Ist nicht all unser Sprechen
von Vertrauen getragen: in den anderen, der einen versteht, in
die Worte, die alle kennen, in die Welt, die in ihnen da ist?
Und doch, hier wird Vertrauen als etwas genannt, das man
lernen muß, ganz von Anfang an. Wie muß es verlorengegan-
gen sein, dies Einfachste, das allem Bleiben im Leben, aller blei-
benden Rede zugrunde liegt, das ABC. Kann man es einfach
wieder lernen? Wie etwas noch nicht Gekanntes oder wie etwas Verlerntes? Sind nicht die Mauern, die entlang man sucht,
ohne Türen? In der Tat: es ist das schwerste ABC — das man
immer wieder vergißt, das man immer wieder verliert. Wie
soll man es lernen?
Den Verlust des Vertrauens beschreibt der erste Teil des Gedichts. Den Beginn der Rückkehr des Vertrauens der zweite
Teil. Der erste Teil gebraucht die Du-Form, der zweite Teil
die Ich-Form — sicher nicht zufällig. Es ist dasselbe lyrische
Ich, das erst sich selbst anredet wie einen anderen — ist es denn
nicht ein anderer als ich, immer, dem das Vertrauen zum
Leben verlorengeht? — und das sich dann selber etwas —
leise — gesteht und damit beginnt, wieder mit sich selbst einig
zu sein.

Das Bild, das das Gedicht eingangs evoziert, das Gejagtsein (bei dem man noch nicht recht weiß, von wem), weckt eine der großen furchtbaren Szenen der Ilias, wie Achill den von Todesangst gepackten Hektor um Trojas Mauern herumjagt, und kein rettendes Tor nimmt ihn auf. Die verzweifelte Flucht dieses Tapfersten ist in den Eingangsversen da, aber sogleich verwandelt und gesteigert. Das erste Stutzen kommt einem bei der Wendung von den türelosen Mauern. Es sind nicht Mauern, deren Tore unerreichbar verschlossen bleiben, sondern Mauern, die entlang du Türen suchst und nicht findest, dich ein und aus gehen zu lassen in der Stadt des Vertrauens, in der vertrauten Welt. Und ein zweites: Hier tritt kein hilfreich scheinender Freund dem Fliehenden zur Seite, so daß er seiner Angst Herr wird und sich zum Kampfe stellt — hier ist kein sichtbarer Feind, den man stellen und dem man sich stellen kann: Wer hier flieht, hat alle Waffen von sich geworfen. Denn er hat die Namen der Dinge hinter sich geworfen, weil sie verwirrt sind und nicht mehr taugen. Das gibt dem ganzen Bild der Flucht erst seinen radikalen Sinn. Die Verwirrung der Namen der Dinge bedeutet die größte Gefahr und die äußerste Wehrlosigkeit. Wir wissen nicht nur von Laotse, daß er mit der Richtigstellung der Namen beginnen wollte, wenn er zu herrschen hätte, und nicht nur, daß Thukydides die Zersetzung, die das von der Pest heimgesuchte Athen befiel, an dem Bedeutungswandel von Worten beschreibt — wir kennen die ungeheuerliche Verfälschung der Begriffe, die die Volksverführer aller Zeiten bewirken. Und vielleicht ist das noch zu partikulär gesehen: daß sich die Namen der Dinge verwirren, daß die Worte ohnmächtig werden, die ehedem galten, ist wohl immer die Erfahrung, die den Zusammenbruch eines Vertrauens begleitet. Der versteht die Welt nicht mehr, den die Schutzwehr der vertrauten Worte nicht mehr umgibt.

Das ist der Sinn der homerischen Metapher dieser Verse: Die Stadt des Vertrauens, in der es sich allein bleiben und leben läßt, ist unzugänglich geworden — ja, gibt es sie überhaupt noch hinter den Mauern der Zurückweisung, um die wir gejagt werden?

Man schenkt dem Wechsel des Tempus Beachtung. Die Jagd erscheint in Vergangenheitsform, eingeleitet durch »Lange«, das τηλαυγὲς πρόσωπον des Gedichts, das sogleich auf die Wandlung deutet, die sich anbahnt. Und doch geht es im Präsens weiter, das Fliehen und Wegwerfen der Namen. Nicht nur, meine ich, um die verzweifelte Jagd ganz gegenwärtig erscheinen zu lassen, sondern weil diese Fluchtbewegung des Lebens, diese Jagd von Enttäuschung zu Enttäuschung, nicht mit einem Schlag zu Ende ist. Sie dauert fort, wo immer Verständigung und Vertrauen mißlingt.

Umgekehrt darf man nicht fragen, wie das Gedicht plötzlich auf das Lernen von Vertrauen kommt. Es kommt nicht plötzlich darauf. Vertrauen ist immer da, immer notwendig. Selbst wo es zerrüttet ist, ist es da, als das, was man neu zu lernen versuchen muß. Ebenso gilt aber auch: Das Wiederlernen von Vertrauen ist kein unschuldig-zuversichtlicher Neuanfang, der schrittweise Buchstaben des Vertrauens zu lernen beginnt, nachdem alle Enttäuschungen erfahren, alle Verzweiflung ausgekostet ist — Vertrauen ist ein Wagnis, heimlich, unmerklich, uneingestanden. Es gilt, Vertrauen zu fassen — diese Wendung unserer Sprache enthält alles, was das Gedicht sinnlich evoziert; was einem beständig vergeht, worin man sich ständig getäuscht sieht, wobei man immer wieder versagt, leise kehrt es dennoch wieder. Es gibt niemals Beweise, auf die sich Vertrauen berufen kann. Es ist nicht ein bekannter Buchstabe und eine Folge von Buchstaben, die alle kennen, womit das Wiederlernen von Vertrauen beginnt. Es sind Zeichen in der Luft, niemand anderem kenntlich, nicht vorzeigbar, kaum einem selbst bewußt — und doch sind diese ins Flüchtigste gewagten Zeichen voller Bezug, voller Beginn, voll ersten Bleibens.

Daß die neue Stadt des Vertrauens »aus nichts« gebaut ist, versteht sich, wenn anders Vertrauen Vertrauen sein soll und nicht wohlbegründete Sicherheit. Daß sie im goldenen Schimmer einer ewigen Erwartung glänzt, ein himmlisches Jerusalem, gibt der Wahrheit, die in diesen Versen liegt, ihr letztes Siegel: man kann nicht leben ohne Vertrauen, ohne Vertrautheit ringsum und ohne jene letzte Vertraulichkeit mit sich selbst, die einen »Ich« sagen und »Ich« sein läßt.

Karl Krolow

ROBINSON I

Immer wieder strecke ich meine Hand
Nach einem Schiff aus.
Mit der bloßen Faust versuche ich,
Nach seinem Segel zu greifen.
Anfangs fing ich
Verschiedene Fahrzeuge, die sich
Am Horizont zeigten.
Ich fange Forellen so.
Doch der Monsun sah mir
Auf die Finger
Und ließ sie entweichen,
Oder Ruder und Kompaß
Brachen. Man muß
Mit Schiffen zart umgehen.
Darum rief ich ihnen Namen nach.
Sie lauteten immer
Wie meiner.

Jetzt lebe ich nur noch
In Gesellschaft mit dem Ungehorsam
Einiger Worte.

Karl Krolow

ROBINSON I

Indem ich das Gedicht *Robinson* betrachte — ich habe es vor
sieben Jahren geschrieben —, wird mir als erstes klar, daß ich
in eine solche Betrachtung andere Gedichte einbeziehen müßte,
ältere und neuere Gedichte, vor zehn Jahren fixiert und dann
nicht *Robinson* geheißen, sondern nur *Jemand* oder auch *Er*
und schließlich rückhaltlos *Einsamkeit*. Denn *sie* ist in den genannten Arbeiten anwesend. Sie ist das, was die Texte in Bewegung setzte und in der Bewegung beließ. Was sie nicht
enden ließ und über das jeweilige Gedicht hinausführte. Was
mich dann erneut dazu brachte — unter einem Namen oder
einem versteckteren, unauffälligeren Stichwort —, das unruhig
machende Thema, den schrecklichen Stoff wieder aufzugreifen,
den gestaltlosen Stoff, der in *Robinson* Gestalt wurde, Person
— eine ebenso anonyme, erdenkliche wie literarische Person.
Jemand, den jedermann kennt oder zu kennen meint. Aber
den es doch genauso als Anonymus, als Nachbarn oder als
Zeitgenossen gibt, als jemand — freilich in einer ganz bestimmten Situation gesehen, einer bestimmten Lage ausgesetzt
— in des Wortes genauer Bedeutung. Robinson ist ein Aus-
gesetzter.
Aber wem oder was ausgesetzt? Zeitgenossen oder sich selber?
Einer unbewohnten Insel? Den Folgen seines Schiffbruchs? Der
Verlassenheit ohne Menschen? Oder — inmitten von Menschen — der eigenen Kontaktschwäche, seiner Neigung, seinem
Zwang zur Isolation, seinem Eigensinn, seinem Egoismus,
allen folgenreichen Unfähigkeiten des eigenen Wesens? —
Wahrscheinlich wählte ich jenen sagenhaften literarischen See-
mann, einen Moment seiner literarischen, nicht natürlichen
Biographie, um mich einen Augenblick lang — innerhalb eines
namenlosen Prozesses — an einen Namen halten zu können,
an ein Dasein, das es zugleich gegeben und nicht gegeben hatte.
An ein mögliches Leben, an einen potentiellen Helden, der
seine Lage zu bewältigen hatte und sie bewältigte, der mir zu
nichts anderem als meinen Zwecken dienen sollte: jemand, den
ich benutzen konnte, um ihm etwas in den Mund legen zu können — das Aussprechen von Reaktionen, von ganz bestimmten Verhaltensweisen, die auch jenem literarischen »Jemand«
und »Er« in ihrer »Einsamkeit« nicht fremd waren, in denen

sie mit diesem »Robinson« vielmehr übereinzustimmen schienen.

Robinson ist hier der Deckname von jemandem, der verschiedenes hinter sich hat, verschiedenes vor sich hatte, der Glühbirnen im Munde trug und Licht aus dem Fenster schüttete, der seine Vergangenheit verschenkte wie seine Hand, um nicht allein zu sein. Der — so oder so — auf sich aufmerksam machte, der in ein paar Sätzen sagen wollte, daß es ihn gab, ein paar Sätze, ein paar kurze Handlungen lang, daß er keine mutwillige Erfindung war, sondern »wirklich«, wenn auch geisterhaft wirklich, dennoch leidend an den Nachstellungen einer Realität, an der er zu tragen hatte.

Robinson wurde — unter solchen Voraussetzungen und in einer solchen Gesellschaft von Vorgängern und Nachfolgern — das personifizierte Verlangen nach Kontakt und zugleich die Widerlegung einer derartigen Anstrengung: das Zurückfallen auf sich selbst, das Ausgeliefertsein dem eigenen Wesen. — So verstanden, gleicht der Verlauf des Gedichtes einer vergeblichen Geste, der vergeblichen Anstrengung, von sich los zu kommen. Die Anstrengung freilich ist in einfache, unangestrengte Worte gekleidet, in unauffällige Worte, die Gewohnheiten wiedergeben, die Erfahrungen mitteilen.

Die Unauffälligkeit verhindert freilich nicht, daß sich das Mühsame einer Situation ausgedrückt findet. So unauffällig kann sich das Gedicht gar nicht in seine Verbalität, in die Einfachheit einiger von ihm getroffener Feststellungen und Vermutungen zurückziehen, als daß nicht Hilflosigkeit und Resignation zu erkennen wären, auch wenn sie sich nicht ausdrücklich zu erkennen geben, als daß nicht das Bescheidwissen um die Vergeblichkeit von Tun und Lassen jenen resignierten Gleichmut aufkommen ließen, mit dem das Gedicht in seinen drei letzten Zeilen ausläuft.

Aber wenn ich von Hilflosigkeit und Resignation sprach, hatte ich nicht nur das Schwächende solchen Zustandes, sondern auch das Aktivierende dieser Lage im Sinne. Wenn man seine Sache auf wenig gestellt sieht, ist man von *einer* Last wenigstens frei: der Last der Erwartungen. Das eigentümliche, vielleicht verzweifelte Freiheitsgefühl, das nun aufkommt, erfüllt auch das *Robinson*-Gedicht. Es »garantiert« es sogar. Denn mit seiner Hilfe ist das Weitersprechen möglich, werden die getroffenen Feststellungen, die mitgeteilten Erfahrungen erst mitteilbar und in der Mitteilung glaubwürdig.

So geht hier verschiedenes miteinander um, geht ineinander über, oder ist doch aufeinander angewiesen: Kontakt-Verlangen, vergeblicher Versuch der Kontakt-Herstellung, der Rückfall auf sich selbst, auf die eigenen Handlungen, die Anstrengungen des Vorgangs, und als »Resultat« schließlich Einsicht, Sich-Bescheiden in einem Bescheidwissen, das Freiheit gewährt, Freiheit von Folgerungen und Folgen, von zu erwartenden Ereignissen.

Zunächst ein Versuch. Der Versuch, »mit der bloßen Faust« seine isolierte Lage zu ändern, indem man zum Nächstbesten greift, hier nach dem ersten Schiff, das am Horizont auftaucht und das man an sich ziehen möchte. Aber das dann doch — wie die folgenden — verlorengeht, durch die Finger schlüpft. Man rettet sich nicht aus seiner Isolation, indem man auf beliebigen und leichten Fang ausgeht (»Ich fange Forellen so«). Immer kommt einem etwas dazwischen: Monsun oder Ruderbruch und ausfallender Kompaß. Denn »Man muß mit Schiffen zart umgehen«. Man kann seine Versuche nicht der bloßen Faust, dem schieren Zugreifen und der leichten, sich anbietenden Gewohnheit (als finge man Forellen) anvertrauen. Man muß seine Empfindlichkeit mobilisieren, seine Sensitivität aufbieten. Man muß »zart umgehen«, um dann allerdings zu erfahren, daß auch auf diese Weise wenig erreicht wird und man noch mit den zärtlichsten Zurufen, den sensibelsten Verbindungsversuchen auf sich verwiesen bleibt. Es scheint geradezu so, als wenn — ganz ohne Faustrecht und Lässigkeit, in der Behutsamkeit einer Kontaktnahme — man am hartnäckigsten auf die eigene Intention zurückfiele. Damit auch auf das Egoistische seines Versuchs, auf die Automatik eines solchen Egoismus. Einsamkeit der Eigenliebe.

Die Folgen solchen Erkennens bringen die drei letzten Zeilen zur Sprache. Das erwähnte, gleichmütige Bescheidwissen »Jetzt lebe ich nur noch . . .« ist das resignierte Kenntnisnehmen von einer — unerwarteten — Gesellschaft, in die man — im Zirkel der Isolation — gerät. »Gesellschaft mit dem Ungehorsam einiger Worte.« — Es wird nicht gesagt, ob es die eigenen Worte sind, um die es sich handelt. Aber es erübrigt sich wohl, dies festzustellen. Was sonst kann übriggeblieben sein als die Worte, die mit einem zu tun haben, die von einem kamen und widersetzlich auf einen zurückfallen, die nicht folgsam sind, vielmehr ungehorsam, die genug haben von der Bevormundung dessen, der sie machte. Die Worte als reizbare und unabhängige Lebewesen »in Gesellschaft« mit dem, dem sie kamen und der sie — ein für allemal — als seinesgleichen in seinem Besitz vermeinte, zu seiner Verfügung. Robinson bleibt so auch von diesen Worten verlassen, da er nun einmal nicht sicher ist, da sie Widerstand leisten. Aber er wird sich mit dieser Lage — wie mit allem anderen — einrichten müssen.

ROBINSON I

Ein Gedicht, das den Titel *Robinson* trägt, hat damit bereits ein bestimmtes, in der zeitgenössischen Lyrik auch sonst auftauchendes Modell gewählt. Aber das Modell ist vieldeutig. Robinson kann der auf eine Insel verschlagene, isolierte Einzelmensch sein, der jeden Zusammenhang mit anderen menschlichen Wesen verloren hat; er kann indessen auch der homo faber sein, der die Entwicklung der Menschheit von ihren Anfängen bis zur Spätzeit noch einmal, für sich allein, wiederholen muß. Schließlich läßt sich auch an den geretteten Robinson denken, der durch ein Schiff in seine Heimat zurückgeführt wird. Ebenso braucht Robinsons Insel nicht immer das Unheil von *Exil* und Verbannung zu bedeuten; sie kann dort zum *Asyl* werden, wo die Welt draußen als eine schlechte und verdorbene Gesellschaft interpretiert wird.

In Karl Krolows erstem Robinsongedicht aus seinem wohl besten Gedichtband *Fremde Körper* (1959) ist Robinson isoliert, aber nicht etwa verzweifelt. In dem freien Wechsel von Lang- und Kurzversen wird eine Stimmung der Sehnsucht spürbar, die erst später bei Robinson abstirbt. Das Unabgeschlossene, Fragmentarische dieses Gedichtes verlangte die offene ungebundene Form. Die erste, sehr ausgedehnte Strophe hat selbst etwas von der »Zartheit«, die im Umgang mit Schiffen verlangt wird. Die zweite, knappe, die nur noch Gegenwärtiges berichtet, ist härter, erbarmungsloser. Das Gedicht der Sehnsucht gipfelt in einem Zustand, in dem die Sehnsucht bald erlöschen muß.

Zunächst sieht es so aus, als ob Robinson nur nach Schiffen verlange, die ihn fortführen sollen. Aber dies wäre bereits ein bedenkliches Mißverständnis. Krolow, der den Dichter an einer anderen Stelle einmal einen »Zauberer« genannt hat, »dem eine ganze Welt der Imagination zur Verfügung steht«, zaubert auch mit dem Wort »Schiff«. Es ist eine Metapher, die dennoch nur sich selbst bedeutet, es meint Gegenständliches und Irreales zugleich.

Robinson greift »mit der bloßen Faust« nach einem »Segel«. Das ließe sich noch als unreflektiertes, vitales Zugreifen nach einem Dinglichen verstehen; es mag nahe, es mag fern sein, sei es auch ein Zugreifen nur in der Phantasie. Eine solche Auslegung reicht jedoch nicht aus. Denn Robinson »fing« anfangs »verschiedene Fahrzeuge, die sich am Horizont zeigten«, er fing sie, wie er sonst Forellen gefangen hat. Bereits dieser Vergleich verschiebt das Bild ins Imaginäre; denn Schiffe lassen sich nicht wie Forellen mit der Hand greifen. Nähe und Ferne, Großes und Kleines, werden geradezu miteinander vertauscht; die verschiedenen Fahrzeuge am »Horizont« können nur als ferne und damit als relativ kleine vorgestellt werden, aber als eingefangene sind sie wiederum ganz nahe gerückt und bleiben doch klein. Krolows Schiff wird zu einer »Barke Phantasie« — so nannte er seine eigenen Übersetzungen französischer Lyrik. Insel und Meer, die Schiffe und Robinson, das alles verwandelt der Lyriker in eine phantastische Landschaft, sogar etwas von der Heiterkeit des Mühelosen scheint dabei mitzuschwingen.

Wodurch wird dieser täuschende Eindruck erzeugt? Sind nicht die Schiffe dieses Robinson wie ein *Spielzeug,* Zeug zum Spielen? Wird nicht damit auch das ganze Meer in seiner räumlichen Perspektive verändert, ein Spielfeld für Robinson? Spielzeug kann einem Kind durch die »Finger« gleiten oder sich auch wie von selbst zerstören (»Ruder und Kompaß brachen«). Fast sieht es so aus, als ob Robinson mit den Dingen spiele oder sie mit ihm. Er ist nicht der homo faber, der sie benutzt und lenkt. Im Spiele läßt sich nichts endgültig festhalten, alles entgleitet, wird richtungslos, sei es mit oder ohne Schuld des Spielenden.

Aber dieses Spiel mit den Schiffen hat auch seine Verluste. Damit wird es bedenklich. Es ist der vergebliche Versuch zur Kommunikation mit einer Welt, die außerhalb des Ich, außerhalb seiner insularen Existenz ist. Schiff, Segel, verschiedene Fahrzeuge, Monsun, Ruder und Kompaß, das sind die verschiedenen Spielarten, in denen Fernes nah, Nahes wiederum fern, Großes klein und Kleines groß wird; scheinbar Vertrautes, vielleicht auch Lockendes verfremdet sich ins Ungewisse, ja ins Unbekannte, Unerreichbare.

Darin liegt das Mißlingen des Spiels. Warum mißlingt es? Robinson bleibt allein, das »Gefangene« entweicht oder ist zerstört. Eine Kernzeile des Gedichtes gibt Auskunft: »Man muß mit Schiffen zart umgehen«, zart, das heißt hier offensichtlich nicht vital, nicht unreflektiert (»mit der bloßen Faust«), sondern leiser, indirekter, geistiger. Wären reale Schiffe gemeint, so hätte diese Forderung etwas Lächerliches. Aber Schiffe, das sind hier scheinbare Brücken zur Kommunikation, alles, was von außen kommt und gleitend vorüberzieht, alles also, was aus dem bloßen Ichsein herausführt oder herausführen könnte;

es sind Schiffe der Phantasie, die trotzdem etwas Wirkliches intendieren. Hier gilt nicht Robustheit oder Gewalt, aber auch nicht das zwecklose Spiel, selbst dies ist nicht zart genug.
Ein zweiter, neuer Weg bietet sich an. »Darum rief ich ihnen Namen nach.« Namen sind so wie Schiffe bei Krolow Metaphern, aber nicht solche, die etwas anderes bedeuten, sondern solche, in denen Weltinhalte bereits verwandelt erfahren werden. Namen wurden vom Menschen für die Dinge erfunden, mit ihnen sucht er die entgleitende, kaleidoskopartige Wirklichkeit festzuhalten, vielleicht sogar zauberisch zu bannen. Jedoch bleibt solches Tun des Geistes vergeblich. Im Gedicht *Worte* von Krolow heißt es:

> Aber die Namen bleiben
> Im Ohr nur ein Gesumm
> Wie von Zikaden und Bienen,
> Kehren ins Schweigen um.

Hier, im *Robinson*, lauten alle Namen, die er den Schiffen nachruft, immer nur wie sein eigener. Was aus der Introversion herausführen sollte, macht sie in Wahrheit erst voll sichtbar. Vielleicht sollten die Namen die Schiffe zum »Gehorsam«, zur Umkehr, zur freiwilligen Gefangenschaft nötigen. Dann hätten die Namen eine magische Funktion. Vielleicht sollten die Schiffe durch Namen nur in die Zartheit eines neuen, geistigeren Umgangs aufgenommen werden. Wie dem auch sei, die Namen erreichen die Schiffe gar nicht, sie sind immer nur Robinson selbst, sie zerstören die Kommunikation mit dem Draußen, die sie eigentlich herbeiführen wollten.
Das Gedicht mündet in eine verrätselte, chiffrierte Aussage. Auf diese scheint es mir von Anfang an angelegt.

> Jetzt lebe ich nur noch
> In Gesellschaft mit dem Ungehorsam
> Einiger Worte.

Noch kann Robinson »ich« sagen, erst im dritten Robinson-Gedicht ist nur noch vom »es« die Rede. Wer ist dieses Ich? Steht es abermals als Metapher, und zwar diesmal für den Dichter selbst, wenn auch in verschleierter, indirekter Weise? Hat doch gerade der Dichter es in erster Linie mit Sprache, mit Namen und Worten zu tun! Vielleicht hat der Dichter jedoch nur stellvertretend Bedeutung für den Menschen unserer Zeit, für das des vitalen und geistigen Kontaktes mit der Welt beraubte Ich. Dann wäre das als Robinson sprechende

Ich hier nicht ein beliebiges Modell, sondern Modell für das Alleinsein des Ich inmitten des nicht mehr verstandenen anderen.

Aber ganz allein ist Robinson jetzt noch nicht; er hat »Gesellschaft«, Gesellschaft »einiger Worte«. Wohl aber lebt er in einer zerschlagenen Wirklichkeit, in einer geistigen und geisterhaften Welt. Vielleicht will er mit den Worten noch sein eigenes, rätselhaft gewordenes Dasein entziffern, aber die Worte gehorchen ihm nicht mehr, sie haben sich selbständig gemacht, sie werden dieses Ich am Ende ins Wortlose, ins Schweigen und ins Verstummen führen.

Modell Robinson: Irrt der Interpret, wenn er darin noch die gefährliche, isolierte Freiheit des modernen Dichters erkennt, dem im Spiel der entbundenen Phantasie alles zu Gebote zu stehen scheint und dem sich dennoch alles wieder entzieht bis zum unpersönlichen Auslöschen im »Es«?

Joachim Rochow

ABENDS

Der Abend
kommt nieder
mit welken Wundern

Du siehst
schlummernd
an Orten
feierlichen Zerfalls
das Schöne
abblättern
von der Schönheit

und hörst keinen
wo Schweigen wuchert
jäten
mit scharfer Stimme

Joachim Rochow*

ABENDS

Drei Strophen, zwei Sätze, »gerade« Wortstellung: Die übersichtliche Gliederung des Gedichts suggeriert Einfachheit und Eindeutigkeit des Gehalts. Aber schon die erste Strophe beginnt mit einem rätselhaften Bild: »Der Abend kommt nieder.« Während die übrigen Verben (abblättern, wuchern, jäten) mühelos neue Verbindungen eingehen, scheint sich das Verb »niederkommen« gegen den metaphorischen Gebrauch zu sperren. Nicht das männliche Substantiv, das ihm zugeordnet ist, sondern seine geläufige Bedeutung, die den natürlich-zwanghaften Vorgang der Geburt betont, mindert die sinnliche Qualität des Bildes. Es ist, als erhöbe der Mensch Anspruch auf die Position des Subjekts. Das Verb aber stärkt die Metapher, indem es seine semantische Kreisform aufgibt zugunsten einer elliptischen Form mit zwei Bedeutungsbrennpunkten:

1) Der Abend kommt auf die Erde, kommt zu Boden. Seine Herabkunft mutet an als ein kaum noch überraschendes Naturereignis (welke Wunder).

2) Der Abend ist (nach)schöpferisch; der genialische Hermaphrodit (Dämmerung, Zwielicht), der zaubernde Epigone bringt »welke Wunder« zuwege.

»Der Abend kommt nieder«: eine Fügung zwischen sinnlichem und sinnbildlichem Bezug. Natur und Geist fügt die Metapher in eins. Der Gegensatz wird aufgehoben in der Gegensatzmetapher: »welke Wunder«. Der Mensch, in dem beide Bereiche aneinandergrenzen, bleibt trotz »verbaler Sinnesänderung« anwesend: durch seine beschwörende Abwesenheit. Er kam nieder (gewiß), er wird niederkommen (vielleicht). Durch diese Lücke zwischen Vergangenheit und Zukunft tritt er in die Gegenwart des Gedichts: du . . .

Der Mensch, irgendein Du, wird zum Zeugen des »feierlichen Zerfalls«. Er sieht, während er schlummert, »das Schöne abblättern von der Schönheit«. »Schlummern« (auch ein »elliptisches« Verb) deutet zwei Blickrichtungen an:

---

* Rochow, der jüngste der Autoren (geb. 1938), ist der einzige »Neuling«. Auf Maders Ende 1965 erschienene Gedichte wurde die Herausgeberin aufmerksam gemacht, als der Band bereits in Satz gegangen war; sie hielt es für ihre Pflicht, ihn nachträglich noch einzuschließen.

1) Die Lider heben den leichten Schlaf auf. Durch einen Schleier der Müdigkeit gewahrt der Mensch den herbstlichen Blätterfall als einen abstrakten Vorgang (das Schöne ... von der Schönheit).

2) Der schwere Schlaf (Todesschlaf?) drückt die Augen fest zu. Der Blick wird nach innen reflektiert. Der Mensch gewahrt traumhaft seherisch den Zerfall des Begriffs »Schönheit« und damit seinen geistigen Zerfall als einen natürlichen Vorgang (abblättern).

Der äußere Gesichtskreis ist erweitert um den inneren. Beide umschließen den abendlichen Raum. Die herbstliche Zerstörung fällt zusammen mit dem geistigen Tod. Abschied von der gewohnten Ästhetik: Das Blatt trennt sich vom Baum, das Schöne ist nicht mehr identisch mit der Schönheit.

Die beiden ersten Strophen verbindet die gleiche Abwärtsbewegung (niederkommen, Zerfall, abblättern). In der dritten Strophe setzt mit der Wendung zum Akustischen die Gegenbewegung ein: »Schweigen wuchert«. Die Metapher (Nomen ohne Artikel!) bezeichnet eine unbestimmte Gefahr (nur soweit bestimmbar durch assoziative Sinngebung, als sie mit zerstörerischem Wachstum zusammenhängt). Die urtümliche Aussageweise deutet auf eine Bedrohung, die nur bestimmtes Tun abwenden könnte. Aber niemand »jätet mit scharfer Stimme«. Niemand schneidet das Schweigen zurück, sei es mit spitzen Geburts- oder Todesschreien (niederkommen, schlummern), sei es mit »scharfen« Worten. Der Mensch, längst verstummt an der Schlafgrenze zum Wachsein oder zum Tod, bei beginnender Nacht sensibilisiert zu visionärer Hellsichtigkeit — der Mensch wartet vergebens auf einen Menschen, der die bedrohliche Stille bespricht. Über das Wort, über den Geist hat das Gegenwort gesiegt, das vegetative Schweigen. Trennung und Zerfall werden deutlich an den Fügungen: Zuerst stehen Worte verschiedener Herkunft, verknüpft durch Alliteration, paarweise beisammen (welke Wunder, feierlicher Zerfall); dann wird selbst das Paar, das ursprünglich eine naturhafte Einheit bildete, innerhalb der Metapher getrennt (das Schöne abblättern von der Schönheit); zuletzt stehen sich die Metaphern feindlich gegenüber bei fern anklingender Alliteration. (Die etwas abgenutzte Formel »scharfe Stimme« gewinnt erst in der Bildverbindung mit »jäten« und durch die klangliche Herausforderung von »Schweigen« sinnliche Qualität!)

Der »feierliche Zerfall« der Schönheit findet seinen rhythmischen Ausdruck in der ernsten Feierlichkeit der Daktylen und in der fallenden Bewegung der Trochäen. Seinen klanglichen Ausdruck bestimmt die Lautbedeutsamkeit der dunklen

Vokale o und u. Die Zwie- und Umlaute, verbunden mit Nasalen und Frikativen, verdeutlichen (in der zweiten Hälfte des Gedichts) den Übergang, den gleitenden Wechsel von Ganzheit zu Teilheit. Sie versetzen in eine Art euphorischer Trauer, wie wenn es schön sei, das Schöne zerfallen zu sehen. Doch zum Schluß brechen sich die weichen Klänge an den widerständigen t-Lauten. Unerbittlichkeit, bekräftigt durch ein schrilles i, wird sprachliche Gestalt.

Eine zentrale Metapher (das Schöne abblättern von der Schönheit), prima inter pares, stiftet den Sinnzusammenhang zwischen ihren Mit-Metaphern, ohne deren Eigenbildlichkeit abzuwerten. Sie, Mittelpunkt der Betrachtung, ist mein Ausgangspunkt, wenn ich ein Gedicht konzipiere. Ich könnte sie für das Gedicht selbst nehmen, wollte ich es in der Umnachtung seiner Rätselhaftigkeit belassen. Aber es soll leuchten. Darum schicke ich selbstleuchtende Planeten (eigentlich kleine mystische Sonnen) auf die syntaktischen Bahnen um die zentrale Metapher: kein ptolemäisches, kein kopernikanisches, mein lyrisches System ... Ich schüttele meine Schöpfung, um die vorläufige Ordnung zu stören. Ich wirbele alle Planeten durcheinander, aus ihren Bahnen heraus, in ihre Bahnen zurück. Einige ersetze ich, einige entferne ich, selten mehre ich ihre Zahl. Nur die zentrale Metapher lasse ich unangerührt. Erst wenn alle Planeten (Sinn-Satelliten) auf den richtigen Bahnen kreisen und in der richtigen Stärke und Färbung strahlen, um die schwärzeste Sonne in die hellste Sonne zu verwandeln, gebiete ich Stillstand. Die Lichter haben das Licht erweckt. Mein lyrisch-planetarisches System ist fixiert. Ich schreibe das Gedicht auf.

Joachim Günther

ABENDS

Titel und Inhalt des Gedichts lassen keinen Zweifel, daß es sich im thematischen Sinn um ein Abendgedicht handelt. Der Titel lautet zwar in adverbialer Verwischung *Abends* statt mit substantivischer Bestimmtheit »Abend«, so daß es auch möglich wäre, nur an allgemeine abendliche Stimmungen oder Verhältnisse, an die innere mehr als an die äußere Zeit zu denken oder an beider einander oft überkreuzende Rhythmen. Auch in solchem Fall wäre aber das Gedicht zwangsläufig Nachfahre einer schier erdrückenden Tradition. Die Frische, mit der der Autor sie abgeschüttelt hat, kommt gleich im ersten Satz, der sich trochäisch in drei fallende Zeilen gebrochen hat, zum Ausdruck. »Der Abend/kommt nieder/mit welken Wundern«, das hebt wie eine schlichte Feststellung an und teilt ihr doch unauffällige Doppelsinnigkeit mit, die das Verbum von sich aus in seinen beiden Bedeutungsmöglichkeiten bereithält. Kommt dieser Abend vom Himmel hernieder oder wird bei ihm an Gebären gedacht? Ähnlich ambivalent steht es mit der ihm präpositional eingehängten Fracht: Trägt er seine Wunder zum Verschenken lose in den Händen, bringt er sie schmerzlich zur Welt? Gedichte sterben sehr leicht an zu großer Eindeutigkeit. Daß in diesem Gedicht niemand — auch der Autor nicht — von den ersten drei Zeilen zu sagen vermöchte, welche Sinnmöglichkeit die authentische, die allein richtige ist, löst ihre Aussage lautlos vom Boden und hebt sie in den Äther der Dichtung empor. Das geschieht jedoch ohne Einbuße an Verständlichkeit in grammatischer, logischer, syntaktischer Hinsicht. Ähnlich die welken Wunder. Wiederum kann der Verstand sich an etwas wie einer Katachrese stoßen und in der Frage verfangen: Können denn Wunder überhaupt welken, sind sie nicht alterslos, allemal neu, oder es sind dann eben keine wirklichen Wunder mehr? Das Gedicht geht ohne Antwort über solche Einsprüche hinweg. Auch ein Vorgriff auf Künftiges brächte uns in dieser Richtung nicht weiter. Ebenso wenig zaudert die Aussage in derselben Zeile, am Abgrund der Banalität und der Sentimentalität entlangzugleiten. Die welken Wunder sind ja zweifellos stehengelassener, vielleicht sogar unbemerkter Stabreim in seiner weichlichsten, allerverbrauchtesten Variation.

»Du siehst / schlummernd / an Orten / feierlichen Zerfalls / das Schöne / abblättern / von der Schönheit«. Zweite »Strophe«, wenn solche traditionellen Begriffe für ein Gebilde dieser Art und seine rein rhythmischen, metrumlosen Atemeinheiten noch zu verwenden sind. Sie exegesiert nun doch offensichtlich die letzte Aussage der welken Wunder. Im »feierlichen Zerfall« scheinen diese sogar wiederzukehren, nur mit anderen Worten und zugleich unter Vertauschung der Subjekte und Attribute: Das Substantivum erhält die Kadenz, das Adjektivum den Ton. Die Strophe wendet sich im ersten Vers schroff vom Thema und Gegenstand des Gedichts weg, gleichsam mit neunzig Grad dem Partner, dem Leser, dem Hörer des Dichters, vielleicht auch nur dem zum Du verfremdeten Ich zu. Ihr Rhythmus wird zittrig: jambisch, trochäisch, jambisch, daktylisch-anapästisch. Auch die Sinnzuordnungen befördern die Unruhe. Wer »schlummert«? Das angeredete Du, das dann aber kaum »sehen« könnte? Oder »das Schöne«, das von der Schönheit abgeblättert ist? Schönes und Schönheit — Ding und Idee? Im Gedicht, jetzt generell gesprochen, erscheint dies beinahe etwas zuviel an unsicherer, unsinnlicher Abstraktion. Aber das Abendrot, der Abendstern, der Mond, die Nacht, die Stille, sie alle sind bis zum Überdruß bei solcher Gelegenheit evoziert worden. Das Gedicht läßt indirekt an dem, was ihm fehlt, was es nicht beschwört, die lange Ahnenreihe, die auf ihm lastet, verspüren. Dennoch empfindet der Leser, vielleicht auch der Sprecher — es handelt sich zweifellos um ein sehr sprechbares, vom Laut mindestens ebenso stark wie vom Bild getragenes und inspiriertes Gedicht — diese längste mittlere Strophe kaum als die Klimax des Ganzen. Der Ton sinkt eher herunter zu einer Art Rezitativ. Assoziationen an andere Dichter scheinen über den Hintergrund zu huschen: Trakl? Rilkes Grabspruch? Ja, es scheint fast, als sei nur beabsichtigt gewesen eine Brücke von der Festigkeit der ersten Strophe, die von hier aus gesehen wie gerammt im Boden steht, zur letzten Strophe zu schaffen, die wiederum einen höheren Grad metaphorisch-sprachlicher Spannung erreicht.

Diese letzte Strophe, vier Zeilen mit unregelmäßigem Bruch, hängt sich mit einem unbetonten »Und« den sieben Zeilen des Zwischenakts an. War es bisher ein Abend, der sich in der Mitte von Schwermut und Lust hielt, dessen Wunder welkten, dessen Zerfall feierlich war, so kommt nunmehr, da sich die Welt des Auges zu schließen beginnt und der Abend allein durch den Übergang zum Auditiven (»und hörst keinen«) zur Nacht geworden ist, reine glückselige Ruhe, altertümlichste, in der heutigen weit über die Mitternacht hinaus lärmenden Welt nahezu irreal gewordene Stille und Stimmung auf. Darüber hat jedoch die metaphorische Dichte und Schlüssigkeit, auch die nachprüfbare Originalität des Gedichts eher gewonnen, so stark, daß fast ein Mißtrauen aufkommen kann von der Art: Hat man das nicht schon gehört, ist mit diesem Bild nicht schon längst in der Abendlyrik der Weltdichtung gedacht und gedichtet worden? Die Metapher ginge in keiner Übersetzung verloren. Ist sie vielleicht auf dem Schmuggelweg aus dem Japanischen ins Gedicht gekommen? Dabei riskiert das Bild noch den zweiten Entsinnlichungsvorgang, sich überhaupt nur negativ, privativ auszusprechen. Eine Erwartung, die zugleich eine Befürchtung ist, fühlt sich wohltuend enttäuscht. Schweigen wuchert und keine Stimme jätet es. Wieviel innere Dialektik des Bildes. Unkraut wird assoziiert und zugleich in Heilkraut gewendet. Jäten, sonst erste Kulturarbeit, wäre hier Störung, Verderb, Unheil. Das Ohr, das zum Hören aufgerufen war, geht leer aus und erfährt gerade darin sein Glück, das ihm wie in doppelter Negation durch Bilder aus dem Bereich des optischen, gegenständlichen Sinnes vermittelt wird. Trotz soviel Verspiegelung und Komplexion sprechen uns Bild, Vorstellung und Gedanke aber mit vollkommener Schlüssigkeit an. In dieser Verständlichkeit scheint das Gedicht ebenso wie in seinen inhaltlichen Elementen einer älteren Sprach- und Denkwelt zuzugehören. Worin ist die gleichwohl ebenso deutlich fühlbare Modernität, die vor Trakl und Benn in dieser Weise wohl kaum möglich gewesen wäre, zu suchen? Schwerlich im zerebralen Bereich, wo sonst meistens Geschichte verarbeitet, neue Wege, neue Sprache, neue Gehalte gewonnen werden. Das Gedicht hat die Leichtigkeit eines Hauchs. Spuren von Arbeit und Anstrengung sind ihm nicht anzuspüren, obschon es doch ein ziemlich gedankenbeladenes Gedicht ist. Es hat etwas von einer Improvisation, von (weiter spaltbarem) sprachlichem Material, dessen Wert sich aus einer eigenen Kostbarkeit herleitet. Improvisation gilt im modernen Gedicht nicht mehr im hergebrachten Grade als Mangel. Eine neue innere Notwendigkeit bei der Improvisation, also etwas, das sich wie hölzernes Eisen anhört, gewinnt an Boden. Bisweilen scheint es, der Gott der Dichtung dulde nur noch Improvisation in seiner Nähe. Von dieser allgemeinen Lage profitiert das Gedicht Rochows. Aber es scheint auch wieder mehr als das meiste, was heute als Gedicht bei uns umgeht, ein von hinten gehaltenes, in der Tradition nicht eben sperriges Gedicht zu sein. Ein Versprechen, bei dem man leise in die Hoffnungen transzendiert, die in der subjektiven Quelle seiner Verlautbarung noch verborgen sein mögen.

Hans Peter Keller

ABER DAS WARTEN

die Luft die ich ausatme gestiftet
meinen Enkeln

dieser jener
geht aus der Wohnung
geht zu Fuß
oder

Gangart gleichgültig

fährt über Land reist auf dem Wind
soviel
Ecken in der Welt jede
ein Treffpunkt

aber das Warten das setzt Moos an
im Augenlicht

muß getränkt werden

Hans Peter Keller

ABER DAS WARTEN

Ich stelle mir den Leser vor, den die erste Zeile anmutet als ein makabrer Scherz. »Die Luft die ich ausatme . . .«. Verbrauchter Atem. Kein sehr freundliches Angebot. Nun, denken wir ein bißchen nach. Das Ausatmen erweist sich immer als Rückgabe von Eingeatmetem — entspannend, befreiend. Hier tritt Goethe aus der Kulisse:

> Im Atemholen sind zweierlei Gnaden:
> Die Luft einziehn, sich ihrer entladen.
> Jenes bedrängt, dieses erfrischt;
> So wunderbar ist das Leben gemischt.

So wunderbar ist das Leben gemischt. Her und hin der luftige Tausch der Lebensaugenblicke. Her und hin zwischen dem Ach und dem Oh pendeln die Takte der Uhr. Jeder Moment — ich muß nur lesen wollen — setzt eine Silbe meiner Biographie, steckt ein Spiegellicht an für mein Dasein, das erst in der Reflexion zu sich kommt.

Die reflektierte Summe von Selbsterfahrungen, die zunimmt, während ich ausatme, die gleichzeitig zu nichts wird, für mich »Luft ist« im redensartlichen Tiefsinn, unfaßlich — die unterfange ich mich aufzuheben: ». . . gestiftet / meinen Enkeln«. Was für ein Aberwitz.

Aber der Witz hält auf seinem schwermütigen Grund jenes Element bereit, wodurch allein wir zu atmen vermögen: die Illusion, die Hoffnung, das Warten — *aber* das Warten. Ich weiß nichts von der Wirklichkeit, die sein wird, kenne meine Enkel nicht (Enkel hier weniger meine möglichen Kindeskinder, mehr in dem weiteren Wortverstand Nachkommen). In der nichts als vermuteten Zukunft kann es dieser oder jener sein, ein Irgendwer mit Eigenschaften, Gewohnheiten, Vorlieben, davon ich keine Ahnung habe. Sofern er »geht aus der Wohnung«, sofern er nun seinerseits »ausatmet«, aus sich heraustritt, aus der Konzentration seines Ich zum Verkehr mit dem Allgemeinen gelangt — gleichgültig ob er da platterdings Fußgänger ist oder im Auto fährt, eine Flugmaschine besteigt, auf dem Wind reist —: »soviel / Ecken in der Welt jede / ein Treffpunkt«.

Wir sind am Puls des Gedichts, bei seinem heimlichen Thema, dem Leitgedanken dieser Hoffnung, dieses Wartens. Das geträumte Ziel der etwas zwielichtigen, leicht mißverständlichen Zeile »die Luft die ich ausatme gestiftet« scheint erreicht. Perfektes Präsens.

Doch mit dem nämlichen Atemzug (Thema und Variation) ist der Schatten da: »aber das Warten das setzt Moos an / im Augenlicht«. Nirgends Hilfe aus leichtem Mißverstehn. Dissonierendes stößt ins Bewußtsein. Das Warten, »vollendete« Gegenwart mit ihrem Inhalt, zeitigt Überwucherndes, deckt das »Gesicht« zu mit den Merkmalen der Zeit. Das Vergessen. Das Vergessenwerden.

Nicht die Spur mehr einer Reflexion, keinerlei von Wünschen gelenkte Vorspiegelung, nein, wo denn der Ausweg, man kann nicht umhin: das Warten wie das Moos, das Moos wie das Augenlicht »muß getränkt werden«. Der Schlußvers, lakonisch, blinzelnd, zieht also den Schluß: Tränen.

Hans Rudolf Hilty

ABER DAS WARTEN

Seinem Gedichtband *Grundwasser* stellt Hans Peter Keller als
Motto die Zeilen voraus:

> soviel
> Ecken in der Welt jede
> ein Treffpunkt

Diese Zeilen begegnen dem Leser wieder gegen Ende des Bandes: im Gedicht *Aber das Warten*. Sie bilden dort den Scheitelpunkt eines Versgebildes von insgesamt vierzehn Zeilen.
Voraus geht ein »Aufgesang« von acht Zeilen, eine entwerfen-
de Bewegung, bei aller skizzenhaften Knappheit fast spielerisch ausladend, bis zur Zeile

> fährt über Land reist auf dem Wind

Gerade nach dieser Zeile mit ihrem heiteren Tempo der Sen-
tenz wiederzubegegnen, die den Gedichtband eröffnete, unvermittelt, ohne daß eine Blindzeile Pause schafft, stört den Leser
auf, irritiert und ergötzt ihn. Und schon wird die Bewegung
zurückgenommen: auf die drei Motto-Zeilen folgt das Stichwort, das dem Gedicht den Titel gegeben hat:

> aber das Warten

Es leitet einen kurzen »Abgesang« von drei Zeilen ein.

Das Gedicht als heutiges Gedicht ist nicht organisiert im Sinne
der traditionellen Poetik. An die Stelle formaler Geschlossenheit ist eine offene Bezüglichkeit getreten. Der Autor läßt die
Zeilen weder zu Versen (im Sinne der Schulpoetik) noch zu
Sätzen (im Sinne der Schulgrammatik) gerinnen. Und die Bilder nicht zu Allegorien. Er verwehrt dem Leser die Ausflucht
ins Schon-Vorgeformte, Schon-Gereimte, Schon-Assoziierte.
Gegen Ende des Gedichts zum Beispiel. Moos setzen sonst
Steine an. Und das morbid-surrealistische Bild von versteinten
Augen, die Moos ansetzen, liegt nahe. Aber Hans Peter Keller
entgeht ihm auf bewundernswerte Art, indem er nicht von

Augen, sondern vom »Augenlicht« spricht. Das ist überraschender, eigener, poetischer, und es gibt dem Warten keinerlei Beigeschmack des Starren, Versteinten, Verwesenden. Warten, das Moos ansetzt im Augenlicht, ist ein schwereloses Gleichgewicht von Bewegung und Geduld.

Und von diesem Warten heißt es abschließend: es »muß getränkt werden«. Getränkt sicherlich nicht durch Tränen, sondern getränkt wie das Vieh, das der Bauer morgens und abends zur Tränke führt. Es liegt eine hegende Geste in dieser Schlußzeile. Dabei ist die Bezüglichkeit so offen, daß es dem Leser erlaubt sein dürfte, die Schlußzeile auch auf die Anfangszeile zu beziehen (also: »die Luft, die ich ausatme, gestiftet meinen Enkeln . . . muß getränkt werden«). So oder so bedeutet »tränken«: Fortleben ermöglichen, Kontinuität stiften.

Der Schweizer Lyriker und Essayist Erwin Jaeckle sagte vor Jahren in einem Vortrag über moderne Lyrik: »Wir haben jede Mitte verloren, jeder Ort und jeder Augenblick vermag uns daher zur Mitte zu werden.« Das war, in der Formulierung, eine Antwort auf Hans Sedlmeyrs Gejammer über den »Verlust der Mitte«. Eine Antwort, die den Gewinn benennt, der den Verlust aufwiegt. Genau das sagt Hans Peter Keller mit den Zeilen, die den Scheitelpunkt des Gedichts *Aber das Warten* bilden und die er dem ganzen Band vorangestellt hat:

> soviel
> Ecken in der Welt jede
> ein Treffpunkt

Zahlreiche Begriffe, die zur Charakterisierung unserer Epoche schon verwendet worden sind, bieten sich hier an, um das, was der Dichter mit diesen Zeilen evoziert, zu benennen. Man könnte, etwas hochgestochen, von einem polyperspektivisch-dialektischen Weltentwurf sprechen. Man könnte auch, angesichts der zweiten Zeilengruppe, an das Stichwort vom »unbehausten Menschen« denken.

Solche Seitenblicke sind nicht nur erlaubt, sie drängen sich auf. Das Gedicht, gerade dieses Gedicht, ist auch thematisch ein Stück Selbstverständnis des Menschen in unserer Epoche. Es ist tatsächlich ein Motto-Gedicht. Entscheidend aber bleibt, daß die thematische Auskunft eins ist mit dem strukturellen Vollzug. Keller gibt dem neuen Selbstverständnis und Weltverständnis nicht einfach Namen — er vollzieht es im Wurf des Gedichts, in der offenen Bezüglichkeit seiner Zeilen. Erkenntnis manifestiert sich nicht in Begriffen, sondern in der Weisheit des Kunstgebildes.

Umschrift: Damit der Mensch die (existentielle) Begegnung nicht verfehlt, den Treffpunkt trifft (und jede Ecke der Welt kann jederzeit Treffpunkt werden), muß er bereit sein, aus der Wohnung zu gehen, über Land zu fahren, auf dem Wind zu reisen, aber auch fähig zu geduldigem, hegendem Warten.

Walter Höllerer

VÖLLIG VERSTECKT IM FRÜHWIND (3)

        Gerüst
Völlig versteckt im Frühwind
      Leicht gepanzert; — im Morgenzug
   Schläft fast alles
       Fahren wir von Arbeit zu Arbeit
      Durch Industriegelände im Schwefeldampf
   Gelb die Signale gelb die Augen gelb
     Schläft fast alles
Dicht über der Brüstung vor einem ergrauten Tuch
   Murmelt was wischt es weg mit der Hand
     Über die Augen die schwer werden
      Schläft fast alles
Schläft hin träumt hin zieht sich hin
   Gepanzert und versehrt

   Komm, es ist wichtig
      morgen von zehn bis bis
      oder von 15 bis bis dreißig aber dann
   übermorgen
     Komm, es ist wichtig
Du wirst nicht wünschen daß ich murmelt was

   Ich und deine Belegschaften
     weiterleben
  mit den Drähten fortlaufen

Seh ich die Augen vorbeifliehn
Bleib ich erstaunt zurück
Bleib ich

Walter Höllerer

VÖLLIG VERSTECKT IM FRÜHWIND (3)

Ausgangspunkte
Von einigen festgehaltenen, gefundenen Satzbruchstücken aus,
die man so, für sich allein, nicht stehenlassen kann, weil sie
sich ausbreiten wollen, weil sie weiterdrängen und mich beschäftigen, von solchen ersten Flecken mit festen Umrissen aus
läßt sich ein Gerüst aufbauen. In diesem Fall hat der Bau
schon eine bestimmte Richtung bekommen durch die vorhergehenden zwei Teile des Gedichts. Eine Gedichtart ist in Gang
gebracht, die mir die Möglichkeit verschafft, mich, Umwelt,
Gesellschaft in einem bestimmten Aspekt so darzustellen, wie
sie sich mir zeigten. Sie so in Bewegung zu halten, wie ich sie
erfuhr. Sie so aus Einzelheiten aufzubauen, daß mir eine auf-
bauschende Poetisierung erspart bleibt. Sie so *kritisch* zu betrachten, daß die Tonart fest und bestimmt ist. — In dem
dritten Teil des Gedichts gehe ich von umgrenzten »Flecken«
aus:

> Gerüst
> Völlig versteckt im Frühwind
> Leicht gepanzert; —

Die Schreibweise dieser Verse ist nichts Nebensächliches; sie
hilft mir, ihre Bedeutung, ihren Sinn klar zu machen. Dieser
umgrenzte Flecken, Unruheherd des Gedichts, ist geeignet, zusammenfassend sichtbar zu machen, was in den Teilen eins und
zwei in Bewegung gekommen ist. Von den seit längerem umrissenen Zeilen aus kann ich zurückgehen auf Situationen, die
sich faßbar und bedrängend und beispielhaft eingeprägt haben.
Näher besehen waren es zumeist Ungelegenheiten und Anstö-
ßigkeiten:

> Dicht über der Brüstung vor einem ergrauten Tuch

Sie haben ihren festen, faktischen Zusammenhang, der im Gedicht sichtbar bleiben muß. Eine allgemeine Ausdeutung ver-
führte auf Abwege, zu lebensphilosophischen Gemeinplätzen.
Gerade dagegen, gegen solche liberale oder engagierte Ge-
meinplätze wendet sich das Gedicht, indem es die bezeichen-

baren Einzelheiten in Zusammenhängen vorführt statt sie in Allgemeinheiten aufzuheben. Ein Satz bekommt Verbindung zu Erfahrungen, die sich mir eingeprägt haben; diese Verbindungen verdichten sich in den Momenten des Gedichts:

> Fahren wir von Arbeit zu Arbeit . . .
> Gelb die Signale gelb die Augen gelb . . .

Im Wahrnehmbaren bewege ich mich
Ich bewege mich zwischen den festgehaltenen Sätzen, die aus dem Tagesgebrauch stammen und die schon einiges an Erfahrung mit sich führen (»schläft fast alles« ist ein Zitat, von einem neben mir Sitzenden im Eisenbahnabteil vor sich hingesprochen): ich höre auf sie hin, ich klopfe sie ab, ihre Worte, die Bedeutungen haben, und die, indem sie sich zu Ausdrücken, zu Sätzen zusammenfügen, bestimmtere Bedeutungen schaffen. — Im Wahrnehmbaren bewege ich mich. Vorstellungen und Überlegungen führen zur Verbindung von beidem, von Worten und Erfahrungen, führen zu den Momenten des Gedichts:

> Schläft hin träumt hin zieht sich hin
> Gepanzert und versehrt

Ich bewege also mehr mit mir fort, als was ich mit Lippen ausspreche, mit Augen umgrenze, mit Händen berühre. Ich sondere vieles aus, lasse es weg, weil es die Sicht sonst verstellt. Ich nehme einer Bezeichnung die Selbstverständlichkeit, indem ich sie in neue Nachbarschaft bringe, und ich versuche ihr damit die Stumpfheit zu nehmen und ihr die Direktheit zurückzugeben, bemühe mich, ihre Erkenntnisschärfe, in einer bewegten Umgebung, außerhalb eines starren Systems zu festigen:

> Gerüst
> Völlig versteckt im Frühling
> Leicht gepanzert; — im Morgenzug
> Schläft fast alles
> Fahren wir von Arbeit zu Arbeit
> Durch Industriegelände im Schwefeldampf
> Gelb die Signale gelb die Augen gelb

Was ich mit mir führen kann, was ich *überdenken* kann, was ich mir über Strecken hin *vorstellen* kann wirkt mit in der Art, wie ich wahrnehme und wie ich das Wahrnehmbare in diesem Gedicht festhalte und zu einer Gestalt sich fügen lasse: festhalte den Morgen, spüre den Fahrtwind, sehe die Augen, die

Hand über den Augen, erkenne die Verabredungen, durchschaue die Festlegungen, befasse mich mit Bedrohungen, die ich höre. — Sehen, wo ich bin, hier und jetzt. Erkennen, wo, mitten im Vorbeifliegenden, ein beobachtendes, umgrenztes Ich bleibt, ebenfalls veränderlich, aber dichter verspannt, ebenfalls zusammengesetzt, aber stärker umgrenzt, so scheints, gegenüber dem, was draußen wahrnehmbar ist im Damals, Jetzt, Hier, Dort und Dann.

Veränderte Sicht

Ist es so? Ich muß das Fragezeichen setzen über diese Zweiteilung Ich hier, — Du und das Viele dort; das Fragezeichen setzen schon beim Sehen, beim Tasten, beim Hören, Riechen und Schmecken, dann beim Sprechen und Schreiben. Ich sehe die Augen, in dem Moment dieser Verse, im Moment des Gedichts in fremder, ungewohnter Beleuchtung. Ich sah sie bislang aus einer festgelegten Perspektive, die mir angewöhnt, anerzogen, angeboren war. Wie, wenn ich sie, sei es nur um einen kleinen Ruck, veränderte? Ich verändere sie um diesen Ruck. Dann verändert sich auch mein eigener, eben noch so sicher erscheinender Umriß und Abstand.

Ich sehe mich, das dichter Verspannte, das stärker Umgrenzte im Moment des Gedichts mitten im Zug der Massen und Zahlen, im Organisierbaren, im Berechenbaren, mit den offenkundigen Eigenschaften und Grenzen meiner festgelegten menschlich-zoologischen Beschaffenheit: mein Verhalten als Einzelwesen, mein Verhalten als Wesen zu zweit, mein Verhalten in dieser Gruppe in diesem Abteil an diesem Morgen, mein Verhalten als etwas Lebendiges mit Staats- und Gesellschaftsinstinkt, als ein Teil eines staatbildenden Gesamtlebewesens, aus dem ich nicht zu lösen bin, eines allgemeinen Menschenkörpers, durch den ich hindurchfahre, am Morgen, im Halbschlafzustand. Meine Beziehungen zu ihm werden neu fühlbar, sie sind eng, belastend, zur Aktion anreizend, zur Arbeit und zur Veränderung aufrufend. Meine Situation zeigt sich, im Moment des Gedichts, neu umrissen. Der Abstand ändert sich. Ich sitze und fahre durch Industrien, durch den Bauch des Lebewesens, dem ich, vorhin noch nach außen umgrenzt, angehöre, hineinverstrickt in seine Gesetzlichkeit, aber frei, sie zu überdenken und mich dazu einzustellen; fahre an diesem imaginierten Morgen durch einen Teil von mir selbst, durch mich hindurch und durch den Überbau von mir selbst, durch die Gesellschaft, die diese Morgenlandschaft bewirkt, deren Teil ich bin:

Gelb die Signale gelb die Augen gelb
       Schläft fast alles
Dicht über der Brüstung vor einem ergrauten Tuch
Murmelt was wischt es weg mit der Hand ...
   Schläft hin träumt hin zieht sich hin
       Gepanzert und versehrt

Folgerungen

Wie stelle ich mich dazu ein? Positiv? Negativ? Indifferent?
Meine Situation ist beunruhigend, sie ist auszumachen zwischen Bleibenmüssen und Verändernmüssen, mein Schreiben, in
jedem einzelnen Ausdruck, und mein Handeln werden durch
diese Erkenntnis bestimmt. Dieses Gegeneinander ist erstaunlich, ist unbequem, ist in der lebendigen Praxis, und die poetische ist davon ein Teil, nicht leicht durchzuhalten. Leichter
durchzuhalten und leichter auszudrücken wäre z. B. die Trauer
darüber, daß das Bleiben nicht anhält. Leichter zu behaupten
wäre die Utopie, daß die Proklamation von Veränderung in
einer angegebenen Richtung schon genug hergebe für den Vorgang von Veränderung. Leichter in Verse zu fassen wäre der
poetische Wunschtraum — auch würde er sicher freudig von
anderen aufgegriffen —, daß es eine Alternative der Idylle
gäbe mit abgegrenztem Ich und in sich begrenzten einfachen
Dingen, die abseits dieser vibrierenden Bewegung einen ge-
sicherten Ausgangs- und Vergleichspunkt böte für zivilisa-
tionskritische Lyrik. — Aber um solche Meinungen zu äußern,
dazu wäre nicht das abgestufte Instrumentarium eines Gedichts
nötig. Ein Aufsatz, eine Resolution genügte. Die vorhandenen
Voraussetzungen und Gefahren mitzureflektieren, sie deutlich
zu machen in ihrer verändernden Gestalt ist, davon bin ich
überzeugt, einem Gedicht angemessen. Da wird kritische Be-
fragung und kritische Selbstbefragung erforderlich, in einer
Sprache, die die Sprache der täglichen Verständigung ist und
die gerade *damit* die Begrenztheit von »Redensarten« durchbricht. Da ist nicht viel geholfen mit der Überlegung, ob dies
nun optimistisch oder pessimistisch gemeint sei. — Ja, ich weiß,
das alles gibt zu Vorwürfen Anlaß, das erfüllt nicht die Wünsche einer handlichen Antwort. Dieses Gedicht kann sich sicherlich nicht auf die Seite der Formeln »schade, daß« oder »hoffen wir, weil« stellen, auf die Seite der Lyrik vom Menetekel
oder auf die Seite der Lyrik vom Silberstreifen am Horizont.
— Unentschieden? Warnend vielmehr vor einer Entschiedenheit, die sich nur als solche vorkommt, in Wahrheit Rhetorik
bleibt, ein Verfallen an Festgefahrenes, Vorentschiedenes, das,

näher besehen, ein Teil dessen ist, was selber dieser poetischen Kritik bedürftig wäre.

Komm, es ist wichtig
    morgen von zehn bis bis
oder von 15 bis bis dreißig aber dann
übermorgen

Ich lebe in dem Bewußtsein, daß dies alles kaum überschaubar ist, und doch einsehbar wie Ameisenhaufen. Im empfindlichen Halbschlaf, im Rhythmus des Zuges kommt es deutlich zutag. Kommt zutag: aus den Widersprüchen, gerade jetzt greifbar, erfaßbar im Zusammenhang. Gerüst eines Zusammenhangs. Was ist geschehen mit dem draußen liegenden Damals, Jetzt, Hier, Dort und Dann? Es hat sich, für einen wahrnehmbaren, festhaltbaren Moment aus seiner Vagheit und Starrheit gelöst, ist in seinem beweglichen Zusammenhalt erkennbar geworden. Und im selben Moment der veränderten Sicht werden Ich und Du und deine Belegschaften in ihren Abhängigkeiten erkennbar; abhängig das eine vom anderen, aufeinander bezogen das eine aufs andere im offenen Versbild. Es ist keine Flucht in ein angebliches Drinnen oder angebliches Draußen möglich. Verinnerlichter Symbolismus und veräußerlichter Naturalismus: Szylla und Charybdis für das Gedicht.

Neue Möglichkeit als Verlust und Gewinn
Aus den Wahrnehmungen und aus ihren Widersprüchen tritt die Erscheinung Mensch zutag. Im Frühwind, leicht gepanzert in der Außenhaut, die durchbrochen wird; einzelnes draußen, einzelnes drinnen, zunächst; — gepanzert, versehrt, zugänglich eines dem anderen durch Versehrung, das ist Verlust, und das ist auch Gewinn. Das verliert seine Selbstverständlichkeit als Mittelpunktfigur; das gewinnt seine Einordnung in etwas, was bislang nur zweckgebunden zur Verfügung stand oder gar nicht vom Gesichtskreis erfaßt war. Umgrenzte Termine, die sich öffnen, die sich aufgeben.

Komm, es ist wichtig
    morgen von zehn bis bis
oder von 15 bis bis dreißig aber dann
übermorgen

Bedrohungen, Wünsche, die sich nicht starr halten können, die verebben. Signale, wohl grün und rot frontal unterschieden, gelb aber von der Seite her gesehen und korrespondierend mit

Augen, gelb. Perspektivenänderungen, die im Moment des Gedichts möglich wurden in einer Morgensekunde, die Anhalt hat an Erlebtem, die aber mit biographisch festlegbaren Daten nur lose verknüpft ist, sie zum Vergleich und zum Absprung nimmt. Blickwendung zwischen Arbeit und Arbeit, zwischen Tun und Überlegen und Tun. — Kein Doppelpunkt, und dann Lyrik! Verse, inmitten dessen, was täglich ist. Hier im Wahrnehmbaren — aber das Wahrnehmbare behauptet sich nicht als letzte Instanz. Es gerät in Vorgänge, die Aktion erfordern: Nachprüfungen durch Vorstellung und Begriff. Wahrgenommenes »ent-denken«, es in sein »vibrierendes Nahezu-Verschwinden übertragen«, dies als Voraussetzung für die Einsicht in Menschenmöglichkeit und für richtige Entscheidung — und ich bezeuge damit nicht mehr, als daß ich, tätig und entschieden als der, der ich sein kann, jetzt noch am Leben bleibe.

VÖLLIG VERSTECKT IM FRÜHWIND (3)

Zeile, Rhythmus, Formel

Es handelt sich bei vorstehenden Versen um das letzte Stück eines dreiteiligen Gedichts. Der Zusammenhang mit dem Voraufgehenden ist zerschnitten, um Strukturbeobachtungen am Detail durchführen zu können. Noch aber weist die Ein-Wort-Zeile am Anfang deutlich auf die vorhergehenden Verse zurück:

> Hör mich
> Ein Bündel von Linien

»Gerüst« ist demnach eine Apposition oder ein Synonym zu »Bündel von Linien« und expliziert dies Linienbündel als Struktur. Daran schließen sich zwei weitere Partizipial-Appositionen an (Völlig versteckt im Frühwind, Leicht gepanzert). Somit kommen wir von diesem Teilstück doch wieder aufs Ganze zurück; denn der Autor hielt die Formel »Völlig versteckt im Frühwind« für so aussagekräftig, daß er sie als Titel hervorhob. Damit wird eine appositionelle Metapher zum Titel erhoben, nicht mehr die existentiellen Aussagen (»Hör mich / Ein Bündel von Linien«, oder später: »Gepanzert und versehrt«), die sich ja auch dazu angeboten hätten. Die metaphorische Anleitung zur Einfühlung wird wichtiger genommen als die existentielle Aussage; oder aber die metaphorische Anleitung verhüllt (»versteckt«) die existentielle Aussage.

Dies Verfahren, das ich abkürzend als die Übermächtigung des Nomens durch die Apposition, der Bedeutung durch die Phänomene bezeichnen möchte, kann man durch das ganze Gedicht hin beobachten. Was nämlich zunächst auf die Eingangsverse folgt und was man allgemein als Situation im Morgenzug umschreiben kann, ist durch die abschließende Formel »Gepanzert und versehrt« eine Explikation und Kontinuation der früheren Apposition »Leicht gepanzert«. Der Bezug wird durch Wiederholung oder wiederholende Erweiterung hergestellt. Damit gewinnen wir Einblick in Strukturelemente, die nicht mehr aus der normalen Syntax, soweit sie hier noch Geltung hat, sondern aus der speziellen Syntax dieser poetischen Sprache abzuleiten sind: Zeile, Rhythmus und Formel. Es ist unverkennbar, daß die Zeile das eigentliche Bauelement dieses Gedichtes ist, nicht mehr die Strophe, nicht mehr das Satzgefüge, sondern die aus dem Zeilenverband herauslösbare Einzelzeile. Es gibt Zeilen mit einfachen Sätzen (Schläft fast alles), Zeilen mit verschränkten Sätzen (Murmelt was wischt es weg mit der Hand), Zeilen mit Satzteilen (Durch Industriegelände im Schwefeldampf). Fast alles interpunktionslos aneinandergereiht. Darauf beruht die Möglichkeit, durch Wiederholungen rhythmische Gliederungen zu schaffen. Dreimal wird der einfache Satz »Schläft fast alles« wiederholt, jeweils als 4. Vers einer Zeilengruppe, so daß eine Gliederung, vergleichbar dem alten Strophenbau, erreicht wird. Dreimal erscheint das »gelb«, wo es logisch nur zweimal am Platze wäre (Gelb die Signale gelb die Augen gelb). Dreimal erscheint ein »hin« (Schläft hin träumt hin zieht sich hin). Solche Zeilen erscheinen als rhythmisierte Formeln, so daß Zeile, Rhythmus und Formel Synonyme für ein und dasselbe Strukturelement sind. Es ist das Bauprinzip, aus aneinandergereihten Beobachtungen und Phänomenen durch gelenkte Ordnung rhythmische Zusammenhänge herzustellen.

Wie wird die Aneinanderreihung von Phänomenen gelenkt, wenn nicht mehr die Bedeutung und ihre Aussage das primum movens ist? Eine Antwort läßt sich aus der Verknüpfung des Gemurmels, das in sechs Zeilen (15—20) zitiert wird, mit der rhythmischen Entfaltung der Befindlichkeit im Morgenzug ablesen. Dies Gemurmel ist ein verstümmeltes, nur fetzenweise gehörtes Zitat, ein Zitat aus der Umgangssprache, Verabredungsformeln, absichtlich verstümmelt und verrätselt, damit sie sich nicht als selbständiger Gegenstand und als Episode vordrängen. Dadurch setzt sich das Zitat rhythmisch deutlich vom, sagen wir einmal, fließenden Rhythmus der Morgenzug-Partie ab. Das Gemurmel ist in synkopischen Rhythmen durch die Verkürzung der Verse gegeben, mündet am Ende aber wieder in den fließenden Rhythmus mit der Andeutung einer Wiederholung ein (Du wirst nicht wünschen daß ich murmelt was). Die Integration wird also sowohl durch den rhythmischen Kontrast als auch durch die Auflösung dieses Kontrasts gewonnen. Diese Integration ist auch gegenständlich gegeben, indem das Gemurmel zunächst als ein Phänomen der Morgenzug-Befindlichkeit angedeutet, aber wieder weggewischt wird, noch bevor es akustische Gestalt angenommen hat. Andererseits wird das Gemurmel in der vorletzten Vers-Dreiergruppe stimmlich und tonmäßig angehoben zu einer entschiedenen Absage jenes vagen Gemurmel-Du: Absage an die »Belegschaften« des Phantasie-Zuges und an das Bewegungserlebnis im

Fortlaufen der Drähte. Die tonmäßig verschiedenen rhythmischen Einsprengsel sind auch optisch durch Zurücknahme des Zeilenanfangs gekennzeichnet. Das unterstützt den Ton- und Perspektivenwechsel.

Was folgt daraus für die Steuerung und Lenkung der Phänomen-Reihen? Daß trotz aller rein rhythmischen Kompositionselemente (Beschleunigung und Verzögerung, Senkung und Anhebung des Tons) die Lenkung und Steuerung der Reihen von unter- und hintergründigen Zusammenhängen her erfolgt. Das wird evident im Perspektivenwechsel der Schlußwendung. Jetzt ist es nicht mehr der Zug, in dem fast alles in Ruhe ist, während er selbst in Bewegung ist; sondern das erstaunte Ich bleibt zurück, während die Augen vorbeifliehen. Dieses Vorbeifliehen hat nicht mehr mit dem Fahren des Zuges zu tun, sondern mit der Flüchtigkeit von Blicken und Begegnungen überhaupt. Es ist der Schritt vom Besonderen zum Allgemeinen. Die Umkehr der Bewegung ist nur formal. Die eigentliche Wende liegt im Sprung von der Anonymität des Gemurmels in ein Ich-Erlebnis, aber nicht in ein zufälliges, sondern in ein Grunderlebnis des Ich, in ein Erlebnis, das die Struktur dieses Ich bestimmt.

Die unter- und hintergründigen Zusammenhänge bilden also nicht die Gestalt eines bestimmten Einzelerlebnisses; sondern die Phänomenologisierung der Erfahrungen entwesentlichen das Erlebnis zu einem Grunderlebnis, zu einer Modellerfahrung, die in den Schlußversen unmißverständlich ausgedrückt ist: das staunende Zurückbleiben. Dieser Schluß bringt eine gestische Variation der andern vorläufigen Schlußformel »Gepanzert und versehrt«, vermutlich auch des Titels *Völlig versteckt im Frühwind*. Wie es denn zu dieser Phänomenologisierung der Erfahrungen gehört, daß sie nur als Gesten und Gebärden erfaßt werden. Gesten und Gebärden bestimmen aber ebenso den Umriß eines Erlebnisses, einer Erfahrung, wie die thematische oder existentielle Aussage ihres Inhalts. Vielleicht genauer, vielleicht sinnenhafter, also poetischer, jedenfalls im Sinne des hier herrschenden Vorverständnisses.

Walter Höllerer hat in der aufschlußreichen Autodiagnose *Wie entsteht ein Gedicht* andre Programmierungen angegeben. In Anlehnung an Brecht spricht er etwas anspruchsvoll vom »Angriff auf die aristotelische Logik im Sprachgebrauch«, in Anlehnung an Günter Eich von einer poetischen Zentralsprache. Man kann das ebenso gut als Automatisierung der Sprache bezeichnen, in Anlehnung an eine frühe Sprachstufe (etwa die Kindersprache) oder in Anlehnung an moderne Kommunikationsmittel (Tonband, Sprechplatte usw.). Beispiele dafür: die

Wiederholungen, die verstümmelten Gesprächsfetzen, die einfachen Sätze. Die Aufnahme ist wichtiger als der Akt des Sprechens, die Sammlung und rhythmische Anordnung der Phänomene wichtiger als die Entblößung der Bedeutung. Die psychischen Sachverhalte werden nicht mehr direkt mitgeteilt, sondern nur noch indirekt durch Gesten, Gebärden und Wortfiguren. Die Bedeutung steckt in der Formel.

So scheint die Formel das Bild zu verdrängen, das Spiel den existentiellen Ernst. Höllerer selbst spricht vom »listigen« oder »intriganten« Verhältnis der poetischen zur allgemeinen Sprache, damit sie poetisch tauglich werde. Zwei faszinierende Formeln fallen in die Augen. Die eine von einer paradoxen Bedeutungshaftigkeit, eine Formel für die psychische Situation des poetischen Ich in der einsamen Masse: »gepanzert und versehrt«. Die andere Formel ist von einer undurchschaubaren Paradoxie: »völlig versteckt im Frühwind«, und sie durfte zur Titel-Formel avancieren. So undurchschaubar oder willkürlich sie sein mag, kann man darin doch das utopische Ziel des Autors erkennen, nämlich den Wunsch, sein Gedichtthema in einem Naturphänomen ausdrücken zu können. Ich nenne diesen Wunsch utopisch, in dem eigentlichen Sinn, daß nur der ein anspruchsvolles Ziel erreicht, der sich das unerreichbar Erwünschte zum Ziele nimmt.

Insofern möchte ich dies Gedicht, wie einige der neueren Höllerers, ein hypothetisches Gedicht nennen: ein Gedicht über die Möglichkeit des Gedichts oder ein Gedicht über die Möglichkeit einer neuen poetischen Sprache. Also ein Gedicht, das Leitbilder einer neuen poetischen Sprache oder einer neuen poetischen Befindlichkeit strukturiert, so wie andere Dichter Leitbilder der jeweiligen Gesellschaft thematisieren. Ein hypothetisches Gedicht, und das heißt eine Aufgabe für Leser: es ist erst vollständig, wenn ein Leser es enträtseln oder wenn ein Leser sich seine Formeln aneignen kann. Es gehört zum hypothetischen Gedicht, daß nur der Verfasser sein legitimer Ausleger ist, weil nur er es zu seiner intendierten Gestalt vervollständigen kann.

Walter Helmut Fritz

FRÜH IM JAHR

Wie die Ferne
gegen die Augen stößt.

Der Hang,
den du entlanggehst:
ein Gesims über dem Weg.

Weißdorn,
blühend schon.

Aber der Tag
ist verletzt.

Man weiß nicht
wodurch.

Walter Helmut Fritz

FRÜH IM JAHR

Ein verletzter Tag; eine Ungewißheit; etwas, das sich nicht
ohne weiteres bestimmen ließ und doch die Schärfe eines un-
mißverständlichen Schmerzes hatte.
Dieser Eindruck bildete den Anfang. Um diese Erfahrung herum gab es Partikel wahrnehmbarer Welt: einen Weg, über-
hängenden, vorragenden Boden, der als Gesims erscheinen
konnte, etwas Weißdorn, der zu blühen begann. Einige sinnlich erfaßbare Details; gerade so viel, daß sich andeutende
Umrisse zeigten. Es war, als seien diese Einzelheiten eben entstanden oder schon wieder im Begriff zu entschwinden. Welche
von beiden Möglichkeiten zutraf, war schwer auszumachen.
Innerhalb dieser Umrisse blieb der Gedanke, der Tag sei verletzt, von hartnäckiger Gegenwärtigkeit. Auf ihn voraus weisen im Gedicht die ersten beiden Zeilen. Ferne war nicht etwas,
das sich weit draußen befand, sondern eine Nähe, die weh tat,
indem sie gegen die Augen stieß.
Dadurch wurde die Schwierigkeit, sich zurechtzufinden, größer. Das Gedicht, das Schreiben des Gedichts, konnte zu einer
Orientierungshilfe werden. Die beiden letzten Zeilen halten
fest, daß nicht klar ist, wodurch der Tag verletzt wurde —
Notiz einer Erfahrung, die das Nachdenken mit unvergleich-
licher Nachdrücklichkeit beschäftigt: daß Wirklichkeit sich
desto mehr entzieht, je genauer wir sie beobachten.

Wolf Wondratschek

FRÜH IM JAHR

Das Gedicht *Früh im Jahr* von Walter Helmut Fritz ist das Stenogramm einer Erschütterung. Stille umlagert den Text. Auf den Verlust jeglicher Selbstverständlichkeit wird reagiert mit Verzögerung, mit Aussparung, Verknappung und Verschweigen.

> Wie die Ferne
> gegen die Augen stößt

Die Distanz zwischen Nähe und Ferne ist zerstört, alles wird in einem emphatischen Sinne zur Umgebung. Hinfällig wird das »hier« und »dort« als Bestimmung eines Raumes. Wo die Ferne gegen die Augen stößt, bleibt nichts überschaubar. Die Ferne wird zum Gegenstand, der bedrohlich nahe kommt. Das Verb »stoßen« indiziert ja Gefahr und begreift zugleich auch die Ferne ganz konkret als Ding, als Undurchdringlichkeit. Die Dinge verletzen.

> Der Hang
> den du entlanggehst:
> ein Gesims über dem Weg.

Die zerstörte Distanz will wiedergewonnen werden im Versuch, den Vordergrund herauszuarbeiten. Und zugleich erscheint Umgebung: ein Hang, ein Weg. Doch nichts ist anschaulich im naiven Wortsinn, überall bleibt die Angst gegenüber den Gegenständen der Natur. Wichtig die Interpunktion, welche scharf trennt, um desto deutlicher zuzuordnen. Der Hang, auf dem die Person entlanggeht, ist ein Gesims; es hängt über den Weg wie trockenes Geäst, an dem der Gehende sich verletzen kann. Und wer ist hier der Gehende? Ist es der Autor, im Dialog mit sich selbst, oder spricht er den Leser an? Es ist dies beides zugleich, denn der Autor ist erstaunt und um Verständnis bemüht wie nur je ein Leser.
Das Wissen um die Verletzbarkeit zwingt zu unermüdlicher Aufmerksamkeit. Das geringste Detail verdient Beobachtung:

Weißdorn,
blühend schon.

Das ist nun ganz Miniatur, hingeworfen in wenigen Strichen, Tuschezeichnung. Zugleich wird der Vordergrund durchs Detail belebt. Das Auge ist verletzt, es muß sich aufs neue der Wirklichkeit vergewissern. Dies geschieht am beliebigen Gegenstand. Diese zwei Zeilen korrespondieren deutlich mit dem Titel des Gedichts. *Früh im Jahr* — das meint nicht nur die Jahreszeit, sondern vorweg erhöhte Aufnahmefähigkeit und größere Verletzbarkeit im »Durcheinander von Helligkeiten«.

Aber der Tag
ist verletzt.
Man weiß nicht
wodurch.

Hier nun, am Schluß des Textes, wird es bündig gesagt: der Tag ist verletzt. Motivlogisch durchzieht dieser Gedanke das gesamte Gedicht; er ist hineingenommen in den Gegenstand selbst. Das Herausarbeiten des Vordergrundes war zugleich das Wiedergewinnen der Distanz; und Distanz, das heißt eben Anschaubarkeit. Aber sie ist beschädigt durch das verwundete Auge, durch den verletzten Tag.

Elisabeth Borchers

IMMER EIN ANDERES

und du willst auferstehen lebenslang
und der vogel beschattet das haus noch
im tode und der wind pflanzt sich fort
in den tag in die nacht und schüttelt
dein aug aber es ist leer auch die
papierkörbe sind leer und die leere
ist eingeschlafen und weckt dich nicht mehr

weh dir die luft ist leer sie nimmt dich
nicht der baum ist leer er nimmt dich
nicht kein vogel bist du vogel mehr kein
stein der weint um dich mein stein und
auch die sonne nicht und nicht der mond

und du willst auferstehen lebenslang
und fragst und fragst die nächste stadt
die andre stadt und klopfst und fragst
ist dies die nächste stadt das nächste
haus das haus ist leer die kerzen die
da brennen brennen nicht so lösch sie
aus es weckt dich niemand niemals mehr

Elisabeth Borchers

IMMER EIN ANDERES

Betrachte ich die erste Zeile, so sind es zwei Worte, die zueinander in Spannung treten und sich auf befremdliche Weise ergänzen: »auferstehen« und »lebenslang«. Die Auferstehung begreifen wir im Religiösen als etwas Beseligendes, die Welt des Schmerzes Überwindendes, als den Ewigkeitsbeginn. Aber die Form einer zweifelnd-ungläubigen Frage »und du willst auferstehen« in Verbindung mit dem Begriff »lebenslang«, der (das Lebenslängliche) den Zwang, die Fron und Strafe evoziert, weist auf eine Sinnverkehrung hin. Der Tod, nicht die Auferstehung wird als erlösendes Prinzip vorausgesetzt. Er aber kann nicht stattfinden, denn »der vogel beschattet das haus noch im tode«. Der Vogel des Unheils, das hungrige Tier, duldet die Befreiung durch den Tod nicht und wirft seinen drohenden Schatten, den Bann des Schreckens. Die Zeit — der Wind, der den Tag und die Nacht vorüberweht — »schüttelt dein aug«. Das Auge, offen zwar, verweigert in seiner Starrheit Licht und Dunkel. Der leere Blick wird zum einzigen Attribut des in der ersten Zeile angesprochenen »du«. Die Umwelt sekundiert mit gleichem Merkmal: »auch die papierkörbe sind leer«. Selbst dieser triviale Ort ist bar jeden Besitzes und ohne Hinweis auf Geschehenes. Nirgends sind Reste auffindbar, eine Erinnerung zu befähigen. Die bloße Nennung der Leere im Wichtigen und Nichtigen allein aber genügt nicht, um ihr Ausmaß eindeutig zu machen. Sie wird verabsolutiert, indem sie einem Schlaf verfällt, dem jede Macht genommen ist, zu erschrecken und damit zu erwecken.
So zeigt der erste Teil den inneren und äußeren Ort der Aktion, und das Für- und Gegeneinander von Begriffen und Metaphern bestimmen den Sprachraum.
Das Mittelstück — wenngleich Variation und Höhepunkt des Themas — löst sich sowohl vom ersten als auch vom dritten Teil ab und bildet als Klagegesang eine in sich geschlossene Fabel. Schon die Glätte des Sprachflusses, die rhythmische Ebenheit, der Zwang — gelegentlich des Vortrages —, die Stimme in Monotonie zu halten, zeugt von der Sonderheit dieses Passus. Obwohl kein neues Sprachelement hinzukommt, die Metaphern wie vordem geläufig, anspruchslos bleiben, erwirken sie in ihrer Konstellation die Verwandlung des Rau-

mes und des Angesprochenen ins Unirdische. Was uns zunächst als »Mensch« erschien, hat sich unter dem Fluch des Ausgestoßenseins, einer lebens- und todesunfähigen Isolation in eine andere Gestalt geflüchtet. Doch ein Vogel, den weder Luft noch Baum tragen, kann kein Vogel sein, und ein Stein, der kein Erbarmen findet unter Steinen, kann auch kein Stein sein. An einem Geschick, für das es keine Kategorie gibt, nehmen die Gestirne nicht teil. Die metaphysische Vision ist beendet.

Der dritte Teil wiederholt — zur Stätte des Beginns zurückkehrend — die Frage und bricht scheinbar, für die Dauer von fünf Zeilen, mit der Bewegungslosigkeit des Angesprochenen. Die Wanderung von Stadt zu Stadt, von Haus zu Haus erweist sich als Traum, das Erkennen eines winzigen Lichts ist identisch mit der Erkenntnis, daß weder Wohnung noch Licht, als Sinnbild der Gemeinschaft und Einkehr, dem Suchenden gilt. Was immer zum Asyl hätte werden können, die Nähe oder Ferne, hat sich endgültig entzogen. Es bleibt keine Hoffnung, einer Kraft zu begegnen, die zum Leben oder zum Tode erweckt.

Gert Kalow

IMMER EIN ANDERES

Es ist ein scheues, heftig in sich selber verstricktes Gedicht. Es wehrt sich gegen rasche Vertraulichkeit. Wer sich ihm mit großen Vokabeln zu nähern versuchte, hätte schon verloren. Der Gesprächspartner bestimmt den Ton. Man darf nicht lauter reden als der andere; sonst bricht die Kommunikation, ehe sie begonnen hat. Die Verständigung will schrittweise aufgebaut werden.
Ein Gedicht ist ein Ding aus Worten. Aus Worten, die auf eine ganz bestimmte Weise über eine Fläche, meist ein Blatt Papier, verteilt sind. (Wie heikel die Verteilung ist, sieht man daran, daß jedes Gedicht, jedenfalls im Buch, eifersüchtig eine Seite für sich allein haben möchte.) Man muß also, um ein solches Ding aufzuschließen, die Materie, aus der es gemacht ist, die Worte, näher betrachten, ferner die Beziehungen zwischen den Worten, die Verschraubungen, die Hierarchien.
immer ein anderes besteht aus 141 Worten, die auf zwanzig Zeilen verteilt sind: Überschrift und drei Strophen. Die erste und die dritte Strophe haben je sieben Zeilen, die zweite hat fünf. Die erste und die dritte haben außerdem gleichlautende Anfangszeilen; wie ein Leitmotiv wiederkehrend: »und du willst auferstehen lebenslang«. Alle Zeilen, außer der Überschrift, sind ziemlich lang (fünf bis neun Worte), und zwar gleichförmig lang, so daß die Strophen wie geschlossene Blöcke aussehen.
Der Eindruck von Geschlossenheit wird noch gesteigert, weil jegliche Interpunktion fehlt. Auch die großen Anfangsbuchstaben sind weggelassen. Die Worte müssen ihre Spannung an den Kontext abtreten: sie sind waffenlos, ohne Rangabzeichen, nackt. Darin birgt sich eine doppelte Information, eine Dialektik. Nacktheit kann äußerste Armut ausdrücken und äußerstes Vertrauen. Jede konsequente Reduktion hat zugleich etwas Pathetisches.
So läßt sich, zumindest ahnungsweise, die *Nachricht* schon aus dem Arrangement der Worte ablesen, ehe man ein einziges verstanden hat: negatives Pathos, Pathos der Negation; radikale Gewaltlosigkeit. Ein Widerspruch in sich selbst oder gegen sich selbst — eben darum geht es. Verzicht (ein Impuls, der auf Schlichtheit, Ehrlichkeit drängt) und zugleich, ins Büßer-

gewand gekleidet, Aggressivität: gegen das zugeklebte Leben, gegen die Angst, das Versäumnis, gegen Konvention und Zerstreuung. Eine gedichtgewordene Anstrengung, aus Disziplinierung Freiheit zu keltern. Aufbau von Unmittelbarkeit durch Abbau von Illusionen. Ein Wortpilgerchor, der eigentlich tanzen möchte.

Form ist Mitteilung oberhalb oder unterhalb des Bewußtseins. Was der äußere Bau des Gedichtes sagt, kehrt in den Worten ausdrücklicher wieder. Die Nomina stecken den realen Schau- und Denkplatz ab, sie sind Kulisse und Medien der Transposition, des Ortswechsels ins Imaginäre: Tag-Nacht, Sonne-Mond, Wind-Baum, Luft-Stein, Haus-Stadt, Papierkörbe-Kerzen. Lauter handfeste Dingworte. Nur *ein* abstrakter Begriff tritt auf: Leere, korrespondierend mit Auge (Assoziation Schädel), doch sogleich reduziert auf ein Adjektiv, leer, das zusammen mit nicht, kein, niemals und anderen Vokabeln der Negation den Ton angibt. Paarweise, immer ein Echo nach sich ziehend, treten auch die regierenden Verben auf: auferstehen-beschatten, fortpflanzen-schütteln, einschlafen-wecken, weinen-fragen, klopfen-fragen, brennen-löschen, auferstehen-wecken. Der Echotanz geht weiter bis in die Mikrostrukturen der inneren Reime, der Halb- oder Viertelassonanzen: weint-Stein, Vogel-Tod, Haus-aus, schattet-schüttelt, mehr-leer.

Das Gedicht insistiert. Aber an wen richtet es sich? Es kommen nur zwei Vokabeln mit personalem Charakter vor: Niemand-Du. Wer ist dieses Du, der offenbar-versteckte Adressat? Nomen eines Selbstgesprächs: Du ist Ich? Die Autorin hält ihre Antwort in der Schwebe. Heißt die Antwort: das Du, sowohl Ich als auch Nicht-Ich, ist jedermann?

Auferstehen will jeder von uns. Im »lebenslang« aber schwingt »lebenslänglich« mit. Der Oberton von Zuchthaus, Gefangenschaft in Illusionen, falschem Bewußtsein, von Selbstdegradierung durch Träumerei, ist so genau gesetzt wie alles in diesem sehr dichten Gedicht. Der beinah gemurmelte, jede Überformulierung ängstlich meidende Tonfall drückt den Wunsch aus, auch den Worten keinerlei Gewalt anzutun, möglichst alle Nebenbedeutungen zu erhalten, ohne jedoch zu vernebeln. Man denkt an einen Titel von Christopher Fry, *Das Dunkel ist Licht genug.* Hier wie dort der Versuch eines negativen Psalms. Die Kraft der Kraftlosigkeit.

Elisabeth Borchers ringt um eine existentielle Bilanz, Inventur des Ego; und diese Anstrengung ist zugleich die Nachricht. Das Gemeinte wird nicht genannt, sondern vorgeführt. Weil dieses Gedicht eine Aktion ist, darf kein Wort einzeln glänzen, keine Metapher brillieren, keine Formulierung als artistischer Selbstzweck herauslösbar sein. Das Gegenteil wäre Selbstverrat. Verzweiflung darf sich nicht selber gefallen.

Einen Teil seiner Spannung gewinnt das Gedicht aus dem Gegenspiel von geometrischer Strophenordnung und »natürlichen« Sätzen. Die Sätze sind, oft sogar heftig, gegen den Zeilenbau verzogen. Die Einmündung in den (fast gleichlautenden) Enden der ersten und der dritten Strophe geschieht widerstrebend. Man spürt eine Energie, die sich verzehrt, um Einsicht zu produzieren. Das Undundund der meisten Satzanfänge in der ersten Strophe wirkt beinahe rasend. Die zweite Strophe mit neun Sätzen auf fünf Zeilen zieht eine Zwischenbilanz: Miniaturchor in der Miniaturtragödie.

Der Schlußakt, dritte Strophe, sieben Zeilen und sieben Sätze, die aber nicht konform gehen, endet schrill, mit einer Radikalisierung des ersten Aktschlusses. Ein Blitz, der in die Erde fährt. Geballte Negativität, sich selber vernichtend. Die Summe, das Resultat, ist eine Beschwörung. Wie eine der Hohlform-Plastiken Henry Moores rühmt dieses Gedicht durch seine Aussparungen, seine Leere, was sich naiv-optimistisch nicht mehr herbeirufen läßt, aber immer neu hergestellt werden muß, wenn wir nicht untergehen sollen: Aufmerksamkeit. Identität. Liebe.

Erich Fried

REDE IN DER HAND

Komm in die Hand
Sie wärmt uns
Versteck deinen Kopf
unter dem Fingernagel:
Dein langes Haar
wird bald nichts sein
als eine geringelte Linie
in die Kuppe
der Fingerspitze gekerbt

Komm in die Hand
Wir alle sind in der Hand
Wenn sie sich öffnet
weht uns ein Windstoß weg
Wenn sie sich schließt
spritzt uns das Blut aus den Knochen
Komm und küß mich
Die Hand um uns zittert leise
Sag nichts:
Er schläft

Komm nah
Mach deine Augen zu
Er wird nicht lange mehr schlafen
Bald wird es Tag sein
Hab keine Angst
ich habe die Linien der Hand gelesen:
Es steht nichts Schlechtes darin
von dir
und von mir

Erich Fried

REDE IN DER HAND

Die Aufforderung »Versteck deinen Kopf / unter dem Fingernagel« macht klar, daß es ein ungeheuer großes Wesen sein muß, in dessen Hand »wir alle sind«. Es ist Wohnort und Gottheit, aber auch Gefahr, Schicksal, Tod. Von dem Wesen wird ausgesagt: »Er schläft« und einige Zeilen später: »Er wird nicht lange mehr schlafen«. Daß »Er« nach dem Erwachen etwas tun wird, was das weitere Leben unmöglich machen wird, liegt (sit venia verbo!) durchaus auf der Hand, obwohl diese im Augenblick nur leise zittert und uns wärmt. Von der Hand heißt es »Wenn sie sich öffnet / weht uns ein Windstoß weg / Wenn sie sich schließt / spritzt uns das Blut aus den Knochen«. In beiden Fällen ist Leben unmöglich.

Pessimistisch ist auch die Voraussage: »Dein langes Haar / wird bald nichts sein / als eine geringelte Linie / in die Kuppe / der Fingerspitze gekerbt«. Dadurch wird ähnlich wie in klassischen Liebesgedichten die Liebesforderung dringlicher: »Liebe heute, denn morgen bist du tot«. Die Verwandlung von langem Haar in eine geringelte Linie, die in die Kuppe einer gigantischen Fingerspitze gekerbt ist, wirkt im ersten Augenblick anschaulich, läßt sich aber nicht wirklich nachvollziehen. Der in seinen Einzelheiten nicht ganz vorstellbare Vorgang entspricht der nicht ganz vorstellbaren Riesenfigur. Die vermeintliche Anschaulichkeit entsteht durch naheliegende Assoziationen. Beim Schreiben habe ich an die Schatten auf Steinen gedacht, die von Menschen in Hiroshima und Nagasaki geblieben sind.

Die erste Strophe bemüht sich vielleicht sogar zu sehr um diese täuschende Anschaulichkeit. Zum Beispiel finde ich die Wiederholung in »Fingernagel« und »Fingerspitze« nicht ganz überzeugend. Auch Nagel allein wäre als Fingernagel verständlich gewesen.

Ein Versuch »anschaulicher« Schilderung in der zweiten Strophe ist die Aussage, daß uns das Blut aus den Knochen spritzt, wenn sich die Hand schließt. Diese erschreckende Übersteigerung, noch am Rand des Möglichen, weil im Knochenmark Blut vorhanden ist, bezeichnet nicht nur den Tod, sondern Zermalmung und völlige Unkenntlichkeit. Die einzige Maßnahme gegen diese Bedrohung ist die unmittelbar anschließende Aufforderung: »Komm und küß mich«.

Das ungeheuerliche Schicksal ist nicht *nur* Tod. Von der Hand heißt es auch: »Sie wärmt uns«. Aber nichts sagt, daß die Hand uns wissentlich, etwa in freundlicher Absicht hält oder wärmt; die Beziehung zwischen Liebespaar und Hand beruht nicht auf Gegenseitigkeit. Die Hand ist Wohnort, Wärmequelle; unter dem Fingernagel kann man sich verstecken wollen, aber die Besiedelung der Hand leistet nichts für oder gegen die Hand, ist kein Kampf gegen sie, kann von ihr nichts erbitten. Die Hand ist nur unsichere Umgebung (»Die Hand um uns zittert leise«) und sicheres Schicksal (»Er wird nicht lange mehr schlafen / Bald wird es Tag sein«). Der Geliebten wird geraten, ihren Kopf im Schicksal (»unter dem Fingernagel«) vor dem Schicksal zu verstecken. Zuletzt, nach einer Bestandaufnahme, die Anlaß zu totaler Angst gibt, sucht der Liebende nach beruhigenden Worten eines männlichen Beschützers, vielleicht wider sein besseres Wissen: »Hab keine Angst / ich habe die Linien der Hand gelesen: / Es steht nichts Schlechtes darin / von dir / und von mir«.

Er behauptet also, die Linien der ungeheuren Hand lesen zu können. Daß in ihnen die Zukunft der Liebenden verzeichnet stehe, und daß sich da nichts Schlechtes, d. h. nichts Bedrohliches finde, wird zwar beschwichtigend *angedeutet*, aber nicht einmal wirklich behauptet. Er sagt nur: »Es steht nicht Schlechtes darin / von dir / und von mir«, also nichts Nachteiliges über ihren Charakter oder ihr Tun. Der nahegelegte Schluß, demnach könne die Hand ihnen auch nichts antun wollen, ist ein Trugschluß, in dem sich die verzweifelte Hoffnung vielleicht vor der hoffnungslosen Verzweiflung verbergen will. Überzeugt ist man höchstens vom Wunsch des Liebenden, an die Tatsache, daß nichts Schlechtes in den Linien der Hand steht, eine positive Beziehung zur Hand zu knüpfen. Aber nirgends ist gesagt, daß eine solche Beziehung tatsächlich besteht oder bestehen kann. Im Gegenteil, die Angaben über Größe und Wirkungen der Hand und über den Zustand, der nur dauert, solange das ungeheure Wesen schläft, zeigen das Absurde einer derartigen Hoffnung.

Die hier dargestellte Welt entspricht der Desillusionierung durch unsere Zeit. Zeitgebundene Bilder aber sind kaum angewendet; die Atombombe, an die ich beim Schreiben dachte, ist nur durch die allgemeine Stimmung angedeutet und in der versteckten Anspielung auf die Menschenschatten von Hiroshima und Nagasaki, die dem Leser ohne Erläuterung kaum ganz zugänglich sein kann.

Dem Verzicht auf moderne Bilder entspricht auch Verzicht auf experimentelle Gedichtform. Der Text ist, wie schon der Titel angibt, als Rede durchkonstruiert, nicht als große, laute Rede, sondern als leise, fast geflüsterte Anrede. Das Milieu wird zum Teil geschildert, indem über *Vorgänge* berichtet wird. Zwischen dem, was die Sätze selbst sagen und dem, was wir aus ihnen erfahren, bestehen Spannungen, vor allem am Ende des Gedichtes. Die Poetik beschränkt sich auf einfachste Effekte, etwa auf »schöne« und »unschöne« Wortfolgen. Von der Hand heißt es: »Wenn sie sich schließt / spritzt uns das Blut aus den Knochen«. Die Wortfolge »schließt / spritzt« klingt ausgesprochen unschön. Hat »schließt« noch etwas Gerundetes, Geschlossenes, so wirkt »spritzt« nach diesem gerundeten Wort besonders hart, das kurze »i« nach dem langen spitz, scharf; schmerzhafte Lautmalerei für einen schmerzhaften Vorgang. Die vorhergehenden Zeilen »Wenn sie sich öffnet / weht uns ein Windstoß weg« enthalten mehrere S-Laute, deren Sausen sich aber nur im »Windstoß« intensiviert. Auch der Wortübergang »öffnet / weht« und die Alliteration »weht — weg« entsprechen dem Vorgang des Wehens; der Unterschied zwischen Verwehtwerden und Blut, das aus den Knochen spritzt, wird durch die Form unterstrichen. Die nächste Zeile »Komm und küß mich« enthält wieder eine Alliteration, aber vor allem »lockende« dunkle Vokale. Das nächste Zischen: »Sag nichts: / Er schläft« beginnt »spitz« und endet »rund«, dem Schlafen entsprechend, wobei die erste Zeile lautmalerisch der Warnung »Sst«! entspricht.

So könnte man das ganze Gedicht untersuchen, etwa die Assonanz von »nah« und »zu« in den beiden folgenden Zeilen, aber das kann nach den angeführten Beispielen der Leser selbst ergänzen. Auch daß es ein Nachtgedicht ist, versteht sich von selbst, ebenso die Verwendung des Präsens statt des Futurums, wenn vom Öffnen und Schließen der Hand die Rede ist, das ja mehrmals erfolgen kann, während zum Beispiel die künftige Verwandlung des Haares in eine Spur auf der Fingerspitze ein einmaliger, für die Geliebte nicht wiederholbarer Vorgang ist. Deshalb: »wird bald nichts sein« und nicht etwa »ist bald nichts«.

Erwähnen möchte ich noch, daß ich die *Rede in der Hand* in einem Band von *Warngedichten* veröffentlicht habe. Nicht zufällig steht sie dort hinter einem Gedicht *Ohne Deutung*, das von Träumen und Wachen, von Lüge und Wahrheit handelt, und vor einem Gedicht *Der Mut spricht*, das ebenfalls eine Anrede ist, eine Anrede des Muts an seine Angst, die er umwirbt und der er dorthin nachgehen will, wo sie am größten wird. Es wäre ein Irrtum, zu glauben, daß jedes Gedicht für sich allein, aus dem Zusammenhang gerissen, wirklich voll verständlich sein muß oder kann.

REDE IN DER HAND

Die Nachkriegslyrik ist sich der Weltlage bewußt und warnt.
Das Gedicht *Rede in der Hand* in den *Warngedichten* scheint
da zunächst eine Ausnahme, fast harmlos, gut lyrisch. Es ist
auch kein Warngedicht im strengen Sinne, sondern formal das
Gegenteil: eine Einladung. Es gehört in die Klasse der Komm-
Lieder, zu der einander so fernliegende Gebilde gehören wie
das *Veni creator spiritus* und das *chume chume geselle mîn*
der Carmina Burana, das *Veni dulcis amica* des Hohen Liedes
und das *Komm, Trost der Nacht, o Nachtigall* des Barock, das
feierliche *Komm in den totgesagten Park und schau* Georges
und das verzweifelte *Komm reden wir zusammen* Gottfried
Benns.
Auch in der Sammlung *Warngedichte* findet sich ein weiteres,
Werbung betitelt, das so beginnt:

> komm gestern zu mir
> komm wieder
> vorigen Sommer

Da ist die paradoxe Aufhebung, der Strich durchs eigene Wort,
gleich da. Die Werbung wird — brutal oder melancholisch —
widerlegt. In der *Rede in der Hand* geht es tröstlicher zu:
»komm in die Hand / Sie wärmt uns«. Das Erschrecken wartet hier bis zum achten Wort: »Versteck deinen Kopf ...«
Aber vielleicht nimmt man das noch hin, als ein verstärktes
»birg«. Hier heißt es: sich ganz klein machen. Das lange Haar,
das sich auflöst in die geringelte Linie der Fingerkuppe, hätte
gestern noch eine poetische Metapher, eine mythische Metamorphose sein können, heute ist es nur noch Mimikry. Auch
in der wärmenden Hand ist es gefährlich.
Das »komm« wird wieder aufgenommen: es eröffnet jede der
drei Strophen. Die Nuance ist dieses Mal Gut-Zureden, wird
schon nicht so schlimm werden: »Wir alle sind in der Hand.«
Dann folgt, zur Beiläufigkeit verfremdet, durch Parataxe ins
Unheimliche stilisiert, die Alternative des Schrecken: wegge-
weht oder ausgepreßt. Freiheit ist ohne Halt, Geborgenheit ist
ohne Freiheit. Wir sind ausgesetzt so oder so: immer zur Vernichtung. Die drastische Wendung ist gewählt, um das Bild der

bergenden Hand jäh in das der zermalmenden Hand umschlagen zu lassen.

Das erst — die Panik der Existenz — wird die Stufe für den nächsten Ansatz: »Komm und küß mich«. Nun erst weiß man, wer die zwei sind, der Rufer und die Angerufene, nun erst dürfen sie die Einladung wagen, im Vertrauen auf eine Pause: »Er schläft«. »Er« ist der Herr der Hand, Gott oder das Schicksal. Sagen wir lieber Gott, aber stellen wir ihn uns vor als den allgewaltigen Despoten, den Grausam-Gleichgültigen, den nur im Schlaf zu Täuschenden. Nur sein Gottesschlaf erlaubt den Schlaf der Liebenden: »Mach deine Augen zu«. Aber kontrapunktisch zum Schlummerlied steigt — drohend wie im alten Tagelied — der Morgen herauf.

Im dialektischen Umschlag wird die Drohung noch einmal abgebogen: »Hab keine Angst.« Noch einmal wird die Hand umgedeutet: nicht nur Schicksal, sondern auch Gericht. Der Fingerabdruck liefert die neue Assoziation. Die Linien der Fingerkuppe, die Linien der Hand sind das Orakel über Schuld und Unschuld. Natürlich wird man hier lieber an Kafka denken als an Schiller. Immerhin: »Es steht nichts Schlechtes darin / von dir und von mir.«

Wollen wir das glauben? Ein beruhigender Schluß in der Tat. Haben wir Fußangeln übersehen? Vielleicht steckt eine im Titel? »Rede« steht da. Das ist sonderbar feierlich. Das nächste Gedicht heißt viel einfacher: Der Mut *spricht*. Sollte in der Wahl von »Rede« eine Warnung verborgen sein, ein Hinweis? Achtung! Nicht wörtlich nehmen! Rhetorik von Kindern, die im dunklen Wald singen, die sich gegenseitig beteuern, wie brav sie sind.

Oder die andere Möglichkeit: der Existentialismus der Angst (Grundgefühl oder Mode, Kassandra-Ahnung oder Manier) braucht eine kleine Freizone, einen ausgesparten Raum. In ihm dürfen sich aufhalten nur die jungen Liebenden. Die Zahl dieser lyrischen, epischen, dramatischen Paare im Luftschutzkeller der Liebe ist heute schon nicht mehr abzusehen. Sie sind — so will es die Konstellation oder die Konvention — die einzigen Unschuldigen.

Oder wollen wir eine dritte Möglichkeit ausprobieren? Wollen wir annehmen, daß in der Verwandelbarkeit dieser Hand »alles drin« ist? Nicht mehr allein die wackere Gewißheit, die noch Rilke lyrisch artikuliert hat (»und doch ist Einer, welcher dieses Fallen / unendlich sanft in seinen Händen hält«), aber auch nicht bloß die Umkehrung: die miß-handelnde Hand, die anonym nichts mehr hält.

Das weitet sich zu einer grundsätzlichen Frage: Ist die düstere

Prophetie eigentlich Sache der Dichter? Fried selbst sagt dazu: »Nicht der erhobene Zeigefinger stand bei diesen Gedichten Pate, sondern das dumpfe Gefühl beim Erwachen und Nicht-einschlafenkönnen, die nicht genau lokalisierbare Beklemmung ...«. Das ist der Ursprung, gewiß — aber ist es damit getan, das dumpfe Bangen, die böse Ahnung in Worte zu fassen? Ist die lyrische Warnung der prophetischen verwandt, nur poetisch-profan, statt von einem ungenannten Höheren eingegeben? Oder hat sie eine andere Dimension — nach Herkunft und nach Sein und Wirkung?

»Warte nur, balde / ruhest du auch.« Was ist das? Drohung? Trost? Resignation? Versprechen? Läßt sich das unterscheiden? Besteht in der Unauflöslichkeit der Gleichung nicht gerade der Sinn der Lyrik, ihre »unspezifische Genauigkeit«? So wäre ich denn dafür, den Trost der Schlußverse für einen ungebrochenen Schlußakkord zu nehmen: als *die* Zuversicht, mit deren Hilfe man in der Hand des Schicksals dennoch *lebt*.

Hans-Jürgen Heise

JOSCHAS JACKE

Im Gespräch mit seinen
Möglichkeiten
die Taschen voller
Finger

Joschas Jacke
die ein Gelächter war

bewahrt den Koffer auf
in dem sie liegt

JOSCHAS JACKE

Wenn ich (was allerdings quasi unmöglich ist) versuche, dieses Gedicht mit unbefangenem Blick zu lesen, sehe ich mich einem gebrochenen Text konfrontiert, einer facettierten Wortfolge, die mir gerade deswegen besonders fremd vorkommt, weil ich weiß, daß ich sie geschrieben habe.

Um die Scheu vor dem eigenen Erzeugnis zu verlieren, bemühe ich mich zunächst ganz bewußt und lebhaft, jene individuellen Umstände, unter denen es entstand, zu negieren, zu vergessen. Statt mich an die Gegebenheiten, an die Emotionen und Intentionen von damals zu erinnern, fixiere ich das Gedicht; so wie es nun gedruckt vor mir liegt. Es ist ein Text, der aus drei ungleich langen Teilen zusammengefügt wurde, aus drei Partien, die dialektisch sowohl mit- als gegeneinander stehen.

Teil eins umfaßt die ersten beiden Zeilen:

> Im Gespräch mit seinen
> Möglichkeiten

Hier haben wir die ewige Ausgangsposition, die permanente Durchgangssituation jedes Individuums zu jeder Zeit. Man zieht Bilanz; Zwischenbilanz. Man bucht ab. Und gleichzeitig visiert man das an, was bleibt, überschlägt man das, was noch zu erwarten, zu erhoffen ist. Die Chancen. Die Möglichkeiten. Das vitale Kapital, das — trotz zahlreicher Un-Möglichkeiten — nach wie vor (zumindest hypothetisch: die Welt als Wille, Prinzip, Hoffnung, Libido etc.) existiert.

Teil zwei, bestehend aus den nächsten beiden Versen, korrespondiert scheinbar mit dem Gedichtanfang. In Wirklichkeit wird in diesem Passus jedoch von der Einengung des Lebensraumes, vom Schrumpfen der Möglichkeiten gesprochen. Denn

> die Taschen voller
> Finger

— das will sagen: Der Mensch, bei allen Offerten, die das Leben ihm macht, bleibt immer ein Gefangener seines Naturells. Die eigene Person, die enge Haut; darauf bleibt man angewiesen, dem kann man nicht entkommen. In sich selber ist man (auf eine fatal-unabwendbare Art; und bis hinein in die Sensibilität der Fingerspitzen) auch dann noch allein, wenn man sich unter Menschen befindet, wenn man an einer Gemeinschaft partizipiert.

Und schließlich Teil drei:

> Joschas Jacke
> die ein Gelächter war
>
> bewahrt den Koffer auf
> in dem sie liegt

Diese vier Zeilen handeln überhaupt nicht mehr vom Menschen, sondern — damit eine Neutralisierung, eine Verfremdung, eine Entschärfung des Sentiments eintreten kann — von Dingen. Joschas[1] Jacke, die ein Gelächter, die eine freudige Farbe war. Jetzt ist sie zu gar nichts mehr nütze. Jetzt bewahrt sie nur noch den Koffer auf, in dem man sie verstaute. Zwei überflüssige Objekte also. Zwei Anachronismen, zwei Fossilien, die nur dadurch, daß sie noch in einer gewissen Koordination zueinander stehen, eine letzte absurde Daseinsberechtigung erhalten.

Doch läßt sich das alles eigentlich nur hinterher sagen. Als ich *Joschas Jacke* schrieb, war ich mir weder über die inhaltliche Konzeption noch über die formale Struktur im klaren. Bei der Artikulation des Textes erlebte ich dasselbe, was mir mitunter auch bei Gesprächen und in Diskussionen zustößt: Ich höre mich plötzlich etwas sagen, was ich bisher selber noch nicht wußte; etwas, was nun aber sogar meinen Kontrahenten überrascht, denjenigen, der es durch seine Haltung und Ansicht erst provoziert.

Das Ganze ist so etwas wie ein Abrufen von gespeicherten Impulsen, wie ein blitzschnelles Freimachen und Zuordnen von Gefühls-, Willens- und Wissenspartikeln. Stets ist hierzu jedoch ein evozierendes, ein auslösendes Moment nötig. Denn wenn es auch die positivistischen Macher gibt, die Nachfolger der Poeschen Philosophy-of-Composition-Methode — ich sehe mich, ohne daß der Reizmechanismus wirksam wird, außer-

---

[1] Brieflich von der Herausgeberin nach dem Namen »Joscha« gefragt, antwortete Heise, er habe den Namen einmal auf der Straße rufen hören, wisse weiter nichts von ihm, assoziiere ihn mit Slawischem, möglicherweise sei es auch eine Form für Joseph, all dies aber sei gleichgültig daneben, daß ihm der Klang gefallen habe und ihm die Jacke »kostbarer« zu machen scheine. Aber auch der Name sei, ganz wie die Jacke, »austauschbar«.

stande, ein Gedicht zu verfassen. Allenfalls kann ich — zwischen Einfall und Einfall — Fingerübungen machen; kann ich ein wenig über fremden und eigenen Texten meditieren; kann ich Poetisch-Lebendiges mikroskopieren und vivisezieren; kann ich, sozusagen, herumexperimentieren im »Labor der Träume«.

Für ein neues Gedicht aber bedarf ich (wie der Pawlowsche Hund) meines Stichworts. Dann freilich, wenn sich die Blockierung löst, kommen mir im allgemeinen auch die zuvor gemachten Versuche, kommen mir Lektüre-Expeditionen, kritische Exkursionen und handwerkliche Etüden zugute: Sie helfen mir nun, in der Phase der Intuition, keine Zeit zu verlieren; sie bewahren mich davor, zu lange nach Form und Ausdruck suchen zu müssen.

Präzisierend möchte ich sagen: Meine lyrische Absicht (die ich gelegentlich mit dem unzureichenden und, wegen seiner Geschichte, auch irreführenden Terminus Surrealismus zu umreißen suchte) läuft auf die Entwicklung und die Verfeinerung eines kritischen Intensivismus hinaus, eines Intensivismus, dessen Ziel es ist, jene Vorstellungs- und Erlebnisklischees, zu denen die historischen, politischen, gesellschaftlichen und psychologischen Realitäten im verbalen Bereich so leicht gerinnen, metaphorisch wieder aufzulockern und so — durch eine provokatorisch veränderte Bewußtseinslage — mich (und auch meinen möglichen Leser) emotional wie intellektuell zu regenerieren.

Arnfrid Astel

JOSCHAS JACKE

> Motto: In der Tasche
> eines armen Mannes
> verdirbt viel Weisheit.

Nicht im Gespräch mit seinen Freunden. Die Abspaltung des Possessivpronomens »seinen« vom Objekt »Möglichkeiten« schafft eine Verzögerung, Zeit, um an Gesprächspartner zu denken, die *nicht* gemeint sind. Um dieser Verzögerung willen ordnet Heise die Zeilen nicht nach ihrem freien und natürlichen Sprechrhythmus. Er sagt nicht, wie es sich anbietet, »Im Gespräch« und dann »mit seinen Möglichkeiten«.

Der erste Abschnitt des dreiteiligen Gedichts hat weder Subjekt noch Prädikat, wenn man davon absieht, das schon in der Überschrift vorgegebene Subjekt »Jacke« aus dem zweiten und das Prädikat »bewahrt« aus dem dritten Abschnitt vorzubeziehen, was theoretisch möglich wäre. Läge dies in der Absicht des Autors, so müßte man sich die Jacke im erinnernden Gespräch mit Joschas Möglichkeiten vorstellen, die Taschen voller Finger, als hätten die Taschen ein Gedächtnis an all die Finger, die in ihnen waren, genauer: an die häufige Einkehr von Joschas Fingern. Eine andere Deutung verlockt mich mehr.

Ich glaube, das fehlende Subjekt des ersten Abschnitts ist Joscha selbst, von dessen Jacke erst die Rede sein wird. Er ist selbst gegenwärtig, beschworen ohne genannt zu sein, vom Autor erinnert. Das Bild steht da: Joscha, im Gespräch mit seinen Möglichkeiten, die Taschen voller Finger. Nicht mit vollen Taschen, sondern die Taschen voller Finger erscheint er, wobei zu bemerken ist, daß Heise auch hier nicht dem Sprechrhythmus folgt, nicht »die Taschen« und »voller Finger« in jeweils eine oder in eine gemeinsame Zeile setzt, sondern nach »voller« die Zeile bricht, wodurch sich wieder eine verzögernde Assoziation einstellt, die das vorläufige Mißverständnis nahelegt, »voller« sei ein Komparativ, etwa in dem Sinne, als habe Joscha im Gespräch mit seinen Möglichkeiten die Taschen voller — als er sie hat. Joscha vergewissert sich seiner Finger in der leeren Tasche als wären es Geldstücke. Der Volksmund spricht von »versilberten Fingern«, ein russisches Sprichwort sagt: »Wer mit goldenem Finger dem Mond winkt, zu dem kommt er herab.« Die klimpernden Finger in Joschas Taschen sind utopische, sind klingendere Münze. Für ihn ist jede Hand fünf Finger wert.

Dieses gesteigerte Selbstgefühl, das auf Joschas Möglichkeiten gründet, steht in seltsamem Gegensatz zu seiner realen Lage, die etwa durch die Redensart gekennzeichnet wird: »Wer der Hände in den Sack schiebt, füllt ihn mit Armut.« Lichtenberg sagt von einem Arbeitslosen, er habe »nichts in den Taschen als seine Hände«. Die erinnerte Gebärde, Joschas psychischer Monolog, steht in der Balance zwischen dem einnehmenden Wesen der glücklichen Hand und einer konstitutionellen Armut leerer Taschen. »Aus einer leeren Tasche verliert man nichts« und: »Leere Tasche fürchtet keinen Dieb« heißen die Devisen dieses Zustands, der von einer anderen Devise überschattet ist, die besagt: »In der Tasche eines armen Mannes verdirbt viel Weisheit.«

»Die Taschen voller Finger«, in dieser Wendung erfahren die Finger eine seltsame Vereinzelung und Verselbständigung. Ich denke an die Fingerspiele, die man mit Kindern treibt, wobei die ungleichen Finger der Hand für bestimmte Personen, Tiere oder Dinge stehen. »Die Taschen voller Finger«, daraus spricht einerseits Fremdheit gegenüber den emanzipierten Gliedmaßen — fast abgehackt, einzeln wie Zigaretten liegen die Finger in der Tasche —, andererseits aber auch eine Vertrautheit, die sich von den gewohnten, den »handwarmen« Einzeldingen des Tascheninhalts auf die eigenen Finger überträgt. Weiter denke ich an das Glücksgefühl, »an jedem Finger eine« zu haben; oder gar an den sechsfingrigen Giganten der Philister, vor dem sich das Volk Israel entsetzte: »Das war ein langer Mann, der hatte sechs Finger an seinen Händen und sechs Zehen an seinen Füßen, das ist vierundzwanzig an der Zahl.« (2. Sam. 21,20) Denn »voller Finger«, das klingt nach mehr als fünf Fingern. Bei dem Giganten symbolisiert die Überzahl seine Stärke; bei Joscha sein Wertigkeitsgefühl, seinen Selbstgeschmack.

Ich kann der Versuchung nicht widerstehen, dem Leser noch eine weitere Assoziation zuzumuten, die sich — für mich — hier einstellt. Der sechsfingrige Gigant war ein Verwandter Goliaths; er wurde von einem Neffen Davids erschlagen. Wo David selbst dem Riesen Goliath gegenübertritt, heißt es: »David tat seine Hand in die Tasche und nahm einen Stein daraus und schleuderte und traf den Philister an seine Stirn . . .« (1. Sam. 17, 49). Auch Joscha ist in gewissem Sinne ein sieghafter Schwächerer. Man sieht einem Menschen nicht in

die Taschen; sie sind voll dunkler Möglichkeiten. Man kann
ihm auch nicht auf die Finger sehen, wenn er sie in der Tasche
hat. Man weiß nicht, was er daraus hervorzieht.
Über all diesen Assoziationen darf man aber die Gebärde
nicht vergessen, die einfache, fast archetypische Haltung eines
Mannes im Gespräch mit seinen Möglichkeiten, der die Hände
in den Jackentaschen hat, die sozusagen eine Etage höher liegen als die Hosentaschen und deshalb zur Besinnlichkeit besser
taugen.
Ich habe erwähnt, daß Heise im ersten Teil des Gedichts zweimal aus guten Gründen die Zeilen gegen den Sprechrhythmus
ordnet. Im zweiten und dritten ist das nicht mehr der Fall. Sie
folgen der natürlichen Kadenz des Sprechens: »Joschas Jacke /
die ein Gelächter war / bewahrt den Koffer auf / in dem sie
liegt«. Nur die Pause zwischen den Teilen zwei und drei erweitert etwas den natürlichen Abstand. Dadurch gelingt es,
»Joschas Jacke / die ein Gelächter war« in ähnlicher Selbständigkeit als ein nur lose verbundenes Bild zu setzen wie die
erinnerte Gebärde oben. Auch der dritte Teil erhält so eine
relative Eigenständigkeit. Man schwankt zwischen zwei Deutungen, versteht »bewahrt« einmal als Aufforderung, man
solle den Koffer aufbewahren, dann aber — und das wohl mit
besserem Recht — als Prädikat und syntaktischen Nachschlag
von Teil zwei, »Joschas Jacke . . . bewahrt den Koffer auf«.
Die scheinbare Paradoxie verführt mehr zu dieser Deutung,
als daß sie von ihr abschreckt. Davon wird noch die Rede sein.
Das freirhythmische Gefüge des Gedichts setzt locker ein. Die
ersten beiden Zeilen enthalten jeweils nur eine Hebung, der
drei bzw. vier Senkungen fast schlenkernd folgen, so daß ein
Prosatext vorgetäuscht wird. Das Wort »Möglichkeiten«
nimmt die Kadenz von »(Ge)-spräch mit seinen« genau auf,
wobei lediglich das »ä« zu einem »ö« gelenkt, die übrige Vo-
kalfolge aber beibehalten wird. Entlastet durch die vier (!)
Senkungen »(Mög)-lichkeiten die« folgen nun Schlag auf
Schlag und das Gedicht straffend die drei trochäischen Worte
»Taschen-voller-Finger«, denen sich im Mittelstück gleich zwei
weitere — »Joschas-Jacke« — anschließen, in ihrer Alliera-
tion vorbereitet durch die unmittelbar vorangegangene Alliteration »voller-Finger«. Das Wort »Gelächter« knüpft lautlich
und im Wortcharakter an »Gespräch« an. Die »Gelächter«-
Zeile ($\smile\, \underline{\smile}\, \smile\, \smile\, \smile\, \underline{\smile}$) ist übrigens eine genaue rhythmische
Spiegelung der »Gesprächs«-Zeile ($\smile\, \underline{\smile}\, \smile\, \smile\, \smile\, \underline{\smile}$). Ein struk-
tureller Zusammenhalt ergibt sich auch aus der Wortreihe glei-
chen Auslauts: »voller-Finger-Gelächter-Koffer«; »Joscha«
hat eine rhythmisch-lautliche Affinität zu »Tasche«.

Die Teile zwei und drei des Gedichts, die durch syntaktische
Verknüpfung einander näher gerückt sind als die Teile eins
und zwei, werden gleichsam gepuffert durch die Wiederaufnahme der Silbe »war« in »bewahrt«. Gleiche Pole in so großer Nähe stoßen einander ab. So wird die dreiteilige Balance
wiederhergestellt. Jeder Teil enthält nur *eine* Zeile mit zwei
Hebungen (3, 5, 7), sonst sind alle Zeilen einhebig, wenn auch
bis zu sechs-silbig (1 und 6). Nimmt man die zentralen fünf
Trochäen unter Weglassung der letzten Senkung als ein symmetrisches rhythmisches Gebilde ($\smile - \smile - \smile - \smile$), so kann
man sagen, daß dieses Gebilde nicht nur von vier Senkungen
eingeleitet, sondern auch von vier Senkungen gefolgt wird.
Wie der Anfang, so kommt auch das Ende des Gedichts in seiner rhythmischen Freiheit einem Prosatext täuschend nahe.
Aber wie steht es nun mit der Deutung des zweiten und dritten Teils? Sie hat auf die Deutung des ersten schon eingewirkt.
Da ist zunächst der ungeläufige aber einprägsam-vordergründige Name »Joscha«. (Pate steht wohl der jiddische Name
Josche, der durch slawische Angleichung zu Joscha gelenkt ist
und eine Summe darstellt aus den jüdischen Namen Hosea,
Josua, Jesaja, Jesus, die alle soviel wie »Gott-Hilf« bedeuten.
Diese Auskunft verdanke ich Herrn Max Majer Sprecher. In
Nachbarschaft steht die ungarische Koseform für Josef: Joschi;
eventuell auch die russische für Alexander: Aljoscha; wendisch: Josch kommt wohl von Justus bzw. Jodocus.) Ich assoziiere eine südöstliche Herkunft, etwas unbürgerlich Fremdes, benachbart der Vorstellung von Stehgeigern und Zigeunern, Leuten, deren Anziehung man mit Vorbehalt begegnet,
ein Typ, den der philiströse Spießer als »Schubjack« (»Bettler,
der sich in der Jacke schubbt [kratzt]«) bezeichnet, einem Menschenschlag angehörig, den der gleiche Spießer als »ēn Jack,
ēn Pack« abtut, als Habenichtse und Hungerleider, mit
ihrem einzigen Kleidungsstück verwachsen sind wie Joscha mit
seiner Jacke. Dabei spielt noch die alte Herablassung gegenüber der Jacke eine Rolle, die ja ursprünglich ein Provisorium
für den Rock war. Man sagte: »Wer zur Jacke geboren ist,
kommt zu keinem Rock.« Zur Jacke geboren ist, wer von der
Hand in den Mund lebt, wobei es dann nicht immer ausbleibt,
daß man gelegentlich nur die Hand im Mund hat.
Das »Gelächter« verstehe ich passiv und aktiv. Offenbar ist die
Jacke schäbig, vielleicht zerschlissen, auch nicht ganz sauber,
sie wird zum Gespött, zu dem Gelächter, das sie zweitens
selbst und aktiv ist, mit dem Karma und Jocus eines lustigen
Gesellen durchtränkt, der Joscha heißt. Der Joscha *hieß*. Denn
zwischen der erinnerten Gegenwart der Gebärde im ersten Teil

und dem gegenwärtigen Zustand der Aufbewahrung im dritten steht hier im zweiten und Mittelteil die Vergangenheit: »Joschas Jacke / die ein Gelächter *war*«. Das ist offenbar vorbei. Die Jacke liegt jetzt in einem Koffer, den sie aufbewahrt. Nicht der Koffer bewahrt die Jacke auf, sondern die Jacke den Koffer. Das ist eine kühne Wendung, die den geistigen Sachverhalt wiedergibt. Die Jacke liegt in dem Koffer wie ein kostbares Relikt in einem Schrein. Der Koffer ist seinem Zweck entfremdet und kann nicht weiter verwendet werden. Er ist stillgelegt. »bewahrt ... auf«, das klingt mir wie »aufgebahrt«. Der Koffer ist ein Sarg, ich denke an das englische Wort »coffin«. Dem Volksmund ist diese Vorstellung noch geläufig, wenn er sagt: »Ist der Koffer zu, so hat die Seele Ruh.«

Christoph Meckel

ODE AN MÄCHTIGE MANNSCHAFTEN

Schlagt die Fenster nicht ein: sie werden offen stehn,
denn vor euch ist schon immer der Wind bei mir gewesen
und hat in meinen Zeitungen geblättert,
bevor er auf die Berge ging und das Strauchwerk schürte.

Schlachtet meine Fische und Papageien
und prüft, wie tief unter Wasser die Eisberge fahren,
und hängt, was ihr findet, an eure großen Glocken,
das alles kostet euch nichts.

Beliebt es euch, kriecht in meine Hundehütte
und sucht eure Beute in allen Kuckucksuhren —
auf meinem Teppich hat nie ein Engel geschlafen,
und meine Koffer sind leer von Vogelnestern.

Reißt das Sägmehl aus meinen toten Eulen
und grabt, beliebt es euch, unter dem Apfelbaum,
reißt das Sägmehl aus meinen toten Eulen
und grabt, beliebt es euch, unter dem Apfelbaum —

Christoph Meckel

ODE AN MÄCHTIGE MANNSCHAFTEN

Das Gedicht *Ode an mächtige Mannschaften* entstand im Sommer 1957 oder 58 in Oetlingen, Südbaden, ich veröffentlichte es 1959 und habe es nun, wie mir scheint, zum erstenmal wiedergelesen. Da ein Autor, wie weit auch immer er sich von seinen Strophen entfernt haben mag, seiner Arbeit kaum je objektiv gegenübertritt, wird er wohl versuchen, eine neue, möglichst unverfängliche Bekanntschaft mit seinem Gebilde zu schließen, und wie bei einer unvermuteten Wiederbegegnung mit einem beinahe vergessenen Freund aus der Lateinstunden- und Indianerzeit wird er einen Augenblick lang nicht wissen, ob *Du* oder *Sie* die geeignete Anrede sei. Er wird vermutlich zunächst eine Anrede vermeiden und versuchen, so gut und taktvoll wie möglich die unsichtbaren Fühler auszustrecken. Das Gedicht bietet ihm keine Schwierigkeiten und kommt ihm nicht fremd entgegen. Ihm scheint, als sei es ein recht einfaches Gedicht. Der Umgang mit dem Verborgenen, vielleicht das eigentliche Motiv dieser Verse, kommt ihm recht bekannt vor. Der da von sich schreibt, scheint guten Umgang mit ihm zu haben, er scheint es auch an seiner Stelle belassen zu wollen, es scheint nicht seine Sache zu sein, jenes Unsichtbare an den Haaren herbeizuziehn, und so läßt er es wohl an dem Ort, von dem er weiß oder annimmt, daß er dem Verborgenen Wohnrecht gewährt und niemandem ohne weiteres zugänglich ist, am wenigsten gestiefelten Leuten mit oder ohne Haussuchungsbefehl. Da das Gedicht, wie ich glaube, einfach ist und keineswegs besonders verschlüsselt noch eingepanzert in heraldische, dunkle, versteckspielende Formen (es sei denn, man erwarte an dieser Stelle, daß ich dem Verborgenen einen Namen gebe, was ich wohl tun würde, wenn ich ein Halunke von Verfasser und einer vom literarisch-akademischen Geheimdienst wäre), will ich eine hundertprozentige, richtige, gewichtige, klare, stichhaltige, eindeutige oder vieldeutige Interpretation, eine hinreißende Stilanalyse dem überlassen, der darin geübt ist und mich zurückbegeben zu dem, was, wie ich annehme, Anlaß gab, das Gedicht zu schreiben. Und so wende ich mich weit zurück in die Kindheit (und sehe schon: was ich zu diesem Gedicht schreibe, wird eher Erzählung sein als Untersuchung und was auch immer), da ich anfangs sieben, später elf oder zwölf Jahre alt bin und erstmals die mächtigen Mannschaften sehe, denn es ist Krieg. Ich stehe hinter dem Gartentor — es ist ein funkelnder Morgen im Schwarzwälder Frühling — und sehe der Deportation eines alten Mannes zu. Ich habe regelmäßig seine Hühnerställe ausgemistet für ein paar Groschen die Woche und nach der Arbeit Milch oder Limonade mit ihm getrunken in der bläulich gekachelten Anbauküche seiner Villa unter schwarzen Tannen. Nun wird er, ein kleiner, einst fröhlich igeläugiger Mann, von einigen Militärs in die Mitte genommen, am Gartentor vorübergeführt und kommt nicht wieder. Später sind es andre Mannschaften an anderen Orten. Es sind amerikanische Soldaten mit rosigen Kaugummigesichtern, Maschinenpistolen und Lebensmittelkisten, sie kommen in Lastwagen und Jeeps, lässig, gelangweilt und unerbittlich Platz schaffend, und durchsuchen das Haus meiner Großeltern. Wir werden evakuiert, und als ich nach Wochen, die ich in fremden Wohnungen verbracht habe, wieder zu Hause bin, sieht es so aus, als sei unser Haus ein fremdes. Die Türen sind ausgehängt, teilweise verschwunden. Die Teppiche sind angekohlt und voll von getrocknetem Abfall; die Scheiben sind zerschlagen, Porzellan, Papier und Möbel aller Art ist greulich in die Brüche gegangen, die Ledersessel sind zerrissen, die Buchschränke durchwühlt, die Bücher zerschnitten, verschmutzt oder nicht mehr vorhanden. Einige Wochen oder Monate später sind es Russen, die in unser Haus kommen. *Razzia* heißt das, wer auf die Straße geht, wird erschossen. Unser Haus wird, wie alle Häuser der Straße, bei Tag oder Nacht unbekannten Befehlen zufolge wieder und wieder durchsucht. Die armseligen, gehüteten Holz- und Kohlehäufchen im Keller werden von Stiefelspitzen umgekippt und durchwühlt. Sämtliche Kleider fliegen aus den Schränken und segeln durch Zimmer und Korridore zu Boden. Epheu und Glyzinien, die das Haus ringsum bewachsen, werden von Tatarenfäusten geschüttelt und heruntergerissen. Ein Offizier gräbt im Bereich der Obstbäume und stochert im Salatbeet. Auf dem Speicher wird der goldwerte, altgeordnete, verstaubte Erinnerungskram meiner Großeltern ans Licht gepfeffert und auseinandergerissen, Kilopakete vergilbter Ansichtskarten von Harzreisen, Ostseebädern und Weltausstellungen, Briefe, Hochzeitskleider und Kleider der Toten — verstreut, zertrampelt und ungeduldig durchwühlt. Ich weiß nicht, und keiner wohl weiß genau, was eigentlich gesucht wird. Zuletzt soll mein Großvater abtransportiert werden. Man hat vielleicht ein kompromittierendes Buch in seinem Schreibtisch gefunden. Seine Zigarrenstimme trompetet auf der Veranda, er steht zwischen Blumen-

kästen und zusammengeklappten Klappstühlen und wehrt sich, zeigt Papiere und kann schließlich bleiben. Meine geduldige Großmutter geht mit einem toten Lächeln auf dem eingefallenen Kriegsgesicht im Wohnzimmer auf und ab. Ihr Nähtischchen, ein blaublütiges, trauriges Ebenholzgestell mit hauchzarten Ausziehschubladen und dünnen Kamelbeinen wird trotz ihrer Versicherung, es enthalte nur Knöpfe und Zwirn, ohne weiteres aufgerissen, umgestoßen und ausgeleert, die glitzernden Tausendschaften der einst kästchen- und büchsenweis geordneten Knöpfe tanzen und kreiseln über den Fußboden, rollen unter die Schränke, verschwinden in Bodenritzen und Löchern, und es ist, wie meine Großmutter beteuert hat, nichts zu finden. Keiner weiß, was hier gesucht wird wieder und wieder, nach welchen Gesichtspunkten gesucht wird, noch wüßte einer, warum. Koffer und Schreibmaschine werden von den stets wechselnden mächtigen Mannschaften mitgeschleppt, Glasrahmen und Meißner Porzellan, eine Hutschachtel voll Nippes, eine Puddingschale in Fischform, eine Briefmarkensammlung. Ein Offizier nimmt die Hauspantoffeln meines Großvaters mit, der mit zitternden Beinen zwischen Scherben und aufgerissenen Schränken im Wohnzimmer steht. Wir sind wohl, wie alle, verdächtig. Wer noch lebt, ist verdächtig, und wessen Besitz nicht gänzlich zerbombt und verbrannt ist, bleibt doppelt verdächtig, solange es *Razzia* gibt. — Durchsuchungen, Kontrollen, Überprüfungen auch, nachdem dies Gedicht geschrieben ist. Ich sehe saubere, militärische oder zivile Hände, die einen Paß, eine Pistole, eine Nummernkarte beiseite legen, um Koffer, Autoinhalte und Manuskripte zu durchsuchen. Und so schrieb ich wohl, mich erinnernd, rund zwölf Jahre nach der ersten Bekanntschaft mit verschiedenen mächtigen Mannschaften dieses Gedicht, in dem geschrieben steht: Kommt nur immer rein. Nicht nötig, kaputtzuschlagen. Es liegt alles, was man finden könnte, den Augen ohnehin bloß, der Faust, dem Fußtritt. Von mir aus, nehmt das alles mit, zerschlagen, vernichten, macht was ihr wollt, denn dies ist es nicht, was da eigentlich gesucht wird. Was da gesucht wird, hat eine Beschaffenheit jenseits aller Stoffe, es ist uralt und kommt von weit her, wo das Unsichtbare seinen Schatten spinnt und die großen, aufsässigen und stolzen, heiser bellenden . . .
An dieser Stelle spätestens entzieht mir das Gedicht jedes weitere Wort und weist mich an, den Mund zu halten. Ich gebe ihm gerne nach; mag sein, ich unterwerfe mich noch der geringsten Strophe. Ich lasse das Gedicht seiner Wege ziehn, wohin auch immer, und es läßt mich, was sein Recht ist und worum ich es bitte, weit hinter sich zurück und sieht sich nicht

mehr nach mir um; das Gedicht und ich sind wieder im Guten voneinander geschieden, und da dies wohl so ist, wende ich mich einer neuen Strophe zu.

Herbert Heckmann

ODE AN MÄCHTIGE MANNSCHAFTEN

Schon der Titel stellt die Welt auf den Kopf: Ist es doch paradox, »mächtige Mannschaften« im feierlichen Ton einer Ode anzusprechen. Die Mächtigen hatten seit jeher taube Ohren — und wenn sie schon einmal feierlich werden, feiern sie sich selbst. Auffällig ist auch die Wendung »mächtige Mannschaften«; die fast wagnerische Alliteration deutet das Pompöse an. Das Unangemessene wird schon im Titel des Gedichts offenbar. Die Gattungsbezeichnung »Ode« verstärkt dann nur noch den ironischen Kontrast.

Das Gedicht selbst beginnt mit einer Aufforderung:

Schlagt die Fenster nicht ein: sie werden offen stehn.

Die Aktivität der mächtigen Mannschaften ist von vornherein zur Absurdität verdammt. Sie rennen offene Türen ein. Die Begründung, die in den folgenden Zeilen gegeben wird, steigert nur noch den Kontrast zwischen den mächtigen Mannschaften und den von der Macht Bedrohten.

denn vor euch ist schon immer der Wind bei mir gewesen
und hat in meinen Zeitungen geblättert,
bevor er auf die Berge ging und das Strauchwerk schürte.

Sie nimmt dem Angriff das Ziel und lenkt die Aufmerksamkeit auf eine Welt, in der ganz andere Gesetze herrschen, gegen die die Macht nicht aufkommen kann.

Es sind die Gesetze des Traums, angesichts derer die Macht zur Lächerlichkeit herunterkommt. Die kindliche Welt märchenhafter Begebenheiten verurteilt jede pompöse Geste zur Hampelmännerei. Souverän fordert sie die mächtigen Mannschaften auf, Fische und Papageien zu schlachten, wohlwissend, wie sinnlos es ist und wie wenig damit Macht ausgeübt wird. Christoph Meckel sagt »meine Fische und Papageien«. Das Possessivpronomen »mein« enthebt die Fische und Papageien dem wirklichen, angreifbaren Bereich und gibt sie als Ausgeburten der Phantasie, gleichsam als Spielzeug aus, das für die Mächtigen bar jeder Bedrohung ist. Das weiß jedoch nur der, der hier mein sagt.

Selbst die Aufforderung zu prüfen, wie tief unter Wasser die Eisberge fahren, erweist sich als ironisches Entgegenkommen. Diese Welt taugt nicht für das Soldatenspiel der Macht. Gerade deswegen, weil Christoph Meckel ihre Bestandteile sein eigen nennt — und über sie spielerisch verfügt, weiß er sich überlegen, weiß er auch, wie wenig es der Macht kostet, Besitz von seiner Welt zu ergreifen und ihre Gefährlichkeit an die große Glocke zu hängen.

> und hängt, was ihr findet, an eure großen Glocken,
> das alles kostet euch nichts.

Damit spricht er die unbezweifelbare Tatsache aus, daß das, was nichts kostet, sich auch nicht lohnt. Allein Mühe und Schweiß erfüllen die mächtigen Sieger mit Stolz. Die Herausforderung, Macht auszuüben, wo es gar keiner Macht bedarf, muß notwendigerweise den Herausgeforderten blamieren. Das alles wird in scheinbar kindlicher Naivität vorgebracht: Der Buhmann wird gereizt, sich endlich doch einmal zu zeigen, aber gerade mit dieser Herausforderung nimmt man der Bedrohlichkeit das Grauen. Sollen die Buhmänner doch kommen: man ist bereit. Die spielerische Bereitschaft des Kindes, die nicht ohne Herzklopfen ist, wird bei Christoph Meckel eine ironische Bereitschaft. Für ihn sind die mächtigen Mannschaften nichts anderes als versierte Buhmänner. Mit jedem Satz entlarvt er sie mehr, indem er sie aus ihrer prahlerischen Reserve hervorlockt.

> Beliebt es euch, kriecht in meine Hundehütte
> und sucht eure Beute in allen Kuckucksuhren —
> auf meinem Teppich hat nie ein Engel geschlafen,
> und meine Koffer sind leer von Vogelnestern.

Das betont höfliche »Beliebt es euch« steckt voller Spott. Die Aufforderungen steigern sich in ihrer Absurdität. Christoph Meckel entfaltet eine märchenähnliche Welt, die freilich frei ist von niedlicher Metaphysik (»auf meinem Teppich hat nie ein Engel geschlafen«). Er naturalisiert das Märchen und nimmt ihm den selbstverständlichen Optimismus; hält jedoch an dieser entzauberten Welt fest, deren Gegenstände den verlockenden Schimmer von Antiquitäten haben, die in einem Furioso von Tragödien verbraucht wurden. Sie sind nunmehr ohne Nutzen. Sie sind keineswegs Inventar einer idyllischen Märchenexistenz, in die sich der Verängstigte flüchtet, sondern durch die Phantasie befreite Dinge mit einer eigenen Gesetzlichkeit, die die Gesetze der Macht außer Kraft setzt. So erhebt sich die letzte Strophe in ihrer beschwörenden Wiederholung zu einer großen Herausforderung der Macht.

> Reißt das Sägmehl aus meinen toten Eulen
> und grabt, beliebt es euch, unter dem Apfelbaum,
> reißt das Sägmehl aus meinen toten Eulen
> und grabt, beliebt es euch, unter dem Apfelbaum —

Für die Mächtigen ist diese Welt von einer unantastbaren Sinnlosigkeit. Sollen sie doch das Sägmehl aus den toten Eulen reißen und unter dem Apfelbaum graben, was sie suchen, nämlich das Verletzbare, das Opfer, genau das finden sie nicht. Ihr Waffengerassel wirkt mit einem Mal komisch. Sie selbst sind mit Sägmehl ausgestopft, sie selbst verraten Angst, indem sie gerade dort Gefahr wittern, wo Gefahrlosigkeit ein glückliches Szepter führt. Das Beschwörerische der sich von Zeile zu Zeile steigernden Herausforderung wird Hohn. Genau das ist jedoch die dichterische Replik auf das säbelrasselnde Kasperltheater der Mächtigen, die sich allzu gern der Literatur bemächtigen wollen, ohne zu ahnen, daß sie sich dabei der Lächerlichkeit aussetzen.

Christoph Meckel rafft seine »Ode« in vier vierzeilige Strophen zusammen, die aus übersichtlichen, einfachen Sätzen bestehen. Er folgt damit dem Grundsatz der militärischen Ausbildung: »Der Befehl muß vollständig, bestimmt, kurz und klar dem Verständnis des Empfängers angemessen sein.« Die erste Strophe liefert noch eine Begründung, aber schon in den folgenden beläßt es Christoph Meckel bei der bloßen Aufforderung, um in der letzten sich nur noch zu wiederholen, als bestünde kein Zweifel mehr an der Verständnislosigkeit der Mächtigen. Das Gedicht ist im wörtlichen Sinn von einer entwaffnenden Einfachheit.

GESCHICHTENERZÄHLEN

Gestern sah ich
einen hohen Offizier
auf einen Baum steigen —
da wußte ich: die Militärs
bemühen sich um gute Aussicht.

Heute früh sah ich drei grüne Fische
teppichklopfen —
da wußte ich: wer sich über den Anblick
teppichklopfender Fische
nicht verwundert,
hält diesen Anblick entweder für möglich
oder hat ihn gar nicht zu Gesicht bekommen.

Vorhin sah ich drei Telefonzellen
über den Ozean schwimmen —
da wußte ich: eine Nachricht aus Übersee
wird dich erreichen.

Nun, wie gefällt Ihnen das?

Bitte bitte, hören Sie auf! —
Ich glaube,
Sie erzählen mir da lauter Geschichten.

Günter Bruno Fuchs

GESCHICHTENERZÄHLEN

Dieses Gedicht wirkt reichlich albern. Ich vermute, es hat einen albernen Menschen zum Verfasser. Oder einen Trinker. Meine Vermutungen können mich und andere täuschen, deshalb interessiert uns nicht der Zustand des Verfassers, sondern der des Gedichts. Also wiederhole ich gern den ersten Satz: Dieses Gedicht wirkt reichlich albern. Und setze hinzu: *auf mich*.

Schuld daran ist ein gewisses Gekicher, das gleich zu Beginn laut wird. Die Vorstellung nämlich, ein Offizier (höheren oder niederen Rangs) erklimme einen Baum, zeugt von Unkenntnis. Natürlich, das Bild ist erheiternd: ich z. B. sehe den einfachen Bundesbürger in Uniform, wie er den Baumstamm umklammert, wie er hinaufblickt zum Wipfel, dem er die Ruh stehlen wird, aber soll denn hier gleichzeitig anklingen, der gebildete Offizier unserer Tage habe es nötig, einen Baum zu besteigen? Habe es nötig, sich solcher Bemühung zu unterziehen? Einer Bemühung um gute Aussicht gar, bei der immerhin die Nähte seines Ehrenkleids krachen könnten? Ich finde, die ersten fünf Zeilen des Gedichts geben so etwas wie die Meinung des Verfassers wieder, ja, mir scheint sogar, er mag es nicht: das Militär schlechthin, gleich welcher Nation und Herkunft.

Noch ein Wort dazu: hätte ich nicht selber beim Anlesen des Gedichts herzhaft lachen müssen — teils wegen der Bildkomik, teils über das (wie ich anfangs dachte) naive Talent des Verfassers, seine Umwelt zu konterfeien — wäre ich also zugegebenermaßen nicht entzückt von der launigen Szene des baumbesteigenden Offiziers, so müßte ich die ganze erste »Geschichte«, die hier beim *Geschichtenerzählen* erzählt wird, für pure Veräppelung des Soldatenstandes halten.

Was aber wird weiter erzählt? Ich möchte zunächst sagen: die beiden nachfolgenden »Geschichten« sind Musterbeispiele schlüssiger Trinkerlogik. Wie verrückt die Sache auch sei, wer will schon etwas einwenden gegen die Folgerung, daß drei teppichklopfende, grüne Fische (Heringe? Anspielung auf die beliebte Katermahlzeit?) gemeinsam einen Anblick abgeben, über den man sich nicht zu verwundern braucht, sofern man ihn, diesen Anblick, entweder für möglich hält oder ihn gar nicht zu Gesicht bekommen hat. Doch hier (anders als bei der ersten »Geschichte«) gerate ich bereits in ernsthafte Zweifel, ob die drolligen Fische allein aus reiner Lust am schönen Humbug ins Bild gesetzt wurden.

Sind diese grünen Teppichklopfer nicht eher vermummte, verwunschene Hausfrauen, die jeden Freitagmorgen in den Höfen der Großstädte mit der Säuberung ihrer Läufer, Brücken, Bett- und Klosettumrandungen beginnen? Allzu leicht könnte man aus dem einleitenden Passus »Heute früh / sah ich...« (mit dem Einschiebsel »Heute früh / *am Freitagmorgen* / sah ich...«) auf eine geradezu perfide Umkehrung alltäglicher Geschehnisse schließen, will sagen: bisher hat sich niemand verwundert über den Anblick teppichklopfender Hausfrauen — nun aber, irgendwann Freitag früh, werden die Rollen vertauscht: die Fische, die sonst am Freitagmorgen in der Pfanne brutzeln, steigen in den Hof hinunter und übernehmen das Teppichklopfen, während oben, in der Küche, die Hausfrauen gesotten werden.

Gewiß, diese Auslegung mag überspitzt sein. Tatsache bleibt: sie wurde angeregt durch den vorliegenden Text. Demnach gibt dieses Gedicht, das (wie ich eingangs sagte) reichlich albern *auf mich* wirkt, eine erschreckend-gegenteilige Dimension frei: aus vermeintlicher Trinkerlogik, die den Leser hell auflachen läßt, indem er drei allerliebste Fische in ungewohnter Umgebung erblickt, entpuppt sich der gallige Unmut des Verfassers, der (im Sinne meiner fiktiven, aber plausiblen Darstellung) wütend eingenommen ist gegen das gewohnheitsmäßige, freitagliche Dreschen und Bürsten.

Ich fürchte, diese zweite »Geschichte« will eindeutig als Ergänzung zur ersten verstanden sein. Das destruktive Ergebnis beider Teile lautet also: Gewohnheitsmäßige Handlungen bieten beste Aussichten für Militärs. (Ich muß hier etwas einfügen. Der sattsame Leser wird nur selten imstande sein, ein Gedicht in ähnlicher Weise zu interpretieren. Ein Gedicht wie dieses verweilt für ihn in vordergründiger Albernheit. Es wird ihm nichts anhaben. Es sei denn, der Leser geht den schwierigen Weg des Kritikers. Mit anderen Worten und damit in eigener Sache: nur der erfahrene, geübte Kritiker kennt die gezinkten Karten und versteht sie aufzudecken. Er ist es, der den Hintergrund erreicht, wo die Absichten bestimmter Verfasser auf der Lauer liegen. Man wird mich gleich verstehen. Wenden wir uns der dritten und letzten »Geschichte« zu!)

Das bestürzende Bild schwimmender Telefonzellen trieb mir beim ersten Lesen wahre Lachtränen ins Auge. Später, beim zusammenhangvollen Durchdringen des Ganzen, standen mir die Haare zu Berge. Man denke: dieser Zustand, ausgelöst durch das abgefeimte Vexierspiel weniger Zeilen, ausgelöst durch ein Gedicht! — Es hatte mich in die Falle gelockt, hatte mich schmunzeln und kichern lassen, hatte mir »Geschichten« erzählt, wie sie betrunkener nicht sein konnten, und jetzt fragte es mich: »Nun, wie gefällt Ihnen das?« Jetzt endlich wollte es mich ins Bockshorn jagen, wollte mich überlisten, als hätte ich nicht verstanden, wie sein »Geschichtenerzählen« gemeint war, jetzt also legte es mir die Worte seiner eigenen Schlußzeilen in den Mund, damit *ich* es sage, damit *ich* es bin, der ihm zuruft: »Bitte bitte, hören Sie auf! — / Ich glaube, / Sie erzählen mir da lauter Geschichten.«

Seine Absicht schlug fehl. Ginge es hier nicht um die sachliche Auseinandersetzung mit einem Text, ich könnte ehrlich sagen: Gott sei Dank! So sehr hat es mich geäfft. Bis zum Schluß. Bis zu den drei Telefonzellen, die über den Ozean schwimmen. Als hätten noch Zweifel bestanden, daß es sich hier *nicht* um drei Telefonzellen, sondern um jene drei grünen Fische handelt, die nach vollzogener Teppichklopf-Arbeit unseren Kontinent verlassen und das Lob ihrer Leistung nach Übersee tragen, von wo aus die Nachricht zu uns kommen wird: Auch dort ist's an der Zeit, mit der alten Gewohnheit zu brechen!

Und dieser tückische Höhepunkt in einem Gedicht, das ganz und gar mißverstanden werden kann! Denn es wirkt reichlich albern. Und so, als hätte es einen albernen Menschen zum Verfasser. Oder einen Trinker. (Leichtsinnige im Urteil, lest meinen Aufsatz!)

GESCHICHTENERZÄHLEN

Das letzte Wort des Gedichts weist auf seine Überschrift: Fand der Infinitiv *Geschichtenerzählen* in »lauter Geschichten« sein Definitivum? Die Symmetrien des Gedichts scheinen darauf angelegt, die Frage offenzuhalten.

Wenn in den drei ersten, augenfällig gleichgebauten Abschnitten ein Gedankenstrich jeweils die mit »... sah ich« eingeleitete Hälfte von der mit »da wußte ich« angeschlossen abhebt, so fungiert er an dieser Grenze zwischen Sehen und Wissen allenfalls als Schlagbaum, garantiert aber, wenn es erlaubt ist, im Bilde zu bleiben, keineswegs konstante Zollvereinbarungen. Die konstanten Formen dieser Abschnitte demonstrieren vielmehr die Diskontinuität der Relationen von Sehen und Wissen, von Bild und Bedeutung: Der verbürgende Sprachgestus, für den jene Formeln Modell stehen, wird ad absurdum geführt zugunsten einer Geschichte vom Geschichtenerzählen, die die Entscheidung, ob »lauter Geschichten« lauter Geschichten sind, dem Leser zuspielt.

»Gestern sah ich / einen hohen Offizier / auf einen Baum steigen —«: So könnte beinahe beginnen, was man eine wahre Geschichte nennt. Beinahe — denn auch wer diesen Anblick für möglich hält, dürfte ihn kaum je zu Gesicht bekommen: Bäumeklettern ist — »gestern« kaum anders als heute — Rekrutensache. Dieser Einwand trifft die Wahrscheinlichkeit des Anblicks, keineswegs die Wahrheit einer »Geschichte«, die nur zur einen Hälfte gesehen, zur anderen aber gewußt wird: Der Satz »die Militärs / bemühen sich um gute Aussicht« hätte allenfalls den Charme einer zeitlosen Wahrheit, zöge er nicht aus der leichten Verrückung jenes geläufigen Anblicks die Nahrung einer aggressiven Pointe.

Der zweite Abschnitt verweigert analoge Relationen: »Heute früh sah ich drei grüne Fische / teppichklopfen —«: Dem Sprung vom Unwahrscheinlichen ins Unmögliche, wie er im Sprung von der ersten in die zweite Zeile effektsicher vollführt wird, durch einen entsprechenden Sprung auf die Ebene übertragener Bedeutungen, welcher auch immer, zu begegnen, bleibt vergeblich. Das demonstrative Wort »Anblick« in der nächsten Zeile blockiert solch Manöver. Was der Geschichtenerzähler »sah«, heischt Objektivität. Freilich bedarf er zu ihrer

Beglaubigung einer indirekten Denunziation des Lesers: »wer sich über den Anblick / teppichklopfender Fische / nicht verwundert, / hält diesen Anblick entweder für möglich / oder hat ihn gar nicht zu Gesicht bekommen.« Die Paradoxie dieses Satzes scheint zu postulieren: Gerade weil dieser Anblick als Anblick nicht für möglich gehalten werden kann, muß man ihn zu Gesicht bekommen. Objektivität des Anblicks und Subjektivität des Gesichts wären, wo das gelänge, eine ästhetische Synthesis eingegangen. Indem der Geschichtenerzähler sein Nonsensbild aber als Anblick »wußte«, borgte er vom Ansehen des Objektiven einen Anspruch, dem das Bild selbst nicht genügt. Jenes Verwundern, dem Wirklichkeit und Möglichkeit, Subjekt und Objekt ganz neu sich begrenzen müßten, manifestiert sich unausgesprochen als Postulat. Das Bild figuriert indirekt als Exempel seiner eigenen Ohnmacht: Seine Austauschbarkeit an dieser Stelle verweist auf die Beliebigkeit seiner Erfindung; auch skilaufende Hasen z. B. könnten jenem wissenden und darin ebenso hilflosen wie anspruchsvollen Satz zum Anlaß dienen.

So wird der Leser angesichts der Telefonzellen, die — im dritten Abschnitt — über den Ozean schwimmen, sich kaum mehr fragen, ob er diesen Anblick für möglich halte, oder ihn gar zu Gesicht bekommen habe, und die Entscheidung, ob mit dem Satz »eine Nachricht aus Übersee / wird dich erreichen« eine Erwartung, eine Verheißung oder eine Gewißheit ausgesprochen sei, dem überlassen, der es »wußte«, als er ihm einen Adressaten gab. Die Dreizahl der Telefonzellen mag sich — wie vielleicht auch die Dreizahl der Fische? — auf die drei Geschichten beziehen, deren »Nachricht« nur eine sein mag, kurz: Der im ersten Abschnitt vorgeführten Verknüpfung von Bild und Bedeutung entspricht folgerichtig nach Abschnitt zwei — hier die Demonstration ihrer Beliebigkeit.

»Nun, wie gefällt Ihnen das?« In diesem saloppen Wechsel der Sprechhaltung beweist der Erzähler Souveränität und Konsequenz zugleich: Im neutralisierenden »das« pauschal gefaßt, wird alles Vorgeführte dem Urteil eines unvermutet angeredeten Lesers preisgegeben; unvermutet, doch nicht unvermittelt: Die Sequenz der Geschichten gibt nur der Konsequenz ihrer Vorzeichen »Gestern«, »Heute früh«, »Vorhin«, statt, wenn sie im »Nun« der Anrede auf die Gegenwart des Lesers stößt, die im Futurum der voraufgegangenen Zeile schon übersprungen schien zugunsten eines Nonsensmonologs. Freilich, auch der fiktive Leser überspringt den wirklichen, indes, so scheint's, zu seinen Gunsten: »Bitte bitte, hören Sie auf! —« Das hilft seiner Spontaneität auf die Beine und entlastet von unartikuliertem Mißbehagen. Nicht von ungefähr weist der Gedankenstrich, dem oben dreimal »da wußte ich« folgte, hier auf das augenzwinkernde Sätzchen vor: »Ich glaube / Sie erzählen mir da lauter Geschichten.« Die Gewißheit, daß anderes nicht erzählt sei, könnte sich unterboten finden durch die lächelnde Fiktion »Ich glaube« —, die Erwartung wahrer Geschichten aber, die so leicht für banausisch gilt, sich gleichsam posthum ein Herz fassen. Wie auch immer: Der kleine Satz verwehrt der Scheidung von Geschichten in »wahre« und in »lauter Geschichten«, und nicht nur dieser, die bodenständige Entschiedenheit und erscheint so als Platzhalter jenes Verwunderns, das Geschichten vernehmen könnte, die nichts sind als dieses.

Günter Grass

KIRSCHEN

Wenn die Liebe auf Stelzen
über die Kieswege stochert
und in die Bäume reicht,
möchte ich auch gerne Kirschen
in Kirschen als Kirschen erkennen,

nicht mehr mit Armen zu kurz,
mit Leitern, denen es immer
an einer Sprosse mangelt,
von Fallobst leben, Kompott.

Süß und süßer, fast schwarz;
Amseln träumen so rot —
wer küßt hier wen,
wenn die Liebe
auf Stelzen in Bäume reicht.

Günter Grass*

In meinen Gedichten versuche ich, durch überscharfen Realismus faßbare Gegenstände von aller Ideologie zu befreien, sie auseinander zu nehmen, wieder zusammen zu setzen und in Situationen zu bringen, in denen es schwerfällt, das Gesicht zu bewahren, in denen das Feierliche lachen muß, weil die Leichenträger zu ernste Miene machen, als daß man glauben könnte, sie nehmen Anteil.

Oft kommt mir mein anderer Beruf entgegen und erlaubt, den zu fixierenden Gegenstand von allen Seiten zu zeichnen. Erst dann erfolgt die Niederschrift des Gedichts. Die Aufgabe des Versemachens scheint mir darin zu bestehen, klarzustellen und nicht zu verdunkeln; doch muß man manchmal das Licht ausknipsen, um eine Glühbirne deutlich machen zu können.

* Aus: *Lyrik unserer Zeit. Gedichte und Texte, Daten und Hinweise*. Gesammelt und herausgegeben von Horst Wolff, 1958, Städtische Volksbüchereien Dortmund.

Leonard Forster

KIRSCHEN *Zerstreute Gedanken*

Das ganze Oeuvre von Günter Grass bildet eine Einheit —
eine Einheit die noch nicht abgerundet ist, aber in der alles was
er schreibt seinen Platz hat. Das Koordinatensystem ist noch
nicht sichtbar; man kann also noch nicht wissen, wie die einzelnen Teile zueinander gehören. Aber daß sie in enger Verbundenheit zueinander gehören, so viel ist sicher. Wohin gehört dieses Gedicht? Um was geht es in diesem Gedicht? Es
geht um Kirschen und die Liebe.
Die Liebe geht auf Stelzen über die Kieswege und reicht in die
Bäume nach Kirschen. Kirschbäume, Kieswege; ein gepflegter
Garten. Aber die Kirschbäume stehen hoch; nur auf Stelzen
kann man die Frucht ernten — oder mit Leitern. Aber die Leitern sind defekt; wer auf Leitern vertraut, muß am Ende von
Fallobst leben, von Kompott, von verdorbenen oder gekoch-
ten, zubereiteten Kirschen; an das Natürliche, Frische, Ge-
wachsene kommt er nicht heran. Wer liebt muß auf Stelzen
gehen. Dabei wäre noch zu bedenken, daß in Osteuropa der
Kirschbaum ein häufiges Symbol für ein junges Mädchen ist,
und daß Osteuropa zum unentbehrlichen Hintergrund von
Grass' Werk gehört.
Das wäre ein möglicher Weg zu diesem Gedicht.
Der Kontrast zwischen wachsender und schon gefallener
Frucht, zwischen Kirschen und Fallobst, ist auch im Gedicht
Annabel Lee enthalten:

> Pflückte beim Kirschenpflücken,
> Annabel Lee.
> Wollte nach Fallobst mich bücken,
> lag, vom Vieh schon berochen,
> im Klee lag, von Wespen zerstochen,
> mürbe Annabel Lee.

> Wollte doch vormals und nie
> strecken und beugen das Knie,
> Kirschen nicht pflücken,
> nie mehr mich bücken
> nach Fallobst und Annabel Lee.

Annabel Lee wird oben gesucht und unten gefunden, verdorben, mürbe, zerstochen. Das Gedicht trägt den Untertitel: *Hommage à E. A. Poe*. In Poes Gedicht ist Annabel Lee die gestorbene Geliebte, mit der das Ich, das spricht, immer noch vereinigt ist:

> And neither the angels in heaven above
> Nor the demons down under the sea
> Can ever dissever my soul from the soul
> Of the beautiful Annabel Lee.

Nichts von dieser exaltierten Stimmung bei Grass, sondern Verwesung, Desillusion; sein Gedicht steht in der Tradition der Ophelia-Gedichte von Rimbaud, Heym und Benn, was in der klinischen zweiten Parallelstrophe noch klarer zum Ausdruck kommt. Die Kirschen sind das Gute, aber was man findet ist Fallobst. Der Mensch *ist* gefallen, der Verwesung ausgesetzt. Aus dem Blut der rotweißen *Polnischen Fahne* werden jedoch im Aufbegehren Kirschen deutlich. Irgendwo schließt sich ein Kreis.

Oben im Baum sind die Kirschen, paradiesische Früchte, die die Liebe »in Kirschen als Kirschen« zu erkennen vermag, »süß und süßer, fast schwarz«. Die Liebe reicht mit Stelzen in den Baum, steigt wohl auch von den Stelzen in den Baum; »wer küßt hier wen?« Oben im Baum, der Erde und der Verwesung entrückt, eine paradiesische Liebesszene.

Aber bei Grass steht nichts allein. In seiner Lyrik werden stenogrammartig Bilder gestaltet, die dann in den Romanen weiter ausgeführt werden; auf das Gaswerk, das z. B. im Gedicht *Gasag* für sich allein dazustehen scheint, doch in der *Blechtrommel* zum düsteren Symbol wird, habe ich in anderem Zusammenhang hingewiesen (*Heidelberger Jahrbücher* IX, S. 97 ff.). Was führt aus diesem Gedicht zu den Romanen weiter?

In dem Gedicht steht der Sprechende draußen. Auch er *möchte* gerne »Kirschen in Kirschen als Kirschen erkennen«. Hier wird, so will mir scheinen, die Sprache der Philosophie, speziell der Ontologie, in ähnlicher Weise ironisiert wie die Sprache der Heidegger'schen Philosophie in den *Hundejahren* (1963).

Somit wird der paradiesische, himmlische Zustand, in dem nach allen Erdenwirren man die Dinge mühelos als das erkennt was sie sind, in Frage gestellt. Und die paradiesische Liebesszene? »Wer küßt hier wen?« Keine ganz gewöhnliche Frage. Sie kehrt wieder, in ganz anderem Zusammenhang, mit obszönem Beigeschmack, in den *Hundejahren,* in der großartigen Wiedersehensszene zwischen Walter Matern und Sawatzkis, wenn alle drei im gleichen Bett schlafen, Ingemaus in der Mitte. »So viele Glieder! Wer küßt hier wen? Hast Du — habe ich? Wer mag noch auf Besitz pochen?« (S. 453). Und überhaupt die Kirsche als Symbol! Walter Matern trifft Inge auf der Düsseldorfer Rheinbrücke zum Schützenfest auf den Rheinwiesen. Er hat sich ein Pfund Kirschen gekauft und spuckt die Kerne aus. »Jede Kirsche schreit nach der nächsten. Kirschenessen macht wütend. Wut steigert sich von Kirsche zu Kirsche. Als Jesus die Geldwechsler aus dem Tempel jagte, aß er, bevor er, ein Pfund Kirschen... Wieviel Haß reift mit ihnen oder wird miteingekocht in Weckgläsern? Die sehen nämlich nur so rund aus; in Wirklichkeit sind Kirschen spitze Dreiecke« (S. 541). Und als Inge auf ihn zukommt, spuckt er ihr einen Kern aufs Kleid, zwischen die Brüste.

Und wenn man nun die Kirschen in Kirschen als Kirschen erkannt hat, was sind sie? Die paradiesischen Früchte oder die spitzen Dreiecke? Welche Liebesszene spielt sich da ab? Steht Inge Sawatzki im Baum? Und die rotträumenden Amseln — sollten sie mit Eddi Amsel gar nichts zu tun haben?

Die Sehnsucht in dem Gedicht, die Sehnsucht nach Reinem, Lauterem, das unmittelbar erkannt wird, das so nur durch die Liebe erkannt werden kann, die mit ihren Stelzen die zu kurzen Arme (Oskars Arme?) wettmacht — diese Sehnsucht lebt in dem Gedicht; der Roman hat sie ironisiert, auf niedrigere Ebene heruntergeholt, aber nicht entwertet. Vielleicht kommt sie in einem noch nicht geschriebenen Roman wieder zu Ehren. Aber daß sie ein Grundzug im Werk von Grass ist, so viel dürfte sicher sein.

Ein großes Mondtreffen ist anberaumt worden.
Monde und alles, was mit dem Mond zu tun hat,
werden sich da einstellen.
Mondquellen,
befiederte Monde,
Mondglocken,
weiße Monde mit diamantenem Nabel,
Monde mit Handgriffen aus Elfenbein,
winzige Mondlakaien, die über alles gerne
Polstermöbel mit kochend heißem Wasser begießen,
größenwahnsinnige Rosen,
die sich für einen Mond halten.
Weiße Monde, die schwarze Tränen weinen,
Mondanagramme, die beinahe ausschließlich
aus Anna bestehen
und denen nur einige Gramme
Mond beigefügt wurden.
Ein Mondkonglomerat von silbernen Zweigen,
das sich silbern weiterverzweigt
und an dem Mondfrüchte reifen.
Ein nackter Mond, wie alle Monde nackt,
jedoch mit einem Hut, an dem ein Feigenblatt
befestigt ist.
Altehrwürdige Mondeier
und darunter viele schrecklich verschimmelte
in Sfumatosänften.
Leider ist nicht alles Mond, was Silber ist.
Einige blümerante Unholde sind unter
den freßsäckenden Talmimonden,
die eine Schattenmatte um die andere Schattenmatte,
Riesentränen aus Pech,
und mit gleicher Lust die eigene Brut
verschlingen, verschlingen, verschlingen.
Doppelköpfige Monde,
Monde mit einem Nabel von gewaltiger Brisanz
und was sich darauf reimt wie
Glanz, Kranz, Vakanz, Byzanz, Hans.
Ja, auch Mondfahrer und Mondträumer,
wie ich einer bin,
werden sich zu dem Mondtreffen einstellen.

Hans Arp

EIN GROSSES MONDTREFFEN

Das Unsichtbare zu gestalten, ist sich der Schöpfung zu
nähern.
Ich hoffe, daß es mir geglückt sei, im Gedicht *Mondtreffen* ein
winziges dieses Unsichtbaren zu fassen.
Der Anlaß zu diesem Gedicht ergab sich, als Brigitte Neske
mich fragte, ob ich für ihre geplante Anthologie *Mondbuch*
ein Gedicht auswählen könne. Diese Idee regte mich an, eine
ganze Serie von Gedichten dem Mond zu widmen.
Auch in meiner Bildnerei kommen die Anregungen oder Ent-
schlüsse oft aus einem kleinen Anstoß. Ich bin zum Beispiel gar
nicht unglücklich, daß hin und wieder eine meiner Skulpturen
zerbricht. Unter diesen Bruchstücken sind oft erstaunliche Gebilde, die lebendiger sind als diejenigen, welche durch tage-
langes Hobeln an meinem Gipsmodell entstanden waren.

Fritz Usinger

EIN GROSSES MONDTREFFEN

Ein Mond-Gedicht ... und doch keines. Zwar soll sich bei einem großen Mondtreffen alles einstellen, »was mit dem Mond zu tun hat«. Aber was hat nun alles mit dem Mond zu tun? Es sind Mondquellen, befiederte Monde, Mondglocken, Monde mit diamantenem Nabel, Monde mit Handgriffen aus Elfenbein und vieles andere, also Dinge, die mit dem Mond selbst gar nichts zu tun haben, weil es Dinge sind, die es gar nicht gibt. Es sind noch nicht einmal echte Mondassoziationen, weil sie sich gar nicht an reale Eigenschaften des Mondes anschließen. Denn hat der Mond etwas mit einem diamantenen Nabel zu tun oder mit elfenbeinernen Handgriffen oder gar mit Mondanagrammen oder Mondeiern? Nichts von alledem geht den am Himmel schwebenden Mond unmittelbar an. Er kümmert sich nicht darum. Er weiß davon nichts, und er will auch davon nichts wissen. Selbst wenn ein Dichter, und sei es ein großer Dichter wie Hans Arp, ihm das alles anbietet.
Was sich bei diesem großen Mondtreffen alles einstellt, das sind nicht der Mond und seine Mondbrüder von anderen Planeten, deren es eine Menge gibt, sondern es sind Mond-Wortspiele des Dichters, dichterische Akrobatik-Akte mit dem Wort Mond, deren Kunst gerade in ihrer Gefährlichkeit besteht, in ihrer Kühnheit, sich von ihrem letzten realen Halt möglichst weit zu entfernen, bis an die Grenze des Absturzes, und dann doch zu diesem Halt wieder zurückzukehren, als sei das alles gar nichts Besonderes gewesen, gar nichts Erstaunliches und zu Bewunderndes, wo es doch ein äußerstes Kunststück war.
Hans Arp arbeitet hier ganz frei mit Worten wie etwa ein Jongleur mit brennenden Fackeln. Sein Gedicht ist ein Wort-Akt, bei dem er versucht, wie weit er es mit dem Worte oder den Worten treiben kann. Hans Arp verletzt nie die Syntax des Satzes, er verletzt den Satz nicht und wirft nicht die Worte frei in den Raum. Arp ist kein Sprachzertrümmerer, sondern ein Sprachzauberer. Er beläßt die Worte in ihren Satzzusammenhängen, in ihren Bindungen, sozusagen an ihren Fäden. Er zerreißt diese Fäden nicht. Hans Arp spielt sein gewagtes Spiel, wie gesagt, nicht mit der Syntax, sondern mit dem Wortsinn. Er spielt mit dem Wort-Sinn, mit den Wort-Sinnen, er wirft sie durcheinander, bindet sie wieder in der unvorher-

gesehensten Weise, er jongliert mit den Wortbedeutungen und bekommt dadurch immer andere gleichzeitig in die Hand. Aber stets ist das Wort »Mond« dabei. Es ist das einzige Wort, das repetiert, das immer wiederkehrt, denn darin besteht ja gerade seine Kunst, daß er bei diesem kühnen Spiel alles immer auf das Wort »Mond« zurückbezieht. Es ist also ein Spiel mit dem Wort Mond, das sich himmelweit von dem realen Mond entfernt, das sozusagen gar nicht mehr an ihn denkt, sondern nur noch an das Wort Mond, zu dem immer neue Mit-Gegenstände hinzugeholt werden, um für einen Augenblick in diesem Spiel mitzuspielen. Denn gleich sind sie wieder verschwunden, und nur das Wort Mond bleibt, um in immer neuen Verbindungen, in immer neuen Zusammenhängen aufzutauchen.

Es ist nicht ein Mond-Gedicht im herkömmlichen Sinne, bei dem gewisse Eigenschaften des Mondes von neuem bestätigt werden. Hier ist nichts von Wolkenzug, Lautlosigkeit und Silberlicht zu merken. Auf diese Eigenschaften des Mondes nimmt der Dichter keinerlei Rücksicht. Er schaut gar nicht auf sie hin, er bemerkt sie gar nicht. Er schaut sogar von ihnen weg, ganz woanders hin. Er will gerade von diesen üblichen Mondeigenschaften absehen und ein unmondliches Gedicht machen. Deshalb ist auch dieses große Mondtreffen anberaumt worden, weil sich alles versammeln soll, was nicht unmittelbar auf den Mond Bezug hat. Sagen wir ruhig: der Dichter dichtet, nicht über den Mond, sondern über das Wort Mond. Mit diesem Wort Mond stellt er die tollsten Dinge an, während er den Mond selbst ganz in Ruhe läßt und überhaupt nicht nach ihm hinschaut. Ein Wort-Gedicht also und kein Mond-Gedicht.

Und doch ist es nicht ganz nur ein Wort-Gedicht. Nachdem der Dichter die tollsten Mond-Kapriolen vorgeführt hat und mit einer besonders wilden schloß, indem er auf des Mondes »Nabel-Brisanz« Reimwörter sucht und vorschlägt wie Glanz, Kranz, Vakanz, Byzanz und gar seinen eigenen Vornamen Hans, auch wenn es ein unreiner Reim ist, nachdem der Dichter, wie gesagt, dies alles getan hat, da taucht schließlich in den letzten drei Zeilen auch noch der gute alte Mond mit seinem uralten Mondzauber auf, und es heißt dort:

Ja, auch Mondfahrer und Mondträumer,
wie ich einer bin,
werden sich zu dem Mondtreffen einstellen.

Und das heißt wohl, daß der Mond in seinem stillen Glanz

nicht vergessen ist, daß er wohl unmittelbar nicht gemeint war in diesem Gedicht, aber doch immer noch da ist, und daß ihm die Verehrung nicht entzogen wurde und daß der Dichter ihm eine zarte Liebeserklärung macht als »Mondträumer, wie ich einer bin . . .«. Und diese leisen, ein wenig nebenhin gesagten Worte über den Mond, ganz am Ende des Gedichts, sind ein zärtlicheres Liebesbekenntnis, als wenn der Dichter eine lange Ode an den Mond präsentierte. Und so kann man zum Schlusse sagen, daß dieses Mond-Gedicht Hans Arps ein so schönes Mond-Gedicht ist, weil es eigentlich keines ist.

Peter Rühmkorf

AUF EINE WEISE DES
JOSEPH FREIHERRN VON EICHENDORFF

In meinem Knochenkopfe
da geht ein Kollergang,
der mahlet meine Gedanken
ganz außer Zusammenhang.

Mein Kopf ist voller Romantik,
meine Liebste nicht treu —
Ich treib in den Himmelsatlantik
und lasse Stirnenspreu.

Ach, wär ich der stolze Effendi,
Der Gei- und Tiger hetzt,
wenn der Mond, in statu nascendi,
seine Klinge am Himmel wetzt! —

Ein Jahoo, möcht ich lallen
lieber als intro-vertiert
mit meinen Sütterlin-Krallen
im Kopf herumgerührt.

Ich möcht am liebsten sterben
im Schimmelmonat August —
Was klirren so muntere Scherben
in meiner Bessemer-Brust?!

Peter Rühmkorf

AUF EINE WEISE DES
JOSEPH FREIHERRN VON EICHENDORFF

Also zunächst möchte man fast von gewissen sinnlichen Wahrnehmungen sprechen. Zum Beispiel: ein Tag voll durchtrainierter Jubelchöre, die haben auswendig gelernt, was jetzt wie Innerlichkeit klingt, und sie singen wider die Zeit an zwischen bodenschädigender Streunutzung und induktiv ermitteltem Hiebsatz, geschminkt für die Ampex-Aufnahme und zugunsten des Bockmühlenschutzvereins, und der dann um seine Eindrücke befragt wird, den Mann vorm Fernseher meine ich, der gerade vom automatisierten Lernen herkommt und zu den Gemüsefabriken und Kälbermastboxen auf Kanal 42 übergehn will, der Mann also sagt: »Ich höre überhaupt keine Mühlräder mehr, bei bestem Willen nicht, ich höre nur noch das Lied vom Mühlrad, das möchten sie ewig weiterdrehen, damit möchten sie am liebsten die Zeit zurückdrehen, *Hör ich das Mühlrad gehen . . .*«
Was nicht schon sagen will, daß er so alte rührende Weisen mit etwa unbewegtem Herzen vernähme. Ach, gerade er, wie zieht es ihn doch immer wieder hin zu den Spieluhren der Väter, die ihm von weit her rätselvolle Erkennungsmelodien zutragen, am Ende von wer weiß woher (»Laß rauschen, Lieb, laß rauschen, ich weiß nicht, wie mir wird«), und wie oft will es ihm nicht scheinen, daß er bei den Versen lieber Abgeschiedener eher unter seinesgleichen wäre als hier im Regelkreis von sogenannten Zeitgenossen. Da stellt er schon gern einmal ein Ohr nach hinten: Hier bist Du aufgehoben, mein Lieber, hier laß Dich ein. Da gibt es friedlose Gedanken, die den Weg nach vorn nicht finden, Verfinsterungen des Gemütes, denen keine Perspektive blüht, und denen jede zeitentrückte Sterbensstrophe recht kommt, in ihr den eigenen Jammer zu begraben. Da kann man ihn schon einmal sich zurücksehen sehen — wohin? — es müssen ja nicht immer just die sagenhaften Frühstücke sein, deren Gehalt schon Väter und Vatersväter zu loben wußten, aber in die Gemeinschaft jener *Alten* zieht es ihn schon gern, mit denen einmal ein böses Leiden neu in die Welt kam, das heißt: *Ich weiß nicht, was soll es bedeuten — Ich weiß nicht, was ich will.*
Schade nur, daß er selbst in solch erlesenem Kreise seines ex-

quisiten Kummers nicht recht froh werden kann. Will sagen, er hat seine Rechnung ohne die Gäste gemacht. Will sagen, wohin es ihn verlangt, da sind schon andere da, und wo er meint, nur ausgesuchte Geister zu zitieren, beschwört er unversehens den ganzen zeitgenössischen Schattenreigen mit herauf: Die Tonangeber der Stillhaltegesellschaft, die auf das Herkommen verweisen wie auf einen Scheck für die Zukunft; die Ideologen der Traditionsverbände, die unentwegt lebendige Vergangenheit dekretieren; die Restaurationsbetriebe, landeseigen oder auf Bundesebene, wie sie den Ruhestand mehren; die Kulturkreisstrategen der Firma Erbe & Auftrag; den Krisenschnelldienst mit der Gypsdüte; die Veränderungsunlust mit der Kulturkarte; den wehmütig hinter sich blickenden Zivilisationskater; den neuro-mantischen Rückwärtsgang; das sentimentalische Falsett Die-Macht-des-Gesanges; den halben bürgerlichen Besitzstand schließlich, und nicht nur Sangesbrüder, nicht nur Zitatenklopfer, nicht nur fraglos geschwellte Kehlen, sondern alles, was hinter dem Ächten her ist wie der Teufel hinter der armen Seele und noch beim Altwarenhändler um Substanz ansteht, dies also mischt sich plötzlich ins Gespräch und bläst seinen schiefen Ton und pfeift seine falsche Melodie, und — ob er will oder nicht — auch diese Stimmen gehen ihm nicht mehr aus dem Kopf.

Wie sieht es aus in dem Kopf, und was geht darin vor? In diesem Kopf geht etwa folgendes vor: Zum einen, da hatte sich etwas drehen wollen nach alter Väter Weise. Vereinzelte Gedanken … die kennen wir jetzt. Bekümmerungen eines empfindsamen Gemütes … der Fall ist auch schon bekannt. Zum andern aber — und dies Rad beginnt sich nun in dem Maße zu beschleunigen, wie die große Rückwärtsbewegung an Einfluß gewinnt — kommt oben etwas in Schwung, bewegt sich etwas mit Macht im Uhrzeigersinn, was besagtem Rücktrieb sich widersetzt. Das ist der Synchronisator, von dem wir zu Beginn ja schon andeutungsweise gesprochen haben, und der die verstellte Zeit wieder zu entstellen sucht. Ein Revisionsapparat, der fortlaufend Unstimmigkeiten ermittelt, den Stein der Weisen abklopft und fraglos Hingenommenes ins Fraglose überführt. Eine Gespensterzentrifuge sozusagen, in der die Geister sich scheiden, die alt ehrenwerten und der reaktionäre Spuk von heut. Schließlich, ja, so können wir es wohl nennen, ein Expropriationsgerät, denn daß es pp Eigentumsansprüche bestreitet, ist seine nobelste Aufgabe, und daß es geistigen Grundbesitz unter den Hammer bringt, seine erste Funktion, passen Sie auf: schon sucht es sich einen Vorwurf, schon richtet sich sein Interesse auf *eine Weise des Joseph Freiherrn von* …

Allerdings kommen wir hier nun an einen springenden Punkt unserer Diskussion. Springend schon deshalb, weil er uns selbst im nachhinein noch aus den Fängen hüpfen möchte, und wenn wir eben noch, schön überschaubar, zwei widerstrebende Bewegungen in einer Brust zur Kenntnis nahmen, ach, aus ist es plötzlich mit der Übersichtlichkeit, wo gedachtes Zwierad sich wirklich in Gang setzt, und wo die bloße Berührung mit der Poesie die edlen Absichten aus ihrer geraden Bahn bringt. Da sehen wir den kunstsinnigen Attentäter nämlich höchstpersönlich ins Räderwerk geraten. Da sehen wir ihn, angezogen einerseits, zum andern abgestoßen, am Ende zwischen seinen zerstückelten Neigungen umheririren. Oder: er hatte ein Exempel statuieren wollen von dem, was Rechtens nicht mehr zu halten ist, und nun ist es der herrenlos gewordene Hausstand, der über *ihn* hereinbricht. Da hatte einer gerade noch den Fortschritt an seine Sohlen geheftet, prompt mit dem Eintritt in das Medium der Poesie stockt ihm der Fuß, versteint der Schritt, und jede noch so geringe Hoffnung auf Veränderung verwickelt unwiderruflich sich in Papier. Oder der eben noch der Wahrheit des Kunstwerks auf die Spur kommen wollte, dem schlägt jetzt eine Wahrheit ins Gesicht, die Blendwerk heißt, und aufgescheuchter Spuk findet zielsicher den Weg aufs Dach des Exorzisten. Da rumort es nun herum und kann keinen Frieden finden und will nicht Ruhe geben: Du hast auf den grundlosen Grund Dich eingelassen, mein Lieber, jetzt ist Dir die Wurst an die Nase gehext, das Rad in den Schädel gefahren, sieh nur zu, wie Du es da wieder zum Stehen bringst.

Verwünscht! sagt unser Freund, der faule Zauber der Kunst! Hätte ich mich darauf nur gar nicht erst eingelassen. Allein, was hilft es mir jetzt noch viel, wenn ich mich in Hoffart zu fassen suche. Was nützt es mir schon, wenn ich weiter auf meine einschlägigen Talente poche und aus dieser Zwickmühle doch nicht herauskomme, und in seiner Not — weil auch Entzauberung ihn plötzlich eine Kunst deucht, und nicht die schlichteste —, ruft er, zurückhaltend zunächst, dann aber dringender und am Ende lauthals nach einer Person, die (tja, wie soll man's sagen, ohne sie gleich wieder zu verscheuchen) Solidität nicht gerade zu ihren stärksten Seiten rechnen darf. Mithin es handelt sich um einen gewissen Tausendkünstler. Ärger, wir haben es hier mit einer Art von Halbbruder zu tun, der sich mal Schau-, mal Bei-, dann wieder Falsch- oder auch Taschen- oder Flötenspieler nennt, und von dem sich allmählich herumgesprochen hat, daß er zu ordentlichen Arbeiten nur schlecht zu gebrauchen ist. Trotzdem werden ihm auf bestimmten Grenzgebieten auch wieder Fähigkeiten nachgesagt, die nicht schon jedem eignen, Grund, seine Berufung an dieser Stelle vielleicht ein bißchen verständlicher erscheinen zu lassen.

Verwunderlich nur, daß die Person sich diesmal nicht lange bitten läßt. Der Gerechtigkeit halber müssen wir nämlich zugeben, daß man sie sonst nur selten zur Hilfe, öfter zur Raison rief. Auch waren es meist gerade ihre Halbgeschwister, die sich die Erinnerung an die ungerade Verwandtschaft verbaten. Und wie sich der Luftikus nun unversehens an den Unfallort zitiert sieht, geschieht es füglich nicht ganz ohne Mokerie und Schadenfreude, daß er sich nach dem Wohlergehen der gestrauchelten Ehrenmänner erkundigt, zum Beispiel: unseres lieben Herrn Gerichtsvollziehers. Ach, geht die trübe Antwort, der habe sich zwar vor gar nicht langer Zeit noch sehr wacker in delikatesten Eigentumsstreiten hervorgetan, nun mache es aber den Eindruck, als ob er selbst das Opfer einer Besitzentflechtung geworden. Aha, und der tugendreiche Bruder Fortschreiter, der doch die Zukunft auswendig hersagen und jede Veränderung der Verhältnisse im voraus bestimmen könne? Mit dem stehe es leider auch nicht zum besten. Dem sei, kaum daß er den Teufelsgrund der Poesie betreten, sein eigenes Zauberwort in der Kehle steckengeblieben, und da töne es nun unentwegt, ihm selber unverständlich: Variation-Variation. Verflixt, aber dann am Ende vielleicht noch ein Wort zu ihm selber, approbiertem Maskenlüfter und Bewußtseinsheber. Wie denn dem überhaupt so etwas habe passieren können, und ob er etwa bei vollem Bewußtsein in sein Unglück gestolpert sei? Und hier muß sich der Bruder Leichtfuß nun folgende jammervolle Melodie anhören:

Zunächst einmal, von seinen leidigen Haupt-Geschäften solle besser gar nicht mehr gesprochen werden. Im Gegenteil, die hätten ihn ja eigentlich erst hineingebracht in diese Zwickmühle. Bei denen liege die Schuld des sage und schreibe laufenden Dilemmas, und — wenn er's recht überlege — nein, nicht ans Vaterland, ans teure, und auch nicht an die Gesellschaft, die mißgeratne, aber den Anschluß an die Welt müsse sein Kopf schon wieder finden. Anschluß! das wäre nämlich sehr viel mehr als dies ganze fadenziehende Bemühen um Wahrheit und Unterschied. Beteiligung! so heiße das liebe Erlösungswort jenseits von Erkenntnismehl und Kopfzerbrechen. Und eher noch möchte er meinen, daß er am Ende der Welt ein Ende der richtigen Welt zu fassen kriege, als hier, wo ein Gedanke immer wieder nur den andern in die Mangel nähme.

In die richtige Welt? meint da sein Bruder Taschenspieler —

der sich im übrigen gern Schauspieler, also auch Interpret und Übersetzer zu nennen beliebt — dahin will ich Dich gern versetzen. Da kenne ich nämlich Reiche, unschuldig unermeßliche, wo noch alles mit rechten Dingen zugeht. Da weiß ich von Ländern, allgemein natürlichen, wo die Wahrheit nicht ständig kopfstehen muß und auch so Wünsche wie die Deinen noch eine Zukunft sehen. Von einem Dschinnistan kann ich Dir Kunde geben, einem Dorado nachgerade für Männer, deren Köpfe noch Hand und Fuß haben. Und — ob Du es glaubst oder nicht — die *fremden Pfade,* auf denen ich Dich geleite, sind Dir so bekannt wie Deine Hosentasche (des alten Matrosenanzugs), und jenes zackichte Gebirgsmassiv am Horizont (an die fünfundsechzig moosgrüne Bücherrücken, *I reckon*), sag, weißer Bruder, ob es Dich dorthin ...

Aber nein, darauf ein wenig nörglig der Zurechtgewiesne. Das habe er so natürlich auch wieder nicht gemeint. Da sehe er die natürlichen Grenzen natürlich auch schon von sich aus. Im Eigentlichen allerdings — und hier beginnt sich seine Stimme zu heben, als gelte es einen abstürzenden Gedanken wieder hochzuziehen — im Eigentlichen! treibe es ihn gar nicht einmal so hoch und weit hinaus, vielmehr sehr tief hinab, und wenn der Urwald — ach du grüne Unschuld! — denn ein für allemal abgeschrieben sei, da wünsche er sich die Wildnis eben zurück in die eigne Brust.

Nichts leichter als das, der andere. In diesen Zustand versetze er ihn sozusagen auf der Stelle. Zwar nicht mit Haut und Haaren, wie man wohl annehmen könne. Zwar nicht ganz wirklich und wahrhaftig, wie man sich denken mag. Schließlich: wir müssen doch auf dem Teppich bleiben, der für uns Papier heißt. Immerhin, wo es nun einmal auf Vergleiche hinausläuft, da werde ich einen akzeptablen für Dich schon noch herausschlagen, und das Gefild, in das ich Dich entführe, eine Etage tiefer, einige Jahre älter, einige Länder und Meere weiter, einige Bücherstapel zuvor: Du kennst es wohl, und auch die Haut, in die es Dich so sehr verlangt, ist schneller gefunden, als Du sie herbeiwünschst.

Alter Papier-Midas! Alter Maskenschneider! — Das heißt, jetzt hat er seinen Klienten aber doch ganz schön in Rage gebracht, und der möchte denn auch nichts mehr von ihm wissen. Schlimmer, der möchte überhaupt von nichts mehr wissen. Der hat nämlich einfach genug davon, all seine ernst gemeinten Hoffnungen und Dränge in Papier aufgehen zu sehn. Der möchte all die trostlosen Trostbücher zugeschlagen wissen auf ewig und immerdar. Der möchte — Schluß mit diesem elenden Drehwurm! — auch keine Papiermühle mehr rappeln hören anstelle jener anderen grund- und bodenlosen. Und weil er es gründlich satt hat, statt seiner wild zerrissenen Gedanken irrwitzige Bilder, und weil er es leid ist, statt wortloser Widersprüche nun beredte Vergleiche, und weil es ihm über ist, statt auseinanderstrebender Ideen kaum bessere Reime vorgesetzt zu kriegen, sagt er, das müsse jetzt endlich ein Ende finden, und er habe schließlich noch einen dritten und letzten Wunsch, und der laute . . .

Das könnte Dir wohl so passen, fährt ihm der andere in die Parade. Zunächst auf mein Spiel Dich einlassen und es plötzlich ernst meinen wollen, aber so einfach entkommst Du mir nicht. Denn Du bist mir nun einmal auf den Leim gegangen. Denn Du bist mir nun einmal ins Gedicht gegangen. Und das letzte Wort hier habe ich. Und das allerletzte Wort habe auch ich nicht mal. Denn das letzte Wort kann hier keiner behalten. Weil Gedichte nichts für abschließende Wörter sind. Die kommen von irgendwoher und die ziehen irgendwohin. Die haben keinen richtigen Anfang und nehmen auch kein richtiges Ende. Und daß Du hier Dein richtiges Ende nicht findest, wäre fast eine Lektion für den Schluß.

Dieter E. Zimmer

AUF EINE WEISE DES
JOSEPH FREIHERRN VON EICHENDORFF

Nicht nur ein und ein viertel akzeleriertes Jahrhundert trennt den Freiherrn Joseph Karl Benedikt von Eichendorff von Peter Rühmkorf. Auch was beider geistigen Habitus anbelangt, so ist Gegensätzlicheres schwerlich vorstellbar. Der eine ein frommer Katholik, jeden Morgen geht er zur Messe, der ein harmonisches Ineinander von Glauben, Liebe, Poesie anstrebt; der andere mit allen Zweifeln seiner Epoche geschlagen und zumindest was den Glauben angeht längst jenseits des Zweifels. Der eine ein Kind der freien Natur und ein Dichter der Weite, auch in der Großstadt, die er nicht vermeiden kann, umgibt er sich zum Trost gerne mit kleinen Tieren; der andere unverkennbar ein Mann der Großstadt, vor noch nicht so allzu ferner Zeit wäre er als »Asphaltliterat« denunziert worden. Dem einen geht die Begeisterung, die ihn über das laue Philistertum hinausheben soll, über alles; der andere hat das Mißtrauen gegen alle hehren Aufschwünge der Seele zu seinem Lebens- und Stilprinzip gemacht. Wo der eine »Ehrfurcht« und »Reinheit« gesagt hätte, redet der andere, eher ein Nachfahr Heines, der Respektlosigkeit und Skepsis und Gebrochenheit das Wort.
Der eine ein Klassiker geworden, ein Lesebuchautor, eine Autorität und, nicht zuletzt dank der Musik, die Robert Schumann und Hugo Wolf zu seinen Worten gesetzt haben, ein ferner, schmerzlich schöner, auch noch den Antipoden betörender Klang; der andere einer, der sich dem nicht einfach zu entziehen willens ist, sondern die Notwendigkeit verspürt, sich dazu nun irgendwie zu verhalten, damit irgend etwas anzufangen: die Herausforderung anzunehmen.
Es wäre indessen grundfalsch, Peter Rühmkorf die Absicht zu unterstellen, er wolle mit seiner Variation *auf eine Weise des Joseph Freiherrn von Eichendorff* den illustren Dichtervorfahr lächerlich machen — oder, in anderen seiner Verse, Brockes oder Hölderlin oder Klopstock oder Claudius. Obwohl er den Begriff Parodie im Hinblick auf diese seine Kontrafakturen selber nicht verschmäht, fehlt ihnen doch das wichtigste Merkmal der eigentlichen Parodie: sich im Bezug zu ihrem Objekt zu erschöpfen. Der Zweck richtiger Parodie ist die Polemik:

Ein Vorbild soll mit seinen eigenen Mitteln geschlagen werden, und zwar gewöhnlich durch Übertreibung einzelner Züge. Rühmkorfs wahrer Gegenstand dagegen ist nicht ein bestimmtes Gedicht von Eichendorff, es ist nicht Eichendorff überhaupt und auch nicht das, was unter dem Begriff romantischer Poesie zusammengefaßt wird — es ist das Bewußtsein von Peter Rühmkorf. Indem es sich an dem einen und anderen Vorbild mißt, sich in Vergleich setzt zur Überlieferung, auf ihre Appelle reagiert, versucht es, sich selbst zu definieren. Sich selbst auszudrücken durch die Feststellung nicht dessen, was man ist, sondern dessen, was man nicht ist, was man nicht mehr sein kann, was man sich zu sein verbieten muß — das ist hier und in anderen Versen Rühmkorfs Methode.

Für belangloses privates Geplänkel wird das nur halten, wer wohl den lyrischen Schmerz über eine verlassene Geliebte für echt und ernst und literaturwürdig halten kann, nicht aber den Schmerz über den Verlust der Selbstverständlichkeit der Sprache (einen Schmerz, der sich, seinem Prinzip zufolge, niemals als solcher etikettieren würde), nicht die Erfahrung der Relativität des Stils und der sich in ihm bekundenden Lebensform.

Wie nun verfährt Rühmkorf? Indem die äußere Form des Originals bewahrt und einige seiner Formulierungen entweder zitiert oder durchschaubar variiert werden, klingt dieses in Rühmkorfs Gegengedicht sozusagen mit, ist in ihm mittelbar — als Vergleichsbasis — vorhanden. Welche Eichendorffsche Weise hier gemeint ist, liegt zutage: Es ist *Das zerbrochene Ringlein*, das, in der Vertonung von Glück und dem Satz von Silcher von Schul- und Männerchören zu Tode gesungen, anhebt: »In einem kühlen Grunde ...« Nicht so offenkundig dürfte es sein, daß Eichendorff selber in diesem seinem Lied nicht nur allgemeine Volksliedmotive aufgriff, nicht nur allgemein den Volksliedton zu treffen bemüht war, sondern daß *In einem kühlen Grunde* ... eine Variation auf ein ganz bestimmtes Volkslied darstellt. Es steht in *Des Knaben Wunderhorn*, heißt *Müllers Abschied*, und seine zweite mittlere Strophe lautet:

> Da unten in jenem Tale
> Da treibt das Wasser ein Rad,
> Das treibet nichts als Liebe
> Vom Abend bis wieder an Tag;
> Das Rad, das ist gebrochen,
> Die Liebe, die hat ein End,
> Und wenn zwei Liebende scheiden,
> Sie reichen einander die Händ.

Eichendorff hat die »Handlung«, die diese Ballade erzählt, nicht unwesentlich geändert: Das Volkslied spricht von eines Müllers Liebe zu einem schönen adeligen Fräulein, einer Liebe, der die Unterschiede des Standes entgegenstehen, von dem resignierenden Abschied des Müllers. Diese sozialen Implikationen hat Eichendorff getilgt, wie er auch anderes Konkrete (Namen) beseitigt hat; er hat die metrischen Unebenheiten geglättet, er hat das Motiv so weit stilisiert, daß ein Gedicht übriggeblieben ist, welches den reinen, den zeit- und ortlosen Schmerz dessen zum Schwingen bringen will, dem die Geliebte die Treue gebrochen hat, dem darüber die Welt fremd geworden und der Wille durcheinandergeraten ist.

Formal folgt Rühmkorfs Gegengesang dem aufs genaueste: das gleiche Metrum, die gleiche Reimstellung, der gleiche Strophenbau, die gleiche Strophenzahl. Aber schon äußerlich nimmt sich Rühmkorfs Kunststück viel nervöser aus: Statt der blockartigen Zeilen des Vorbildes gibt es Enjambements und statt Eichendorffs ruhiger und schlichter Reime solche höchst ausgefallener und gar nicht klangvoller Art (-antik, -endi, -etzt).

Daß ein so unfeierlicher und spottlustiger Mann wie Rühmkorf das nicht gehaltene Eheversprechen einer Mehlmüllerstochter für einen recht abstrusen lyrischen Anlaß halten muß, liegt auf der Hand. Von diesen Akzidenzien ist in seiner Umdichtung denn auch nichts übriggeblieben — kein kühler Grund, keine Müllerin, kein märchenhafterweise gesprungener Ring. Das alles ist abgeschafft, um Raum zu geben für die Auseinandersetzung mit der Gemütsverfassung, die dort in jenem kühlen Grunde laut wurde.

Ja — und wie hat man sich das nun vorzustellen: Wem erteilt Rühmkorf das Wort? Ist er selber es, ein eifriger Leser auch Eichendorffs, dem der Kopf voller Romantik steckt und der sich davon befreien will? Oder läßt er Eichendorff sprechen — einen Eichendorff, der sich überlebt hätte und hundertdreißig Jahre später Abstand von sich nähme? Eindeutig ist es nicht auszumachen; aber die Pointe besteht vielleicht gerade darin, daß es auch nicht nötig ist, sich auf das eine oder andere festzulegen. Wichtig ist nur der Vorgang der Brechung an sich, dieses Rencontre zweier Bewußtseinslagen, wobei die spätere die ältere in Anführungsstriche setzt, mit Fragezeichen versieht und widerlegt, und das — es sei wiederholt — nicht hochmütig und selbstgewiß in kritisch-polemischer Absicht, sondern in einem Versuch, zu sich selbst zu kommen, indem der Riß, das dissonante Verhältnis zur Tradition, artikuliert wird.

Eichendorffs wehmütig-idyllische Bilder (die Wassermühle, der reisende Spielmann, das Lagerfeuer in dunkler Nacht), die wohl schon zu seiner Zeit mehr einem rückgewandten Wunschdenken als irgendeiner konkreten Erfahrung entsprangen, werden durch moderne ersetzt: Die Lagerfeuerromantik wird von jenseits Karl Mays aus gesehen (der Effendi »unter Geiern« — eigentlich ergäbe sich »Geigern« — und Tigern), der trauliche Mond als eine am Himmel sich bedrohlich wetzende Klinge, die Brust als eine Bessemerbirne (das Bild allerdings führt nicht weit, denn daß in der »Brust« metaphorischer »Stahl« erzeugt werde, wird der der Labilität aller Verhältnisse so bewußte Rühmkorf gewiß nicht behaupten wollen). Vor allem aber wird das romantische Lebensgefühl ausdrücklich angesprochen: Es stellt sich hier nun nicht mehr als ein Absolutes dar, sondern als eine Möglichkeit unter vielen, und zwar eine fragwürdige Möglichkeit, als der konfuse »Koller« eines »Knochenkopfes« (gemeint ist bestimmt nicht der »verknöcherte« Kopf, sondern das anatomische Faktum), der sich gehen und treiben läßt in ein Vages, Weites, Kosmisches, dabei die irdischen Realien aus dem Blick verliert (»Ich treib in den Himmelsatlantik«) und seinen Schmerz doch als Poesie genießt (»muntere Scherben«). Letzteres tut zwar auch der Gegensänger, aber er ist sich dessen aufs klarste bewußt.

Die für meine Begriffe schwächste Strophe dabei ist die vorletzte, nicht nur ihrer etwas verworrenen Syntax wegen, sondern weil die Stichelei gegen Eichendorffs Handschrift (die übrigens keine krallige Sütterlin war: die wurde erst 1915 eingeführt) unter dem Niveau des Gedichtes bleibt und die Swift-Allusion (Jahoo) in einer Auseinandersetzung mit der Romantik reichlich unvermittelt erscheint, obwohl ihr hier programmatischer Wert zukommt: Dem romantischen Ich, welches sich und seine Gefühle so wichtig nimmt, daß ihm die ganze Welt und auch der Krieg zur Staffage gerät, setzt Rühmkorf des Misanthropen Swift erbärmlichen Jahoo gegenüber.

Es ist nicht auszudenken, wie Rühmkorfs Gegengesänge in abermals hundertfünfundzwanzig Jahren gelesen werden: wenn der Abstand zwischen Gesang und Gegengesang zusammengeschrumpft ist und die Bessemerbirne so antiquiert wirkt wie heute das Mühlrad. Das aber braucht Rühmkorfs Angelegenheit nicht zu sein.

Max Bense

MEIN Standpunkt und der Kirschbaum oder die Wegfahrt
und der Überblick
oder die Handhabe und das Fortbleiben oder Josef K. und der
Vormärz
oder die Polizei und das dritte Fenster oder ein Horizont und
das
zerrissene Blatt oder der Duft und der Anflug das Verwelkte
und das Schiff
oder das Unerwartete und das Wort oder die Zärtlichkeit und
das Gehn
oder das Lesebuch und das Selbst oder die Nachwelt und Paris
oder das
ermüdete Sein und noch ein Händedruck oder irgendwo und
Niemand

Max Bense

MEIN STANDPUNKT
Ein experimenteller Text

Voraussetzungen: Die Voraussetzung dieses Textes ist ein
ebenso poetisches wie wissenschaftliches Interesse am Umgang
mit Literatur und an der bewußten Erzeugung ›ästhetischer
Zustände‹ in Wortmengen. Kein Erlebnis, keine Stimmung,
kein besonderes Gefühl, keine Wiedergabe außersprachlicher
Erfahrungen, keine Assoziationen, kein lyrisches Ich; wohl
aber extremes intellektuelles Vergnügen meines denkenden Ich
an der methodischen, also kontrollierbaren Selektion bestimmter Wörter und ihrer Zusammenhänge.

Methode: Der Text ist also kein Gelegenheitstext. Er fiel nicht
unmittelbar ein. Er war beabsichtigt und verdankt seine Entstehung einer experimentellen, keiner intuitiven Schreibweise.
Er gehört zu einer Reihe sprachlicher Versuche, deren Ziel darin bestand, aus einer vorgegebenen Menge von Wörtern oder
Texten, lineare Mengen von Wörtern derart zu selektieren
und zusammenzustellen, daß ein ›Sprachprodukt‹ entstand,
das noch als apperzipierbarer, d. h. identifizierbarer Text,
Teiltext oder Textschliff aufgefaßt werden konnte. Das Re-
pertoire der Selektion, die, was die Substantive und Adjektive
anbetrifft, stochastisch, also über Zufallszahlen vorgenommen
wurde, bestand in rund 1200 Wörtern der Literaturbeilage
einer Tageszeitung mittlerer Auflage. Das Personalpronom
ergab sich ebenfalls zufällig. Artikel und Verknüpfungsparti-
kel wurden vorgegeben. Der Plan der Anordnung der selektierten und vorgegebenen Wörter nach einem inhaltlichen Ge-
sichtspunkt wurde versuchsweise dem gewonnenen Material
entnommen. Die mittlere Silbenzahl der Wörter des Repertoires hatte den Wert 1,788, die mittlere Entropie gemessen
über den Silbenzahlen der Wörter der vorgegebenen Texte des
Repertoires lag bei (—) 0,451. Da der Text primär als ›materia-
ler‹ Text aufzufassen ist, erstreckt sich die Analyse zunächst
auf seinen materialen Bau, also auf die statistische Gliederung
der elementaren Materialien. Die Interpretation bezieht sich
aber darüber hinaus auf die Tatsache, daß diese Materialien,
da sie Wörter sind, auch Bedeutungsträger darstellen. Dem-
entsprechend setzt also die Interpretation auch noch eine
semiotische Analyse voraus, durch die jene Zeichencharaktere

des Textes sichtbar werden, die, in dem Maße wie die statistische Gliederung den ›ästhetischen Zustand‹ determiniert, die Bedeutungsklassen festlegen und den Übergang aus der sprachlichen ›Eigenwelt‹ des Textes in seine nichtsprachliche ›Außenwelt‹ ermöglichen.

Statistik des Materials: Der Text *Mein Standpunkt* . . . besteht aus 83 Wörtern. Davon sind 28 Wörter Substantive, 26 Konjunktionen, 23 Artikel, 3 Adjektive, 2 Adverbien, 1 Pronomen. 33 Wörter haben einen außersprachlichen Bezug (›mots de signification‹), 50 Wörter haben eine rein innersprachliche Funktion (›mots de structure‹). 47 Wörter sind Einsilber, 23 Zweisilber, 10 Dreisilber, 2 Viersilber und ein Wort ist Fünfsilber. Daraus ergeben sich die Fucksschen statistischen ›Stilcharakteristiken‹ der ›mittleren Silbenzahl‹ und ›mittleren Textentropie‹ von $z = 1{,}639$ und $H = 0{,}4674$ dit. Das Rechnungsschema für die Ermittlung dieser Werte sieht folgendermaßen aus:

z	n	$p = n/N$	z.p	$H = -pldp$
1	47	0,566	0,566	0,4648
2	23	0,277	0,554	0,5130
3	10	0,121	0,363	0,3687
4	2	0,024	0,096	0,1291
5	1	0,012	0,060	0,0766

$N = 83$ $S = 1$ $z = 1{,}639$ $H = 1{,}5522$ $= 0{,}4674$ dit

Der maximale Wert der Silbenentropie ist
$H_{Max} = ld5 = 2{,}322$ bit.
Daraus ergibt sich der relative H-Wert mit
$H_{Rel} = H/HMax = 0{,}6641$ bit.
Der Redundanz-Wert ist danach
$R = 1 - HRD = 0{,}3359$ bit

3 von 83 Wörtern sind ›deformiert‹ (nach grammatischen Regeln verändert). Der ›Deformationsgrad‹ liegt also bei rund 2,8 %.

Semiotik des Textes: Zur semiotischen Analyse verwenden wir die triadische Zeichenklassifikation, die Charles S. Peirce eingeführt hat. Wir gliedern in ein-, zwei- und mehrstellige Zeichenbildungen und berücksichtigen ferner die Aufteilung eines Zeichens nach ›Mittel‹, ›Objektbezug‹ und ›Interpretantenbezug‹.

Als ›Mittel‹ ist jedes Wort ein Einzelzeichen und zwar ein ›Legizeichen‹. Im ›Mittelbezug‹ besteht also der Text aus 83 einzelnen ›Legizeichen‹.

Im ›Objektbezug‹ dieser Zeichen, in dem ›Symbole‹, ›Icone‹ und ›Indices‹ unterschieden werden, gibt es zunächst 26 einwortige ›Symbole‹ (Substantive, außer den Eigennamen), 3 einwortige ›Icone‹ (Adjektive) und 50 einwortige ›Indices‹ (Eigennamen, Artikel, Konjunktionen, Pronomen).

Dann sind

21 zweiwortige ›Icone‹ (wie »Mein Standpunkt«, »die Polizei«)

4 dreiwortige ›Icone‹ (wie »das dritte Fenster«, »irgendwo und Niemand«)

2 vierwortige ›Icone‹ (»Josef K. und der Vormärz«, »die Nachwelt und Paris«)

8 fünfwortige ›Icone‹ (wie »Mein Standpunkt und der Kirschbaum«)

2 sechswortige ›Icone‹ (wie »ein Horizont und das zerrissene Blatt«)

1 siebenwortiges ›Icon‹ (»das ermüdete Sein und noch ein Händedruck«)

und

11 mehr als siebenstellige ›Icone‹ (die mit der Konjunktion »oder« gebildeten Verknüpfungen)

abzählbar.

Man erkennt weiterhin zwei Haupt-Teil-Icone des Textes. Das erste zwischen den Wörtern »Mein ...« und »Anflug« und das zweite zwischen »das ...« und »Niemand«. Der Text, der aus diesen iconisch aufgebauten ›Haupt-Teil-Iconen‹ zusammengesetzt ist, bildet also als Ganzes ein ›Supericon‹. Ersichtlich werden niederstellige ›Icone‹ zu höherstelligen ›Iconen‹ ›superisiert‹. Der Text hat eine ›iconische‹ Struktur; er ist ornamental angelegt mit einem zweiwortigen ›Icon‹ als Element. Der hervorstechende Zeichenprozeß ist die ›Superisation‹ über der ›Adjunktion‹ von immer reicher werdenden ›Iconen‹.

Im ›Interpretantenbezug‹ seiner triadischen Zeichenrelation bedeutet dieser strukturelle iconische Aufbau, daß der Text durch und durch ›rhematisch‹ gebaut ist, also nie eine ›dicentische‹ Bedeutung, den Charakter einer ›Aussage‹, die behauptet werden könnte, gewinnt. ›Rhematische‹ Redeweisen sind kennzeichnend für eine ›lyrische Sprache‹, ›dicentische‹ für eine ›epische‹. Offenbar simuliert also der ›Text‹ stärker eine ›lyrische‹ als eine ›epische‹ Sprache.

Obwohl der Text durch das erste Wort »Mein« und durch das letzte Wort »Niemand« eine gewisse inhaltliche Anordnung und Abgeschlossenheit erreicht, bleibt er als Ganzes ein ›Rhema‹, also ›offen‹. Er fungiert wie ein einzelnes Wort, das ja auch als ›Rhema‹ angesehen wird. Der Text ist zwar nicht der ›Behauptung‹, wohl aber der ›Ergänzung‹ fähig, d. h. er kann wie ein Wort in neue ›Zusammenhänge‹ eingefügt werden. Setzt man z. B. vor »Mein Standpunkt« die Formulierung »Dies ist« und hinter »Niemand‹ die Wörter »wird das verkennen«, so wird der Text tatsächlich abgeschlossen und gewinnt den Charakter eines der Behauptung fähigen ›Dicents‹.

Texttopologie: Gleichwohl ist der Text nicht als ›offener Text‹ und nicht als ›diskreter Text‹ anzusehen. Er ist nicht ›diskret‹, weil er mit ›Metaindices‹, die sich wie »und« und »oder« auf vorangehende und nachfolgende Wörter bzw. Wortfolgen beziehen, durchsetzt ist, so daß also nicht von einer statistischen Unabhängigkeit der Wörter untereinander gesprochen werden kann. Doch kann von zwei ›Randwörtern‹ gesprochen werden, von »Mein« und von »Niemand«, also von einem ersten und einem letzten Wort, die sogar in einem bestimmten inhaltlichen Verhältnis zueinander stehen, so daß von einer gewissen Abgeschlossenheit durchaus die Rede sein kann. Im ›Inneren‹ ist der Text nicht geordnet, was die Folge der selektierten Substantive anbetrifft. Unabhängig von der freien Wahlfolge der Substantive ist der Text jedoch durch grammatisch-syntaktische Regeln einerseits und durch die strukturelle Superisation der ›Icone‹ andererseits durchaus determiniert und geordnet, wenn es natürlich auch keine Regel in der Adjunktiierung der ›inneren Icone‹ gibt. Als ein ›Icon‹ ist der Text in seinen ›Teiliconen‹ im texttopologischen Sinne ›zusammenhängend‹. Herausgehobene ›Teilicone‹ haben mindestens eine Konjunktion gemeinsam. Der dem Text zugrundeliegende ›Textraum‹ besteht also aus einer offenen Menge von sogenannten ›Nominalphrasen‹ wie »Mein Standpunkt«, »das dritte Fenster«, »irgendwo und Niemand« usw., die aber durch die Konjunktionen einen ›Zusammenhang‹ bilden, so daß der meinem Text zugrundeliegende Textraum dennoch als nicht trennbar betrachtet werden darf.

Semantik des Textes: Die Semantik des Textes, die im ›Interpretantenbezug‹ seiner Zeichen erscheint, wird durch die ›rhematische‹ Natur derselben bestimmt. »Mein« ist das erste und »Niemand« ist das letzte dieser ›Rhemata‹. Dazwischen eine beliebige Folge von ›Rhemata‹ in der Form von Nominalphrasen, die zu immer komplexer werdenden ›Rhemata‹ superisiert werden. Man kann sagen: »Mein« und »Niemand« sind in diesem Text ›rhematisch‹ konfrontiert. Deutlicher wird diese Konfrontierung, wenn man als erstes ›Rhema‹ die Phrase

»Mein Standpunkt« und als letztes ›Rhema‹ die Phrase »irgendwo und Niemand« nimmt. Es tritt dann die inhaltliche, phänomenologische oder ontologische Differenz zutage, die durch das Arrangement der selektierten Wörter zwischen dem ersten und dem letzten Wort hervorgerufen wurde.

Phänomenologie: Phänomenologisch könnte man die Menge der Nominalphrasen, der ›Icone‹ oder ›Rhemata‹ als Menge der ›daseinszufälligen Merkmale‹ eines ›intentionalen Objektes‹ auffassen, die ›eingeklammert‹ werden müssen, um dieses ›intentionale Objekt‹ zu gewinnen. Die im Prinzip fortsetzbaren Ausdrücke, die »Mein Standpunkt« nachfolgen, bedeuten zunächst nur ›daseinszufällige Merkmale‹ des »Standpunktes«. »Irgendwo« transzendieren diese ›daseinszufälligen Merkmale‹ im gleichen Sinne, wie »Niemand« das subjektive Bewußtsein, das »Mein« dessen, der den »Standpunkt« hat, übersteigt. Als das intentionale Objekt des Textes würde sich in dieser phänomenologischen Interpretation der ›Rhemata‹ nur ein schreibendes und redendes, rhapsodisches ›Ich‹ ergeben, dessen ›Text‹ als objektives Gebilde gänzlich von seiner Subjektivität losgelöst ist, gewissermaßen nur die Fiktion eines persönlichen Autors darstellt.

Die Ästhetik des Textes: Der ›ästhetische Zustand‹ des Textes ist — wie in jedem Falle eines künstlerischen Objektes — primär ein Zustand der Materialien, eine ›materiale Eigenschaft‹, die durch die Gliederung, Verteilung, Auswahl und Anordnung der ›Mittel‹ hervorgerufen wird und demgemäß in der mathematischen Ästhetik numerisch durch das Verhältnis der ›Ordnung‹ (der Materialien) zu ihrer ›Komplexität‹ bestimmbar ist.

Im vorliegenden Falle wird die ›Ordnung‹ durch den Wert der bereits ermittelten ›Redundanz‹ und die ›Komplexität‹ durch den Wert der ebenfalls bereits ermittelten ›Entropie‹ des Textes in erster Näherung errechenbar. Nach Einsetzung unserer Werte ergibt sich für die Maßzahl des ›ästhetischen Zustandes‹:

$$M_{\ddot{a}} = O/C = R/H = 0,3359/0,6641 = 0,2164.$$

Das ist natürlich eine Verhältniszahl, die letztlich nur einen inhaltlichen Sinn bekommen würde, wenn man sie mit der Maßzahl entsprechend anderer Textgestalten über dem gleichen Material, mit ausgewechselten ›mots de signification‹ vergleichen würde, was hier nicht geschehen soll. Man bemerkt aber eine relative Höhe des Wertes der ›Redundanz‹, die aus dem hohen Symmetriegehalt des Textes (etwa bezüglich der ›Icone‹) folgt.

Die ›Unwahrscheinlichkeit der Ordnung‹, die das Wesentliche des ›ästhetischen Zustandes‹ in jedem Falle ausmacht, liegt ebenfalls in der hohen Symmetrie der ›Icone‹ bzw. in der symmetrischen Anordnung der elementaren ›Icone‹ zu ›Super-iconen‹. Daß die beiden ›Haupticone‹ numerisch verschieden sind, wie die Auszählung der Wörter von »Mein« bis »Anflug« und von »das« bis »Niemand« sofort ergibt, ist als materiale Störung aufzufassen, die ein zusätzliches Überraschungsmoment und damit eine zusätzliche ›ästhetische Information‹ darstellt.

Daß der Text, hinsichtlich seiner Kommunikationsfähigkeit betrachtet, nur mit ›rhematischen‹ Ausdrücken arbeitet und als Ganzes ein ›Rhema‹ ist, ohne zugleich schon Metapher zu sein, erhöht ebenfalls die ›Unwahrscheinlichkeit‹, denn im allgemeinen werden solche Ausdrücke sehr schnell zu kommunikativ leichter zugänglichen Metaphern.

Im allgemeinen ist ein ›Rhema‹ ein ›ungesättigter‹, ›offener‹ sprachlicher Ausdruck. Doch da dieser Text durch das erste Wort »Mein« und das letzte Wort »Niemand« eine gewisse inhaltliche Geschlossenheit erreicht, ist er nicht als ›gesättigter‹, ›abgeschlossener‹ Ausdruck anzusehen. Er fungiert in dieser Hinsicht semiotisch wie ein einzelnes Wort, das als solches im ›Interpretantenbezug‹ ja auch ›rhematischen‹ Charakter besitzt.

In der ›mittleren Silbenzahl‹ und in der ›Textentropie‹ sind überraschenderweise die Abweichungen von der ›Standardver-teilung für die deutsche Sprache‹ (z = 1,634 H = 0,456), die Fucks gemessen hat, relativ gering.

Das Verhältnis der ›mots de structure‹ zu den ›mots de signifi-cation‹ ist indessen beträchtlich zugunsten der ersteren ver-schoben. Desgleichen weicht der ›Deformationsgrad‹ beträcht-lich vom normalen ab.

Ersichtlich beruht der »ästhetische Zustand« dieses Textes auf einer »Mikroästhetik«, die nicht wie eine »Makroästhetik« unmittelbar wahrnehmbar wird, sondern nur methodisch er-kennbar ist.

Abschluß: Der Text kann insofern als ›Textschliff‹ bezeichnet werden, als er das strukturelle (semantische und ästhetische) Skelett eines möglichen Textes darstellt, zu dem der vorlie-gende erweitert werden könnte. Denkt man dabei an eine Er-weiterung in dem Sinne, daß man die Nominalphrasen zu Aussagen werden läßt und damit die ›rhematische‹ Redeweise zu einer ›dicentischen‹ macht, dann geht man dabei von der ›poetischen‹ zur ›epischen‹ Sprache über. Unter diesem Aspekt erscheint im Rahmen meines Textes die ›Poesie‹ als ›Dünn-schliff‹ einer möglichen ›Prosa‹[1].

[1] Literatur:
M. Bense, *Theorie der Texte*, Köln 1963.
W. Fucks, *Mathematische Analyse von Sprachelementen, Sprachstil und Sprachen*, Köln 1955.
Ch. S. Peirce, *Über Zeichen*, Serie ›rot‹, Nr. 20. Stuttgart 1965, ed. von E. Walther.

Reinhard Döhl

MEIN STANDPUNKT

I

Der vorliegende Text Max Benses ist den 1961 erschienenen *Bestandteilen des Vorüber*[1] und dort der ersten von drei als ›Dünnschliffe‹ bezeichneten Textgruppen entnommen. Eine vorangestellte »Definition«[2] lautet:

»DÜNNSCHLIFFE dienen der Bequemlichkeit der Erkenntnis, wenn die Materialien der Erfahrung noch im Zustand der Vermischung seriell oder stochastisch, wahrnehmbar und unvergeßlich bleiben sollen (Mineralstil).«

Eine weitergehende Erläuterung der ›Dünnschliffe‹ als einer ›Schreibweise‹ gibt Max Bense in den *Modellen*[3]:

»Es kennzeichnet die bisherigen Verfahren des Schreibens, daß man von Worten zu Sätzen, von Sätzen zu Zeilen, von Zeilen zu Perioden, Abschnitten, Passagen, Kapiteln etc. übergeht und auf diese Weise vom Element zum Text gelangt. Das Schreiben entwickelt sich dabei als methodische Hinzufügung bzw. Adjunktion. Die Texte sind ADJUNKTIERTE TEXTE. Das Schreiben als methodische Zerlegung bzw. Substraktion kommt vom Text zum Element. Es ist eine Konsequenz statistischer und topologischer Textauffassungen. Es geht von einem makroästhetisch hergestellten oder vorgefundenen Text aus und gewinnt daraus zerkleinernd ein abstraktes, konkretes, materiales oder intentionales kleinstes einheitliches Stück, das das statistisch oder intentional wesentliche strukturelle Element, eine ästhetische oder semantische Zelle, wie man sagen muß, aufzeigt. Solche mikroästhetischen Textstücke, zu deren Hervorbringung ebensoviel Methode wie Intuition der

---

[1] Die *Bestandteile des Vorüber* stellen — sieht man von vereinzelten Veröffentlichungen im *augenblick* (z.B. *Montage Gertrude Stein*, in *augenblick* Jg.3, 1958, H.5, S.42 f.; *Dünnschliffe*, in: *augenblick* Jg.4, 1960, S. 14 ff.; u.a.) und der 1960 publizierten *grignan-serie* (*grignan-serie. Beschreibung einer Landschaft.* = rot 1. Stuttgart 1960) ab — die erste umfangreiche Textpublikation Max Benses vor, nachdem er von 1954 bis 1960 mit seinen *aesthetica* seine Überlegungen zu einer Informationsästhetik in einem ersten Entwurf vorgelegt hatte (*aesthetica I.* Stuttgart 1954; *aesthetica II–IV: Ästhetische Information / Ästhetik und Zivilisation. Theorie der ästhetischen Kommunikation / Programmierung des Schönen. Allgemeine Texttheorie und Textästhetik.* Baden-Baden und Krefeld 1956–60; *aesthetica I–IV.* Baden-Baden und Krefeld 1956).

[2] *Bestandteile des Vorüber*, S. 9.

[3] *Modelle.* = rot 6. o.O. [Stuttgart] o.J. [1961].

Auffindung gehört, sind echte minimale statistische Formen einer SEPARIERENDEN SCHREIBWEISE, die im Gegensatz zur adjunktierenden steht und deren Ergebnisse wir DÜNNSCHLIFFE nennen.«

Schließlich spricht Max Bense im Kapitel ›Textsorten‹ seiner *Theorie der Texte*[4] von ›Textschliffen und Textstücken‹, damit die ursprünglich der Mineralogie[5] entnommene Bezeichnung eindeutig auf den Bereich der Sprache, des Textes ummünzend:

»Eine Periode, ein Kapitel, ein Vers, eine Zeile usw. sind typische Textstücke im Sinne makro-textlicher Bestandteile. Der Textschliff (abgeleitet von Dünnschliff, gewissermaßen die erweiterte Form dieses von mir gebrauchten Begriffs) ist ein Textstück, in dem die strukturellen und semantischen oder nur die einen oder die anderen wesentlichen Momente eines (erweitert oder komplettiert zu denkenden) Textes in maximaler syntaktischer oder semantischer Verdichtung sichtbar werden. Es handelt sich beim Textschliff gewissermaßen um den (im materialen Sinne) vorgenommenen linguistischen Dünnschliff eines Textes zu einem mikroästhetischen Textstück ... Textschliffe sind somit auch reduzierte Texte, die jedoch noch andere Klassifikationsmerkmale wie semantisch oder nicht semantisch, prädikativ oder mechanisch, konstruktiv oder automatisch zeigen müssen.«

II

Beim folgenden Interpretationsversuch[6] können wir sogleich festhalten, daß sich der ausgewählte ›Dünnschliff‹ durch nichts auszeichnet, was man traditionell von einem »Gedicht« erwartet (z. B. Vers, Strophe, Reim usw.).

An keiner Stelle des Textes begegnet ein vollständiger Satz, vielmehr besteht der ›Dünnschliff‹, wenn wir »irgendwo« als

---

[4] *Theorie der Texte. Eine Einführung in neuere Auffassungen und Methoden.* Köln, Berlin 1962, S. 137.

[5] Dünnschliffe: dünne Plättchen von Mineralien oder Gesteinen zur mikroskop. Untersuchung. Sie sind, bei meist etwa 0,02 bis 0,04 mm Dicke, mit Ausnahme von Erzeinschlüssen, durchsichtig. Zu ihrer Herstellung wird ein etwa 2 cm großer Mineral- oder Gesteinsscherben mit gröberem Caborundpulver und Wasser oder Öl auf einer Stahlplatte, dann mit immer feinerem Caborund auf Glasplatten angeschliffen und mit Hilfe von Kanadabalsam mit der Schlifffläche auf ein etwa 2 x 4 cm² großes Glasplättchen (Objektträger) gekittet. Darauf schleift man den Scherben bis auf die übliche Dicke ab und deckt ihn mit Kanadabalsam und einem dünnen Deckglas zu. (Zit. nach: *Der Große Brockhaus.* Wiesbaden ¹⁶1953).

[6] Bei dem zur Verfügung stehenden, gering bemessenen Raum müssen wir uns im Folgenden auf eine ansatzweise Interpretation beschränken, die, überdies gekürzt, vieles nur andeuten kann und manches zur Hypothese verkürzt erscheinen läßt, was einer ausführlicheren Erörterung bedürfte.

substantivisch gebraucht unterstellen, aus einer Reihung von 28 mit »und« oder »oder« verknüpften Substantiven. Formal durch die Struktur dieser Reihung charakterisiert, bleibt bei Prosasatz und fehlender Interpunktion jedoch offen, wie der Text genau zu lesen ist. Zwei Möglichkeiten vor allem bieten sich an:

1) MEIN Standpunkt und der Kirschbaum / oder / die Wegfahrt und der Überblick / oder / die Handhabe und das Fortbleiben / oder / Josef K. und der Vormärz / oder / die Polizei und das dritte Fenster / oder / ein Horizont und das zerrissene Blatt / oder / der Duft und der Anflug // das Verwelkte und das Schiff / oder / das Unerwartete und das Wort / oder / die Zärtlichkeit und das Gehn / oder / das Lesebuch und das Selbst / oder / die Nachwelt und Paris / oder / das ermüdete Sein und noch ein Händedruck / oder / irgendwo und Niemand.

2) MEIN Standpunkt / und / der Kirschbaum oder die Wegfahrt / und / der Überblick oder die Handhabe / und / das Fortbleiben oder Josef K. / und / der Vormärz oder die Polizei / und / das dritte Fenster oder ein Horizont / und / das zerrissene Blatt oder der Duft / und / der Anflug // das Verwelkte / und / das Schiff oder das Unerwartete / und / das Wort oder die Zärtlichkeit / und / das Gehn oder das Lesebuch / und / das Selbst oder die Nachwelt / und / Paris oder das ermüdete Sein / und / noch ein Händedruck oder irgendwo / und / Niemand.

In beiden Fällen scheint, bedingt durch das erwartete aber nicht gesetzte »oder«, in der Mitte eine Zäsur vorzuliegen. Dann ergibt sich als weitere Lesemöglichkeit gleichsam das Umschlagen der Lesemöglichkeit 2 in die Lesemöglichkeit 1:

3) MEIN Standpunkt / und / der Kirschbaum oder die Wegfahrt / und / ... / und / das zerrissene Blatt oder der Duft / und / der Anflug // das Verwelkte und das Schiff / oder / das Unerwartete und das Wort / oder / ... / oder / irgendwo und Niemand.

Dennoch ist, wie die Gesamtstruktur, auch diese Zäsur nicht eindeutig, da man auch ohne Zäsur lesen kann:

1) ... / oder / ein Horizont und das zerrissene Blatt / oder / der Duft und [der Anflug das Verwelkte und das Schiff] / oder / das Unerwartete und das Wort ...

2) . . . / und / das zerrissene Blatt oder der Duft / und / [der Anflug das Verwelkte und das Schiff] oder das Unerwartete / und / das Wort oder die Zärtlichkeit . . .

Eine Aufzählung von drei Substantiven (»der Anflug das Verwelkte und das Schiff«) ist jedenfalls im Kontext kaum weniger überraschend als eine plötzlich genaue Angabe (»das dritte Fenster«) oder der zweimalige Zusatz detaillierender Adjektive (»das zerrissene Blatt«, »das ermüdete Sein«).

III
Eine andere Möglichkeit, den Text anzugehen, bietet die Untersuchung eventueller Bedeutungszusammenhänge. Die Struktur des Textes läßt als Vermutung zu, daß die durch »und« und »oder« verknüpften Substantive zu größeren Bedeutungsfeldern zusammentreten. Aber lassen sich z. B. »MEIN Standpunkt und der Kirschbaum«, »die Wegfahrt und der Überblick«, »das dritte Fenster oder ein Horizont«, »das zerrissene Blatt oder der Duft und der Anflug das Verwelkte« im jeweiligen Zusammenhang, wenn auch oft sehr freizügig, dennoch sinnvoll interpretieren, so ist »Josef K. und der Vormärz oder die Polizei« bereits nur noch auf den etwas allgemeinen Nenner der (anonymen) Gewalt zu bringen. Bei einer Vielzahl anderer Teilkontexte (als Beispiel: »das Lesebuch und das Selbst«) wäre jede versuchte Interpretation gewaltsam. Ferner: gehen z. B. »die Polizei und das dritte Fenster« und »das dritte Fenster oder ein Horizont« jeweils gut zusammen, würde »die Polizei und das dritte Fenster oder ein Horizont« semantisch unsinnig sein. Natürlich haben wir es hier — bei sinnvollen Teilkontexten — nicht mit Unsinnspoesie zu tun. Dem widerspricht auch, daß man — faßt man den Gesamttext ins Auge — einzelne Wörter über ihre jeweiligen Nachbarschaften hinaus gewissen Themenbereichen zuordnen kann. So gehören »die Wegfahrt«, »das Fortbleiben«, (»das dritte Fenster«), (»ein Horizont«), (»das zerrissene Blatt«), »das Schiff«, (»das Wort«), »das Gehn«, (»die Nachwelt«), »noch ein Händedruck« direkt (oder indirekt) in den Themenbereich des Abschieds, der Trennung. »MEIN Standpunkt«, »der Überblick«, »das dritte Fenster«, »ein Horizont«, »irgendwo« skizzieren einen weiteren Themenbereich; ebenfalls: »der Kirschbaum«, »das zerrissene Blatt«, »der Duft«, »das Verwelkte«. Das »zerrissene Blatt« läßt sich allerdings auch als zerrissenes Stück Papier verstehen und würde dann in einen Zusammenhang mit »das Wort«, »das Lesebuch« gehören, dem man auch »Josef K.« (als Romanfigur) zuordnen könnte.

Wie die Struktur des Textes läßt sich also auch sein Inhalt nicht eindeutig fassen. Aber: wie die Struktur des Textes nicht zufällig und willkürlich ist, vielmehr außerordentlich streng ordnet, so besteht auch der Text nicht aus einer willkürlichen und zufälligen Reihung unzusammenhängender, im Kontext sinnloser Einzelwörter. Er wird vielmehr zusammengehalten durch mehrere über die einzelnen Teilkontexte hinausgreifende, miteinander thematisch verschränkte, wenn auch oft undeutliche Bedeutungsfelder, die gewisse Themen allgemein anspielen, ohne daß diese im einzelnen durchgeführt würden: das Thema der Trennung, der Vergänglichkeit, der (anonymen) Gewalt usw. Man könnte vielleicht sagen, daß diese Themen gleichsam unreflektiert an der Oberfläche bleiben, im Zustand des Vorbewußten, hinter dem sich allerdings eine fraglos pessimistische Tendenz verbirgt. Ansatz und Schluß des Textes verstärken diese an den angespielten Themen ablesbare Tendenz, wenn »MEIN Standpunkt« schließlich zu »irgendwo und Niemand« aufgelöst, wenn »Standpunkt« ins »irgendwo« verallgemeinert und das Subjekt dieses Standpunktes (»MEIN«) durch »Niemand« aufgehoben wird. »Mein Standpunkt« und »irgendwo und Niemand« umfassen so als dritte Klammer den — wie wir gezeigt haben — durch seine grammatikalisch-syntaktische Struktur wie die verschränkten Bedeutungsfelder in sich zusammengehaltenen Text.

Es bedarf kaum der Erwähnung, daß in der Formulierung »MEIN Standpunkt« kein lyrisches, kein in Bildern reflektierendes Ich eingeführt wird. Das hier stichwortartig angespielte Ich rekapituliert lediglich Wörter, bringt Wörter in einen grammatikalisch-syntaktischen Zusammenhang. Die von uns beobachteten Bedeutungsfelder ergeben sich also aus den Konstellationen der von diesem Ich rekapitulierten Wörter, den ihnen traditionell zugewiesenen Bedeutungen aber auch Gefühlsgehalten, bei »Josef K.« gar in der Andeutung ganzer Romaninhalte; und sie ergeben sich auch aus den bedeutungssteuernden Funktionen der gewählten grammatikalisch-syntaktischen Struktur.

IV

Wir zitierten eingangs, daß ein ›Dünnschliff‹ als Reduktion eines komplettiert zu denkenden Textstückes aufzufassen sei, indem der Autor aus diesem die ihm wesentlichen Momente subtrahiere. Es scheint müßig, da unergiebig, für den vorliegenden Text den zugrunde liegenden Textraum exakt rekonstruieren zu wollen. Dennoch halten wir zwei Überlegungen abschließend für nicht uninteressant. Ein Blick auf das aufgewendete Vokabular zeigt, daß fraglos kein »Gedicht« zugrunde gelegen hat. Denkt man bei »Handhabe«, »Polizei« etwa an einen Polizeibericht, einen Kriminalfall, bei »Josef K.« an eine Buchbesprechung, einen literaturkritischen Essay, bei »Paris« an einen Reisebericht, bei den lyrischen Bestandteilen vielleicht an das Gedicht einer Sonntagsbeilage, könnte der zugrunde liegende Textraum sehr wohl der einer Tageszeitung sein, aus dem die verwendeten Wörter als »Bausteine« ausgewählt worden wären. Dabei hätte das wählende Ich seine Wörter fraglos nicht nur blind, zufällig gewählt[7], sondern gemäß seiner Erfahrung (»MEIN Standpunkt«). Wir erinnern hier an die obengegebene »Definition« der ›Dünnschliffe‹: »wenn die Materialien der Erfahrung noch im Zustand der Vermischung, seriell oder stochastisch, wahrnehmbar und unvergeßlich bleiben sollen.« Denken wir uns die im vorliegenden Text vorgefundenen Materialien mit anderen Wörtern zu Sätzen und damit zu Aussagen »entmischt«, hätten wir es mit einem oder mehreren Prosasätzen zum Transport von Gedanken, Werturteilen, Lebensweisheiten usw. zu tun, die etwa die Themen der Trennung, der Vergänglichkeit, der (anonymen) Gewalt beträfen. Es ist nun bemerkenswert, daß die essayistische Prosa Max Benses eine deutliche Tendenz zur aphoristischen Formulierung hat; und wir halten, ohne es hier aus Raumgründen weiter ausführen zu können, für wahrscheinlich, daß bei den in Max Benses literarischen Arbeiten immer wieder begegnenden ›Dünnschliffen‹[8] eine vergleichsweise ähnliche Tendenz vorliegt. Weniger Gedichte, scheinen sie uns eher so etwas wie reduzierte Aphorismen. Dann würde »MEIN Standpunkt« die Subjektivität eines Urteils meinen und nicht ein lyrisches Ich. Die strenge grammatikalisch-syntaktische Struktur wäre weniger eine moderne Entsprechung syntaktischer Sonderformen wie Metrum, Rhythmus und Reim, vielmehr eine formale Entsprechung der oft stark rhetorischen

[7] In diesem Zusammenhang aufschlußreich ist die Tatsache, daß bereits die Dadaisten Tageszeitungen als Textquelle ausgewertet haben. So notiert Hans Arp: »Öfters bestimmte ich auch mit geschlossenen Augen Wörter und Sätze in den Zeitungen, indem ich sie mit Bleistift anstrich ... Ich schlang und flocht leicht und improvisierend Wörter und Sätze um die aus der Zeitung gewählten Wörter und Sätze ...« (*Gesammelte Gedichte I.* Wiesbaden 1963, S. 46). Und Kurt Schwitters schreibt im *Selbstbestimmungsrecht für Künstler*: Die Merzdichtung ist abstrakt. Sie verwendet analog der Merzmalerei als gegebene Teile fertige Sätze aus Zeitungen, Plakaten, Katalogen, Gesprächen usw., mit und ohne Abänderungen ...« (*Anna Blume. Dichtungen.* = Die Silbergäule 39–40. Hannover 1919, S. 37).
[8] So in: *Vielleicht zunächst wirklich nur. Monolog der Terry Jo im Mercey Hospital.* = rot 11. Stuttgart 1963. — *Die präzisen Vergnügen. Versuche und Modelle.* Wiesbaden 1964. u. a.

Form des Aphorismus. Die abschließende Phrase »irgendwo und Niemand« ließe sich mit der durch Überspitzung gewonnenen (oft witzigen) Schlußpointe eines Aphorismus vergleichen. Auch sähen wir dann in dem Zusammentreten der ausgewählten Wörter zu (oft unscharf abgegrenzten) Bedeutungsfeldern kaum die für das »Lyrische« behauptete »Unschärfe der gegenständlichen Konturen und Sachverhalte zugunsten eines wirksamen Eigenlebens von Klang und Rhythmus der Sprache«,[9] mehr schon eine Parallele der im Aphorismus möglichen unmittelbar zusammenhanglosen Nebeneinandersetzung von Gedankensplittern. Das Subjektive, das Überspitzte, der Anspruch auf Allgemeingültigkeit des Aphorismus fordern vom Leser die eigene Auseinandersetzung. Uns scheint, daß auch die ›Dünnschliffe‹ eine solche Auseinandersetzung fordern, indem sie dem Leser keinen eindeutig fixierten Inhalt, keine bestimmte lyrische Stimmung vermitteln, vielmehr die »Materialien der Erfahrung noch im Zustand der Vermischung« vorweisen. Zwischen ihnen und einem »komplettiert zu denkenden«, zugrunde liegenden Text klafft gewissermaßen eine Leerstelle, in die der Leser eintreten muß, um die vorgefundenen »Materialien der Erfahrung« aus dem Zustand der »Vermischung« herauszuführen, sie mit seiner bzw. in seine Erfahrung zu »entmischen«[10]. Das aber kann ihm der Interpret nicht abnehmen.

[9] Gero von Wilpert, *Sachwörterbuch der Literatur*. Stuttgart 1955, S. 332. Vgl. dazu auch Wolfgang Kayser, *Das Sprachliche Kunstwerk* und Emil Staiger, *Grundbegriffe der Poetik*.
[10] Auf eine interessante Parallele in der bildenden Kunst können wir hier nur hinweisen: die Technik und das ästhetische Problem der Decollage. Vgl. dazu auch: Max Bense, *Köhlers Dekollagen*. In: *augenblick*, Jg. 4, 1959, H. 1, S. 1 f.

Helmut Heißenbüttel

RÜCKSPRACHE IN GEBUNDENER REDE

wenn denn in diesem ich des Unauffindbarn Spiegel
Entferntes spiegelnd Spiegelflucht Innerens Siegel
Verlassenheit von Heimwegwind durchtränkt versetzt
mit schweigenderer Stummheit schließlicher verletzt
des Wegseins Echo Stimme murmelnde Echo
der Jahre und des Ohrs sag ja sag nein Echo
ich geh in mir herum ein Zeichen sind wir fallend
oval gekrümmt Lackspur ins Ungehörte lallend
ein aufgeschwemmt dunkel und feucht glänzender Fleck
Erinnerung imaginär löschend und weg
geblendet wenig Farbe ausgetuscht querab
geschwemmter Schwerpunkt wieder abgeknickter Stab
von Spiegel überspült rücklings aufblickend untergründig Welt wenn anders Welt invers stumm Wunder
ins Eingebildete gestanzte Allegorie
meinselbst Allegorie wie ohne Fabel wie
eines Phantasten Phantasie der war da si-
multan auf vielsprachigem Grund Allegorie
Photo photovertraut Grundwolke meiner steckt
aufeinundineinander mundlos stumm Prospekt
durchscheinend abends immer Weg zusammen mit
dem spiegelzweiten Silberufer meinselbdritt
Orion entgegen nach Haus entfremdet Weg
Staffage Emotion Auftrumpfendens Beleg
des wieder wieder Halluzination und geil
nach jeder Sensation der Neuerscheinung weil

Helmut Heißenbüttel

RÜCKSPRACHE IN GEBUNDENER REDE

Materialien zu einer Rekonstruktion
Es ist vielleicht am einfachsten, ich erzähle, wie es »wirklich war«. Schon bei *Textbuch I* und *3* hatte ich jeweils einen kurzen Vorspann aus älteren Einzelgedichten zusammengestellt. Bei der Arbeit an *Textbuch 4* suchte ich nun nach einer noch ausgreifenderen Dokumentation von Vorstufen, von Vorstufen vor allem, die in ihrer Entstehung zurückreichten bis an eine Grenze, hinter der es keine Möglichkeit der Dokumentation mehr gab. Es waren dann schließlich drei Gedichte, die ich hier noch einmal wörtlich mitteilen möchte. Das älteste erschien in der Anthologie *Deutsche Gedichte der Gegenwart* (1954).

FREMD 1951
I
Über die spiegelnden Straßen gegangen
Ist und die stolzen quadernen Blöcke
Der graue Mäher. Mit lautlosen Fäusten
Zerpflückt er die Gärten
Zu staubigen Wüsten und Heimwehäckern.
('Littérature engagée' ist auch nur eine Buffodevise
Aus Bedürfnis nach Publikum,
Nicht bloß die paar Intellektuellen.)
Von toten Vögeln bekränzt war und schrecklich und
Aschenfleckig die explodierende Blüte der Schönheit.
Im Schütteltisch bewegt sich geblendet die Spreu.
(O Kominform und U. N. O.
N. S. Sowjetska Ökumene Caux!)
Und die parteiklimatisch entmündigten Söhne,
Später verletzter mißtrauischer,
Haben Heimweh nach der Partei ihrer Väter.
O Kominform und U. N. O.
N. S. Sowjetska Ökumene Caux!

FREMD FREMD FREMD FREMD.
II
Über die spiegelnden Straßen gegangen
Ist und die stolzen quadernen Blöcke

Der eisengraue Wind der Zeit.
Staubige Wüsten und Heimwehäcker.
Kälte. Unruhe. Nieankommen.
(O Sehnsucht nach Nebenmann, Dogma, Befehl.)
Eisschollenstandort und Absprungängste.
Spielkartenexistenz und Existenzgleichgültigkeit.
(O Kominform und U. N. O.
N. S. Sowjetska Ökumene Caux!)
Vor der greifenden Hand schnellen die Früchte auf.
Unter dem einfallenden Vogel biegt sich der Ast weg.
Und der Wind wechselt mit dem Segel.

FREMD FREMD FREMD FREMD.
III
Des weißen Zimmers unbekannte Botschaft.
Ein Schatten blickt sich um.
Ein leeres Fenster. Himmel gegenüber
Hat Straßen. Sonne mischt
Oktoberbrand mit Nebelweiden.
Das goldene Ufer und die goldenen Segel.
ERINNERUNG (Erinnerung macht traurig und gemein.
        O Dort- und NIEDAGEWESENSEIN!)
Vergeßne Morgende und Patina der Frühe.
Schräglichtpassagen. Schlote
Im Abend. Hoch durch leere Himmel
Gespannte Brückenrisse. Sprünge
Im Glas der Mondnacht. Fremd.
FREMD. Ein im falschen Beruf Beschäftigter.
Galiani in Neapel. Chronisch Exilierter. Regen
(hängend) eine gläserne Gardine.
Die Silhouette eines Januarnachmittags. Nicht wahr.
ERINNERUNG. Erinnerung an eine Heimat, die ich nie
Besaß. Geil nach der Sensation der Neuerscheinungen.
Zerplatzend in den Lichtkaskaden
Geschwenkter Spiegel.

FREMD FREMD FREMD FREMD.
IV
Erinnerungen wandern Ruinen entlang.
Lied eines anderen. Herbstnachtalleingehgang.
Im Schrei der Fußballplätze und der Bombennächte
Gerinnt das strangulierte
Subjekt zur Phrase eines Rundfunksprechers.
Mondlandschaft rollender Panzerkolonnen
Befleckt die Photos der Erinnerung. Tapetenmuster

Herbstregen der Großstadtstraßen:
Schlagzeug der Melancholie.
Lautlose Verzauberung eines Kinogesichts.
Die Hüften der Traumbeischläferinnen
Hängen wie Wolken in den Tag. Und abends immer geht
Der Weg zusammen mit dem spiegelzweiten
Silberufer Orion entgegen.

V
Fremdlinge und Verdächtige,
Platzsucher wenn die Nacht kommt,
Lügen wir uns durch
In Mietskasernen und Wartesälen,
In Landhäusern und Arrestlokalen,
In Mönchszellen, Puffs und Ehebetten.

Das zweite Gedicht (in: *Kombinationen*, 1964) lautet:

BEISPIELSWEISE
T. S. Eliots COCKTAILPARTY
(der liebe Gott als Psychoanalytiker)
oder THE RAKES PROGRESS von Igor Strawinsky
(Belcanto als Atonalität)
oder Thomas Mann ERWÄHLTER —

Hörst du nicht die Spinnen kreisen
um das Herz den toten Stein?
Singend ihre Zauberweisen
singen sie und singens ein.
Fremdfühler Phase II Verfremder
Verführer und sich selbst Verführende
Heimwehzyniker
Handhaber von Durchsteckverfahren Glanzlichtspezia-
                        listen und Spiegeljongleure

LA CHAIR EST TRISTE HÉLAS ein Kinderhimmel
spannt sich vergessen über Märchenland.
Geballter Vögel kreiselndes Gewimmel
fleckt das Changeant des Abends Unbekannt.

O grünes Blau TRAUMBLAU Blaugold und Purpurgrün.
Vermischung von Ruinenfeldern und Traumlandschaften.
Hintertreppenromanen und griechischen Mythen.
Jazz und Cimarosa.

Eines alten Mannes Lächeln ist der Mensch.
Eine böse Gutmütigkeit

und eine satte Unerreichbarkeit.
Zwischen Spiegelkatarakten und Baukastenstraßen
ein HINUNDHER.

Immer derselbe Weg
STEPHANSPLATZ JUNGFERNSTIEG BALLIN-
DAMM.
Mantelvertraut.
SO EINS MIT MIR ALS WIE MEIN EIGNES HAAR
Echo-Ich Raum-Ich Facetten-Ich.
Ich geh in mir herum.

DIE WELT IST ENDLICH.

Das dritte Gedicht (*Sinn und Form*, 1956, H. 4) lautet:

UHLENHORSTER FÄHRHAUS

Abendgold reitende Wolkenhorden.
Parkuferstaffage und schwarzes Gegenlichtgrün.
Dekoration. Fassung. (Fassung um was?)

Der arme Werther 1951: Mann
in mittlerem Alter: den Hut gerade und
wie betrunken über die Stirn gestülpt (Zukunft
rauscht: ein weißgestrichenes Fährschiff ihm
entgegen)
erfindet sich aus dem traurigen Geruch geteerter Bohlen
und
dem ersten Gesang der Drossel
ERINNERUNG.

Zwischen Windrippen die wie
Frostschauer über die Wasserfläche laufen:
zerplatzen Blasen die ein in der Tiefe
lebendes Tier aufstört: ERINNERUNG.

Erinnerungsdinge. Allegorien ohne Fabel. Allegorien
seiner selbst (ein Zeichen sind wir). Ach
und eine Stimme spricht. Die
Stimme murmelnde: das
Echo meines Ohrs und der Jahre. Sag
JA sag NEIN.

Zwischen den fremden Zeitungsschlagzeilen erstarrt
der Spiegelfleck seines Gedichts im Fenster und

seine Lippen sind sinnlos bemüht den
vergessenen Satz zu bilden: Sag
JA sag NEIN.

Diese drei Gedichte fanden ihre letzte Fixierung 1951. *Uhlenhorster Fährhaus* ist für die Publikation 1956 etwas gekürzt
worden. Aber in allen drei Gedichten, am stärksten in *Fremd*,
stecken Metaphern, Formulierungen, ja ganze Abschnitte, die
weiter zurückreichen, zum Teil bis 1943. Alle drei Gedichte
enthalten ein Element der Selbstmontage. Dem entspricht der
Hang zum Zitat. Es gibt wörtliche Zitate, Anspielungen durch
Nennung von Namen und Titeln, aber auch fingierte Zitate.
Es würde zu weit führen, das im einzelnen aufzuzählen. Zusammenlegung ist ein grundlegendes Kennzeichen dieser Gedichte. Zusammenlegung allerdings, die bemüht in einen entweder stimmungsmäßigen oder bildumgreifenden oder gedanklichen Zusammenhang gebracht wird. Die Einheit der
Vorstellung, wenn man es so nennen kann, wird mit einer
Peinlichkeit gewahrt, die an manchen Stellen die einzelne Formulierung taub macht.
Alle drei Gedichte sind thematisch ähnlich. Das Schlüsselwort
scheint mir »Erinnerung« zu sein. Erinnerung, darum scheinen
sich die Sätze und Metaphern zu bemühen, ist verdorben. Offenbar Privates, das am Grunde des Erinnerten liegt, ist über-
deckt von dem, was einmal der »Wind der Zeit« genannt wird.
Damit ist nicht das allgemeine, »zeitlose« Thema der Vergänglichkeit gemeint. Dieses Verderben der Erinnerung hat spezifische Färbung. Es enthält ein politisches Element, das aber nur
phraseologisch, wie ein Zitat, angesprochen wird. Vor einer ent-
schiedeneren Deutlichkeit schrecken die Formulierungen zurück. Oder besser: sie gleiten wie vor etwas Undurchdring-
lichem darum herum. Auch das literarisch-künstlerische Zitat
in *Beispielsweise* bleibt unentschieden, davor. Mit um so stär-
kerer Sucht stürzen sich die Formulierungen auf das metaphorische Material der Fremdheit, der Entfremdung, des Fremd-
seins. Deutlich wird allenfalls, über diese Metaphern hinweg,
die oft ihre Grenzen nicht kennen und ins Sentimental-Plaka-
tive ausgleiten, der Umriß des konkreten Schauplatzes: die
Stadt Hamburg während der ersten fünf Jahre nach 1945.
So (oder so ähnlich) wirkten diese Gedichte auf mich, als ich
im Winter 1963/64 anfing, mich nach zehn Jahren wieder
genauer mit ihnen zu beschäftigen. Das Thema schien mir (und
scheint mir) in allen drei Gedichten zu ertrinken in Sätzen, Bildern, Zitaten, Zwischenrufen, die ihre Entstehung nur dem
Ausweichen vor dem Thema verdanken. Ich machte mir Ab-

schriften und strich in ihnen herum. Aber solche nachträglichen
kürzenden Korrekturen erwiesen sich als unmöglich. Sie waren
lediglich Beweis für das, was an diesen Gedichten leer und un-
gelöst war. Dann schrieb ich einzelne Partien heraus und setzte
sie neu zusammen. Auch das war nur ein Fortschritt in der
Destruktion dieser Gebilde. Schließlich verlor ich überhaupt
die Übersicht darüber. Ich sah den Versuch als gescheitert an
und legte die Abschriften weg.
Aber merkwürdigerweise kehrten nun, eine Zeitlang später,
einzelne Wörter und Sätze wie von außen in mein Gedächtnis
zurück. Sie bildeten sich zu memorierbaren Zeilen aus. Neues
setzte sich an. Die Tätigkeit der Rekapitulation, des Zurück-
blickens auf etwas, was Spuren des Früheren bewahrte, setzte
sich in Metaphern um. Schließlich schrieb ich, ohne Vergleich
mit den drei ursprünglichen Gedichten, einmal versuchsweise
einen zusammenhängenden Komplex auf.
Das erste, was mich dabei überraschte, war eine Tendenz zum
Reim. Oder vielleicht besser: eine Tendenz zum rhythmisch
auftauchenden Gleichklang. Die Reime sind, auch in der end-
gültigen Fixierung, immer näher an der bloßen Wiederholung,
dem Echo des Wörtlichen, als an jenem sinnfördernden Reim
der Vergangenheit. Mit dem Reim ergaben sich metrische Re-
gelmäßigkeiten, die sich in Richtung auf ein auf- und wieder
untertauchendes Alexandriner-Schema zubewegten. Und, um
die formale Seite zuerst zu Ende zu beschreiben, ich habe
schließlich auch bewußt auf Reim und Alexandriner hingear-
beitet. Die Zeilen des Gedichts, so wie sie am Ende fest wurden, entsprechen ihrer Silbenzahl nach dem klassischen Alexandriner. In seinem regelrechten Rhythmus wird er jedoch nur
an wenigen Stellen eingehalten. Vielmehr bewegt sich der
Satzsinn immer synkopisch gegen den angeschlagenen metrischen und unter ihm hindurch. Mehr noch, auch die antimetri-
schen Sätze haben Ballungen, Härten, Tonengen, die eine
dritte rhythmische Bewegung provozieren, so daß der Fortgang der Zeilen wie in einem ständigen Stolpern vollzogen
wird, aufgefangen allein durch das im äußersten Moment wieder durchscheinende Echo des alten vertrauten Metrums. Dem
entspricht der Reim, der nicht nur durch die Neigung zur
Wortwiederholung gekennzeichnet ist, sondern ebenso durch
die zum Binnenreim und zur Alliteration. Auch da geht die
Bewegung ständig über den formalen Haltepunkt weg, wird
aber, wenn sie sich ganz zu lösen scheint, wieder von ihm aufgehalten und gestellt. Am krassesten zeigt sich das in der
Schlußzeile, in der der Reim sozusagen eine Pointe provoziert,
die außerhalb des zu Sagenden bleibt.

Das alles wäre lediglich als ein merkwürdiges (und vielleicht extremes) Kunststück zu werten, könnten nicht doch bestimmte Entsprechungen zum Thema geltend gemacht werden. Was ist dann, halbwegs oder auch wörtlich, von den alten Gedichten in dies neue übernommen worden? Offenbar vor allem die allgemeinsten und vagsten Formulierungen. »Echo der Jahre und des Ohrs«. Jenes zweideutige Zitat von Rudolf Borchardt: »Sag ja sag nein.« Das andere, unbestimmtere: »Ein Zeichen sind wir«. Nicht ganz wörtlich: »Allegorie meinselbst Allegorie wie ohne Fabel«. »Weg zusammen mit dem spiegelzweiten Silberufer«. »Geil nach jeder Sensation der Neuerscheinung« (wobei durch die Hinzufügung von »jeder« und die Einzahl »Neuerscheinung« der Sinn dieser Metapher abgebogen wird, verkürzt, wenn man das sagen kann).

An diese Zitate (Zitate aus zweiter und dritter Hand) schließen sich Sätze und Bilder über den Vorgang des Rückerinnerns, des Wiederhinwendens zu dem, was schon fast untergegangen schien. Die Spiegelqualität dieses Vorgangs tritt zugleich mit der Vernebelungstendenz, der wahren Unerinnerlichkeit ins Blick- oder, genauer, ins Sprechfeld. Kennwörter schieben sich ein wie »imaginär«, »invers«, »photovertraut«, »Halluzination«; Paradoxa wie »schweigendere Stummheit«, »geschwemmter Schwerpunkt«, »rücklings aufblickend«, »Beleg des wieder wieder«; die Satzzusammenhänge fliehen ineinander über, erzeugen so etwas wie eine fallende Bewegung, die von den vokabulären Inhalten immer wieder aufgehalten, ja, wenn man das so sagen kann, hochgeworfen wird.

Es ist eine Rücksprache. Womit? Mit dem, was in drei älteren Gedichten vergeblich angesprochen wurde? Dringt die Rede jetzt durch zu dem, was damals wegglitt? Daß ich auf die älteren Gedichte zurückdrängte, daß mich etwas wieder an ihnen faszinierte, daß ich bestimmte Spuren zu sehen meinte, einem Weg zugehörig, der später erst wieder sichtbar wurde, zeigt ja den Anspruch jenes alten Themas (der Verschüttung, der Verderbnis der privaten Erinnerung, des gutgläubig Vorhandengewesenen, des Jungseins, durch das Allgemeine, ein zeitgeschichtliches oder politisches Moment, nicht Verhängnis, sondern unausweichliches Sosein des Übergeordneten oder wie immer es auszudrücken wäre). Aber es ist nicht dies alte Thema, das das neue Gedicht in Gang setzt. Es ist die Bewegung des Rückwendens. Die Problematik des Vorgangs kommt zur Sprache. Die Problematik des Vorgangs spiegelt sich bis in die formalen Verschränkungen und Künstlichkeiten. Ja, daß dies Künstlichkeiten sind, belegt erst endgültig das Problematische des Vorgangs.

Wie ist das zu bezeichnen? Verschwindet das einst nicht Ansprechbare nun um so endgültiger hinter der Rücksprache? Stellt sich die Rücksprache dar als Einspruch gegen die Möglichkeit des Wiederaufbrechens? »Geil nach jeder Sensation der Neuerscheinung weil«. Weil, weshalb? Weil das Neue des Kommenden nun allein für die Zukunft steht, nicht mehr nur halbzynische Abwehr der Ratlosigkeit? Zeichen des nunmehr unheilbaren Kompromisses mit dem Fortschritt? Sich selbst objektiviert (und so, wie hier, sich selbst interpretierbar)?
Ich weiß es nicht. Wüßte ich es, vielleicht, hätte ich nicht versuchen können oder mögen, es so zu sagen, wie es nun in der *Rücksprache in gebundener Rede* zu lesen ist.

*Jens Hoffmann**

RÜCKSPRACHE IN GEBUNDENER REDE

Mit der *Rücksprache in gebundener Rede* eröffnet Helmut Heißenbüttel sein *Textbuch 4*. Es steht dort als programmatisches Gedicht über das poetische Ich, es zieht Bilanz in eigener Sache des Autors: ein esoterisches Sprachgebilde. Das Gedicht ist seiner Natur nach problematisch. Es steht quer zu allen Sprachgewohnheiten und weist von vornherein jede eindeutige Auslegung ab. Allgemeinverständlichkeit liegt nicht in seinem Sinne. Regelwidrige Formen verletzen das normierte Sprachgefühl: »Innerens«, »Auftrumpfendens«, »schweigenderer«, »schließlicher«. Es fehlen fast alle Prädikate, Interpunktion findet nicht statt. Die Auslassung, im rhetorischen Sonderfall als Ellipse, ist das auffälligste formale Merkmal des Gedichts. Wo der gerade Zugang so schwierig ist, beginnt man am besten mit dem Wortschatz. Noch bevor erkennbar wird, wohinaus die gewaltsam gebundene, sogar mit Wortschnitten paarweis gereimte Rede geht, zeigt sich die Herrschaft von Vokabeln der Überwältigung. Es wird weg geblendet, querab geschwemmt, gekrümmt, abgeknickt, verletzt, überspült. Fallend, murmelnd, lallend und schweigend spiegelt sichs in unabsehbarer Spiegelflucht. Was erscheint, ist untergründig, invers, mundlos, stumm, dunkel, feucht, treibt rücklings. Nur spärlich glänzt Licht in der abendlichen Welt dieses Gedichts, das im Ausklang »geil . . . weil« zu peripheren Zielen aufbricht. Wie nach einer nächtlichen Eisenbahnfahrt bleiben nur die klingenden Namen einiger Stationen haften: ich und Spiegel, Stimme und Echo; Erinnerung und Zeichen; Schwerpunkt und Welt und Wunder; Allegorie, Phantasie, Photo, Prospekt, Silberufer, Haus, Weg; Halluzination und Sensation.
Die Vokabeln reden von unüberschaubar angehäuften, »aufeinundineinander« gesteckten Abbildern, sie konstatieren eine bruchstückhafte, fast farblose, gefälschte Wirklichkeit. Die Sprache ist zum Murmeln geworden, an der Oberfläche ohne Zusammenhang. Der Schwerpunkt wird abgeschwemmt aus der geraden Bewegung seines Falls. Alles, was die Vokabeln

---

* Auf ausdrücklichen und wiederholten Wunsch von Heißenbüttel wurden dem Interpreten die Gedichte, die in *Rücksprache* verwandt sind, zur Verfügung gestellt.

aufrufen, erscheint als aus der Bahn geworfen, gewaltsam abgedrängt von seiner eigentlichen Bestimmung. »invers« wird zum Schlüsselwort für diese Weltansicht.

Das Ich, in dessen Innenraum das Gedicht mit Vates-Ton einführt, hält Rücksprache mit sich selbst als einem anderen. »Entferntes spiegelnd«, ja zerspiegelnd, befindet es sich dem »Unauffindbarn« gegenüber. Als Antipode zu dessen Echo bestimmt, zum Erlöser des Unsichtbaren, erleidet es Verlassenheit, existiert es in Verlassenheit: »von Heimwegwind« mit unbestimmter Sehnsucht »durchtränkt«, der »schweigendere«, zum Schweigen bringende »Stummheit« beigemischt ist; tiefer noch »verletzt« vom »Echo des Wegseins«, der murmelnden Stimme, die alle Heimwegerfahrungen memoriert, dem »Echo der Jahre und des Ohrs«, von der nicht verstummenden Forderung »sag ja sag nein«, vom Versagen vor der Entscheidung. Verlassenheit, angefüllt mit einem in sich verfangenen »Echo« bruchstückhafter Worte und Bilder.

Nach dieser Prämisse über das in sich gefangene und zum »Unauffindbarn« hingespannte Ich setzt das Gedicht neu ein:

ich geh in mir herum ein Zeichen sind wir . . .

Das Ich hat einen im Innern aufbewahrten Fund getan: Mit den Worten »Ein Zeichen sind wir . . . und haben fast / Die Sprache in der Fremde verloren«, setzte Hölderlin bei einem Entwurf für den »Vaterländischen Gesang« *Mnemosyne* zu dem Versuch an, die Dichter als Symbol zu fassen und auszulegen. Bei der *Rücksprache in gebundener Rede* Heißenbüttels haben wir es mit einer Erneuerung dieses Versuchs auf der Ebene der Allegorie zu tun.

Helmut Heißenbüttel kennt als Literaturwissenschaftler die Bedeutung des zitierten Hölderlinschen Gedichtanfangs. Er bekräftigt dies durch die Wiederholung des Worts Echo, das bei Hölderlin im selben Zusammenhang als Chiffre die Umkehr des Geschicks einleitet. Heißenbüttel spielt mit dem rhythmisch beschwerten Wort »Erinnerung« auf den Titel *Mnemosyne* an und rechtfertigt für sich den Bezug, indem er Wortgruppen aus früheren eigenen Gedichten, aus eigenen Erinnerungen, aufnimmt (*Uhlenhorster Fährhaus* und *Fremd*).

Helmut Heißenbüttel weiß als Literaturwissenschaftler, daß — nach Goethe — der Dichter in der Allegorie »zum Allgemeinen das Besondere sucht«. Er weiß, daß die Allegorie im Unterschied zum Symbol das Gemeinte nicht bedeutet, sondern als typische Erscheinung ist. Er weiß, welche Tradition er aufnimmt, wenn er Spiegel-Metaphern häuft, in Zusammenhang mit ihnen von Umkehr (»invers«) spricht, das Gedicht zu einer Spiegelflucht werden und in der Mittelachse des Gedichts die Worte »von Spiegel überspült« und »invers stumm Wunder« einander korrespondieren läßt: Es ist die Tradition der manieristischen pyrrhonistischen Moderne. Sie wird ausdrücklich bestätigt durch Berufung auf den Dichter als Demiurgen, den weltschöpferischen »Phantasten«, der zu allen Zeiten immer schon da war »auf vielsprachigem Grund«.

In welcher Hinsicht sind diese »Phantasten« »ein Zeichen«? Als Fallende. Als »Lackspur«, »oval gekrümmt«, exzentrisch für eine Weile dem Bogen der Ellipse folgend. Aber wohin verläuft ihre Leuchtspur? — Sie sind wesentlich Esoteriker (»ins Ungehörte lallend«, als Hysteron proteron eine Stilfigur der Umkehr); sie sind wesentlich Melancholiker außerhalb des harmonisch Schönen (»ein aufgeschwemmt dunkel und feucht glänzender Fleck«); sie sind wesentlich Erinnerung, deren eingebildete, fast farblose Bilder ihnen verlöschend und weggeblendet aus dem Gesicht kommen. Die Bahn ihrer grundwärts fallenden Gedanken wird wieder und wieder gebrochen. Es ist die Bahn, die ein »querab geschwemmter Schwerpunkt« einer elliptischen Kurve folgend beschreibt, die ein immer »wieder abgeknickter Stab« (des Gesangs, mit Klopstock zu sprechen) darstellt.

Sie sind — in *einer* Verständnisebene — Zeichen des aus Lot und Harmonie geratenen Weltzusammenhangs: Von Spiegelungen »überspült«, überwältigt, »rücklings« in ihnen treibend, sehen sie »aufblickend« eine »untergründige«, vom Gewohnten sonst verdeckte »Welt« — eine Welt der Inversion alles Vertrauten. »Stumm« sehen sie das »Wunder«. Die Zeilen dreizehn und vierzehn sind die feste Achse des Gedichts, seine formale und wesentliche Mitte. In ihnen vollzieht sich der Umschwung der Gedankenbewegung vom besonderen Allgemeinen zum allgemeinen Besonderen. In ihnen ist das Schlüsselwort vom Welt-Wunder der Inversion verankert. In ihnen durchläuft die Gedankenbewegung des Gedichts ihren Scheitelpunkt. Der »Phantast« beginnt, aus der Spiegel- und Erinnerungstiefe aufsteigend, sich selbst als Allegorie der Welt zu begreifen.

Auftauchend aus der »Grundwolke« lichtbildhafter und lichtbildvertrauter Erinnerungen wird das zum »Phantasten« personifizierte Ich durchscheinend für Prospekte, nach Innen und Außen sich spiegelnd »meinselbdritt«, unterwegs auf »entfremdetem«, entrücktem Weg »Orion entgegen nach Haus«. Der Weg wird zur Staffage des Gehenden, Emotion zum Beleg eines, der auftrumpft, Gleiches wiederholt, wieder Halluzinationen verfällt, »geil nach Neuerscheinung«. Dem Fallen zum Grund der Welt strebt die Neugier nach dem Neuesten des Tages entgegen.

Die *Rücksprache in gebundener Rede* ist bar jeder Anteilnahme an Dingen, Zuständen, Menschen, also a-historisch, a-politisch, a-sozial. Es kann keine gültige Interlinearversion des Gedichts geben, weil es mit Vorsatz und Erfolg jede Eindeutigkeit im Bezug seiner Teile ausschließt. Die Randbemerkungen zielten deshalb darauf, das Grundmuster des Gedichts sichtbar zu machen. Dabei hat sich das artifizielle Sprachgebilde als unerwartet standfest und tiefgründig erwiesen. Obwohl nur andeutungsweise durch die Konjunktionen »wenn« und »weil« am Anfang und am Ende in ein logisches Bezugssystem gehängt, ist es in sich ohne Widersprüche. Es stellt vielmehr das Strukturmodell einer elliptischen, im Scheitel sich umkehrenden Gedankenbewegung bis in die Verästelungen seiner Teile dar. Die allem Vertrauten widersprechende Gestalt des Gedichts erweist sich als folgerichtige Ausgeburt eines esoterischen Selbstverständnisses. Aber der in der Gestalt verborgene Totalanspruch einer esoterischen Wahrheit wird immer totalen Widerspruch — oder einverstandene Zustimmung finden.

Franz Mon

GESCHNÜRTER WIND

wortsiebtel weit im rücken geblieben
sehr weit vorn in der Schlinge

einiger tage lichtempfindliche haut schützt
vor dem anprall brüchiger lippen

nah so nah ists darum nicht zu greifen:
insekt zwischen den backenzähnen zerbrächs

reden die rede flinker eidechsen quer
über die fährten die mehrere tage gehäuft haben

wortsiebtel: eines wespenleibs ring lose vorn über
den fahrbahnen die laufen sogleich in ihm zusammen
wird nur das rad in der hand
nicht bewegt

wirds dunkler an den dreimaldrei fahrbahnen auf dieser haut
wie greifen die sprünge springender aus

Franz Mon

GESCHNÜRTER WIND

Der formale Befund zeigt: 6 Gruppen, die bis auf die 5. alle zweizeilig sind und außer der 6. jeweils mit einer Hebung beginnen. Die Zeilen laufen fast ohne Interpunktion in freien Rhythmen und haben keinen Reim. Sehr häufig erscheinen Wörter mit den Vokabeln i und a und artikulatorisch prägnante Wortgruppen wie »nah so nah«, »reden die rede«. Die meisten Gruppen sind zugleich syntaktische Einheiten, jedoch mit einer deutlichen rhythmischen Zäsur am Ende der 1. Zeile: die Bewegung bleibt dort in der Schwebe; man könnte die Gruppen 1, 2, 4 und 6 auch als freie Langzeilen mit Zäsur bezeichnen. Dagegen findet sich kein syntaktischer Übergang von einer Gruppe in die andere. Die Betonung auf jeweils der 1. Silbe (Gruppe 1–5) setzt sie vielmehr hart gegeneinander ab. Es gibt auch keine inhaltlichen Übergänge zwischen den Gruppen. Die Syntax ist in einzelnen Gruppen fragmentarisch; der Leser müßte sie ergänzen, wenn er könnte. Der Leser ist so zunächst ganz auf den rhythmischen Verlauf und die artikulatorische Verfassung angewiesen.

Die artikulatorische Gestik des Textes ist stark durch die Vorliebe für die Vokale i und a bestimmt, d. h. für den Vokal mit der größten und für einen mit kleinerer Mundöffnung. Die 1. Zeile setzt jedoch noch darunter an bei o: »wort-« und läuft dann flach durch i, ei, ü, i, in die 2. Zeile wieder auf ein o zu, das in dem am stärksten betonten »vorn« tönt, und schließt mit einer i-Hebung. Die beiden gewichtigsten Hebungen liegen auf den o-Silben und verbinden das Subjekt »wortsiebtel« mit einer der beiden Richtungsangaben. »weit im rücken« und »weit vorn« erweisen sich jedoch durch ihre analoge Artikulation als gleichwertig: Die Pole bleiben in der Schwebe. Das w identifiziert »wortsiebtel« mit den beiden »weit«; es ist ein kontinuierliches Schwingen zwischen den entgegengesetzten Richtungen.

Die 2. Gruppe hat ihr Subjekt »haut« weit in die 1. Zeile zurückgezogen. Die rhythmische Geschwindigkeit aus dem »lichtempfindliche« mit seiner schwachen Zwischenhebung staut sich dort, nur eine Pause trennt das Subjekt »haut« von seinem Prädikat »schützt«: das Satzzentrum ist komprimiert, wie ein Knoten, dem Zu- und Ablauf der beiden Zeilen aufgesetzt.

Die 3. Gruppe ist analog gebaut: die beiden Zeilen pendeln um »insekt« am Anfang der 2. Zeile. Von den Entfernungen wird jetzt — im Gegensatz zur 1. Gruppe — die Nähe angesprochen, im großgeöffneten doppelten a vergegenwärtigt (»nah so nah«). Mit »insekt« wird der Versuch gemacht, das unbestimmte Subjekt »es« der 1. Zeile zu identifizieren; doch es wird sofort wieder in den Irrealis (»zerbrächs«) verschoben, nämlich: »wäre es ein Insekt, dann zerbrächs . . .« Der Fixpunkt ist labil, transitorisch und erweist die Nähe als trügerisch. Es bleibt nur die Erinnerung an ein Wort.

Einförmig setzt die 4. Gruppe ein mit »reden die rede«, in deren e verblaßt das ä vom Ende der 3. Gruppe echot, und läßt das e auch weiter den Ton bestimmen. Sie zeigt kein Subjekt, nachdem das vorige so desavouiert wurde, — wenn man nicht die »eidechsen« (vgl. »insekt«) als Spiegel eines unbekannten Subjekts benutzen will. Die ganze Gruppe ist höchst transitorisch, passierend, wozu genau der flinke, gemischte Rhythmus mit raschen Passagen und kurzen Fixpunkten paßt.

Die 5. Gruppe weist einen von den übrigen abweichenden Bau auf. Sie wendet sich offenbar aus dem bisherigen Prozeß heraus und greift zurück auf das noch unbestimmbare erste Wort »wortsiebtel«. In einer Paraphrase wird es nachgebildet, indem die Andeutung des Fragmentarischen (»siebtel«) und die gescheiterte Identifizierung in der 3. Gruppe als »insekt« umgesetzt wird zu »eines wespenleibs ring«. Dabei ist die Wahl von »wespenleib« wohl artikulatorisch angestoßen von »wortsiebtel« (w — w). Bezeichnenderweise kommt in »ring« auch wieder das i zutage; sonst in der 5. Gruppe nur noch an einer betonten Stelle (»wird«). Die weiteren Auskünfte stützen sich auf das größere a und das kleinere o, schwingen also um die ausgesparte Mittelstellung i; das a konzentriert in »fahrbahnen« und »das rad in der Hand«, das o in »lose vorn«. Syntaktisch holt diese Gruppe am weitesten aus, schrumpft dann jedoch durch die 3. zur 4. Zeile zusammen, bis ihre Bewegung in »nicht bewegt« stillsteht. Ob sich auch darin die Nicht-Auskunft über »wortsiebtel« anzeigt? Das Wegschrumpfen der Bewegung ist vielleicht bedingt durch die fehlende dialektische Spannung der Gruppe, die die vorangehenden kennzeichnete.

Durch den jambischen Auftakt liest sich die folgende Gruppe, als wäre unterschwellig die Bewegung noch immer in Gang, als wäre sie unter dem Versuch der 5. Gruppe weitergelaufen. Auch die Inversion »wirds« deutet darauf hin. Sie benutzt zudem einen sonst fast unbekannten Vokal, das kleinstartikulierte u, in der ersten Hebung. »haut«, in der 2. Gruppe bereits vorgekommen, wird auch jetzt wieder hervorgetrieben als Ziel eines artikulatorisch streng gedrechselten Verlaufs, der sich in der letzten Zeile fortsetzt und mit einer Hebung den ganzen Text abschneidet, nicht abschließt.

Die Fahndung nach der Füllung von »wortsiebtel« hat nur problematische Ergebnisse gebracht. Sie sind momentan und zerfallen, wie sie gewonnen werden. Dennoch ist diese Fahndung nicht bloßer Vorwand für die beschriebene rhythmisch-artikulatorische Bewegung. Erst ihre verschiedenen Stationen, ihre Anstrengung, ihre Versuche charakterisieren die Bewegung zur Geste. Es ist denkbar, daß im genauen Vollzug der gestischen Bewegung auch die Fahndung an ihr Ziel kommt.

Dies Ergebnis unserer Untersuchung besagt zugleich, daß die Interpretation eines solchen Textes nur die beiläufige Leistung haben kann, die nur reflektorische Beschäftigung mit ihm abzuweisen und dafür dem lesenden Vollzug Kraft und Freiheit zu geben. Die Identifikation ist ja Sache des einzelnen Lesers, er muß zu *seinem* Ergebnis kommen, indem er liest, und kann es sich von keinem Interpreten vorbereiten lassen. Es ist wichtiger, daß *er* liest und lesend zu irgendeinem Ergebnis kommt, als daß ein anderer für ihn das absolute Ergebnis destilliert.

Kurt Leonhard

GESCHNÜRTER WIND

Wenn ich diesen Auftrag recht verstanden habe, soll ich mich hier nicht fragen: »Was hat der *Dichter* machen wollen?« sondern: »Was habe ich mir — als *Leser* nach wiederholter Lektüre — daraus machen können?« Aufgabe wäre also nicht, eine mehr oder weniger wissenschaftliche Interpretation zu geben, sondern den Ablauf meiner persönlichen Rezeption, den Prozeß der Aneignung und Verarbeitung zu rekonstruieren, soweit dies nach fünf Jahren noch möglich ist. Ich wills versuchen.

Erste Lektüre (Intuition): Laut lesen, ohne zu »verstehen«, Worte und Satzfragmente in logisch zusammenhangloser Folge von Klängen, Bildern, Assoziationen, musikalisch-plastisch montiert. Spröder Eindruck einer insektenhaften Eisenplastik, fast sinnfreies Ausdrucksgestell aus Bruchstücken, die Brüche ausdrucksträchtiger als die Stücke, hart auf hart, zackig, spitzig, stachlig, verschalt, verkapselt, gepanzert, aufgesprungen, klaffend. Zweierlei jedoch war sofort auch *verständlich.* Als Erlebnisvorlage trat klar zutage ein rasches Vorüberjagen von Zukunft über Gegenwart in Vergangenheit (oder umgekehrt?), Zeit als Doppelkegel, mit Wespentaille, »geschnürt«, der gegenwärtige Moment punktförmig in der Mitte zwischen den beiden wehenden Weiten herankommender und zurückbleibender Fernen. Zugleich begriff man: In der Darstellung ließ das »wortsieb« nur ein »siebtel« durch, nur Bruchteile also des Gesamtzusammenhanges, den der Leser selbst ergänzen muß. Daß *auch* die definierende Ratio angesprochen werden soll, geht schon aus einer Äußerlichkeit hervor: Es gibt im ganzen Gedicht kein anderes Satzzeichen als zweimal den Doppelpunkt, ein Zeichen, das rationale Zusammenhänge schafft, ein konstruktives Zeichen im Sinne von »nämlich«, »also«, »demzufolge«. Von den mit einem Doppelpunkt bezeichneten Stellen wird die Aufschlüsselung ausgehen müssen. Es sind die Stellen, wo Sinn am deutlichsten anschießt, es sind die Kristallisationspole der Rede. (Zugleich merke ich schon, daß die Frage »Was hat der Dichter machen wollen?« sich doch nie ganz ausschließen läßt, sie bleibt auch im subjektivsten Rezeptionsprozeß mitenthalten.)

Zweite Lektüre (Analyse): Jetzt bildeten sich in der Rückschau über das ganze Gedicht hinweg Zusammenhänge zwischen manchmal weit voneinander entfernten, verstreuten Worten und Bildern. Es reizte mich, dieses Entfernte und Zerstreute in Simultanreihen zu zerlegen, und die folgende (vielleicht nicht völlig willkürliche) *Demontage* kam heraus:

wortsiebtel:
insekt
in der schlinge   weit im rücken geblieben
vor dem anprall   sehr weit vorn
zwischen den backenzähnen   nah so nah
wortsiebtel: nicht bewegt
eines wespenleibs ring   springender
nur das rad in der hand

           schützt
           nicht zu greifen
           zerbrächs
           gehäuft
           laufen zusammen
           greifen aus

fährten die mehrere tage gehäuft haben
einiger tage lichtempfindliche haut
fahrbahnen auf dieser haut
die rede flinker eidechsen
quer über die fährten
vorn über den fahrbahnen
wirds dunkler auf dieser haut
dreimal drei
brüchiger lippen
sprünge

Dritte Lektüre (Synthese): Nun wieder gewissenhaft schritt- weis von Abschnitt zu Abschnitt des Textes. Allmählich schien sich aus den mehrdeutigen Bildern (jedes zugleich gegenständ- lich und metaphorisch) etwas wie ein geschlossenes Bezugs- system zusammenzusetzen.

1.   wortsiebtel weit im rücken geblieben
         sehr weit vorn in der schlinge

Das gesiebte, gesiebenteilte Wort als Drehpunkt, Klappver- bindung zwischen dem weit hinten Zurückgelassenen und dem weit vorn Eingefangenen (oder wird das hinten Zurückgelassene vorn wieder eingefangen?). Damit ist zunächst eine Fahrtsituation suggeriert. Was für eine, bleibt offen.

2.　　　　einiger tage lichtempfindliche haut schützt
　　　　vor dem anprall brüchiger lippen

Brennende Haut, aufgesprungene Lippen, als Ergebnis einiger sonniger Tage — das ist Sommer, Trockenheit, vielleicht eine südliche Küstenstraße ... Was aber die Haut schützt oder die Lippen (woran?) anzuprallen, bleibt offen.

3.　　　　nah so nah ists darum nicht zu greifen:
　　　　insekt zwischen den backenzähnen zerbrächs

»wortsiebtel« — immer noch als einziger sächlicher Satzgegenstand die Satzaussage beherrschend — ist also etwas ganz Nahes, aber Ungreifbares, unkörperlich. Wäre es ein Insekt, flöge durch die Lippen hindurch (wie der eingeatmete Wind), zerbräche sein trockener Panzer zwischen den Zähnen. Die Vorstellung des Panzers erhellt rückwirkend das »schützt«; also kein Insekt, sondern ein Stück insektenhaft gepanzerte Luft. Unwillkürlich kam ich auf Hölderlin: »Nah ist und schwer zu fassen der Gott« — dann sofort auf Rilkes Orpheus-Sonett II, 1: »Atmen, du unsichtbares Gedicht ...« (»... Erkennst du mich, Luft, du voll noch einst meiniger Orte? Du, einmal glatte Rinde, Rundung und Blatt meiner Worte.«) Diese beiden Reminiszenzen schienen mir legitim zum Text zu gehören, sie gaben nicht nur Licht, sondern bestimmten auch die Farbe der Zeilen. Der Zusammenhang zwischen »wind«, »wortsiebtel« und »insekt« begann sich zu schließen.

4.　　　　reden die rede flinker eidechsen quer
　　　　über die fährten die mehrere tage gehäuft haben

Etwas ganz anderes, quer, flink, geschwätzig, kommt ins Bild: Eidechsen, die über die Straßen huschen (das Bild der südlichen Straße bestätigt sich!), identifiziert mit »reden«, die offenbar im Gegensatz zu dem gesiebten Wort (und zu den Fahrtspuren, die hier mit den Hautrissen »einiger tage« in Analogie gesetzt sind) eher Ablenkung bringen. Ablenkung wovon?

5.　　　　wortsiebtel: eines wespenleibs ring lose vorn über
　　　　den fahrbahnen die laufen sogleich in ihm zusammen
　　　　wird nur das rad in der hand
　　　　nicht bewegt

Dieser »ring«, wo die Fahrbahnen zusammenlaufen, der »vorn« liegt und sich mit der Fahrt »lose« verschiebt, vergegenwärtigt die perspektivische Situation. Völlig gegenständlich ist dann das »rad in der Hand«, wie ein Schnurrbart auf einem kubistischen Porträt von Picasso: plötzlich erkennt man eindeutig, was dargestellt ist — eine Autofahrt natürlich; zugleich auch metaphorisch für die Beharrlichkeit der Konzentration, die geradlinig das Ziel ansteuert, ohne sich ablenken zu lassen.

6.   wie greifen die sprünge springender aus
          wirds dunkler an den dreimaldrei fahrbahnen auf
                        dieser haut

Die Fahrbahnen der Straße verschmelzen nun vollends mit den Rissen, Sprüngen, Öffnungen der Haut. Warum aber »dreimaldrei«? Ist die 9 nur eine beliebige magische Zahl neben der schon verwendeten 7? Aber wenn von der Haut die Rede ist, fällt einem ein, daß der Körper an seiner Oberfläche 9 Öffnungen hat, die ebenso viele Verbindungswege zwischen Innen und Außen sind »sprünge«, die »springender ausgreifen«, wenn kein Gegenlicht mehr blendet, brennt, anprallt. Gewiß kann man sich unter »sprünge« auch die Gänge des Wagens vorstellen, aber die abstrakte Ausdrucksweise verallgemeinert ins Metaphorische der sprunghaft freiwerdenden Verbindungen von Außen und Innen im »unsichtbaren Gedicht« Rilkes, als dessen Elementarbestandteil bei Mon das »wortsiebtel« (Hauch, Laut, Silbe, Bild, gepanzerte Luft) vor den Lippen des Fahrenden auftritt.
Als ich so weit war, schloß ich das Buch, und mein Blick fiel auf den Rückentext, der wie eine Ouvertüre (oder ein Finale in Engführung) die Leitmotive der Gedichtsammlung und gerade auch dieses besonders aufschlußreichen Stückes zusammenfaßt, summarisch nochmals aufleuchten läßt. »die langgerissene wunde hieß straße« las ich als erstes und war sofort gefesselt. Das war allerdings noch drastischer als die Analogie von Fahrtspuren und Hautrissen oder Leibesöffnungen. Dann: »den panzer des schreis«; und oben die erste Zeile: »auge den rücken nach vorn«, die in der langen Mittelzeile ihre diskursive Erläuterung findet:

erinnerung an geschehenes enthält die erwartung von geschehen. der text ist ein versuch, der erwartung recht zu geben, ohne die erinnerung zu vermehren.

Im allgemeinen bin ich nicht dafür, ein Kunstwerk aus anderen, und seien sie vom selben Künstler, zu erklären. Aber als nachträgliche Bestätigung sind solche Konvergenzen doch willkommen. Erwartung als Funktion der Erinnerung, Wortkunst als Projektion des Zurückgelegten nach vorn — dies liegt durchaus innerhalb der Perspektive unseres Gedichtes. Der interpretierte Text von Franz Mon enthält also unter anderem auch einen Beitrag zu einer *Ars Poetica*. Wie das zitierte Rilke-Sonett hat er den dichterischen Prozeß zum eigentlichen Thema.

Die Autoren und Interpreten

BEDA ALLEMANN
Geb. 1926 in Olten (Schweiz). Dozent für Neuere deutsche Literaturgeschichte an den Universitäten Zürich, Berlin, Paris, Leiden und Kiel. Ordinarius an der Universität Bonn.
Veröffentlichungen: Hölderlin und Heidegger. Zürich/Freiburg i. Br. 1954; Hölderlins »Friedensfeier«. Pfullingen 1955; Ironie und Dichtung. Friedrich Schlegel, Novalis, Solger, Kierkegaard, Nietzsche, Thomas Mann, Musil. Pfullingen 1956; Über das Dichterische. Pfullingen 1957; Zeit und Figur beim späten Rilke. Ein Beitrag zur Poetik des modernen Gedichts. Pfullingen 1961; Gottfried Benn. Das Problem der Geschichte. Pfullingen 1963; Ars Poetica. Darmstadt 1966.

HANS ARP
Geb. 1887 in Straßburg. Künstlerische Doppelbegabung, als Autor zweisprachig. 1903 Beziehungen zum Kreis der »Stürmer«. Erste Gedichtpublikation im April 1903. 1904 Besuch der Kunstgewerbeschule in Straßburg. Der vom Verlag angekündigte erste Gedichtband ›Logbuch‹ angeblich als Manuskript vom Verlag verloren. 1905–1907 Besuch der Kunstschule in Weimar. 1908 Académie Julian in Paris. Kurz danach Übersiedlung nach Weggis/Schweiz. 1910 Mitbegründer des »Modernen Bundes«. 1912 Beziehungen zum »Blauen Reiter«. 1912–1913 ›Weh unser Kaspar ist tot‹. Veröffentlichungen im ›Sturm‹, Beziehungen zum »Sturm«-Kreis. 1914–1915 Aufenthalt in Paris. 1915–1919 in Zürich, 1916 Mitbegründer des Dadaismus, Mitarbeit am Cabaret Voltaire. Veröffentlicht in fast allen Experimentalzeitschriften der Zeit. 1920 in Köln, Berlin, Paris. Erste Gedichtbände. 1920–1923 in Paris, Beziehungen zum Surrealismus. 1922 Heirat mit Sophie Taeuber. 1923 Hannover, Rückkehr nach Paris. 1927 Übersiedlung nach Meudon. Lebte seither (mit Unterbrechungen) dort und in Solduno (Schweiz). 1930 Mitglied der Gruppe »Cercle et Carré«, 1932 Anschluß an die Gruppe »Abstraction, Création, Art non figuratif«. 1940/41 Flucht vor den Nazis nach Grasse (Südfrankreich), 1942 in die Schweiz (1943 Tod Sophie Taeuber-Arps). 1946 Rückkehr nach Meudon. 1949 erste Amerikareise, 1950 zweite Amerikareise. 1952 erste Griechenlandreise, 1955 zweite Griechenlandreise. 1959 zweite Ehe mit Marguérite Hagenbach. Starb am 7. Juni 1966 in Basel.
Veröffentlichungen (vor allem Lyrik): Der Vogel Selbdritt. 1920; die wolkenpumpe. 1920; Der Pyramidenrock. 1924; Weißt du schwarzt du. 1930; Muscheln und Schirme. 1939; 1924 – 1925 – 1926 – 1943. 1944; Behaarte Herzen. Könige vor der Sintflut. 1953; Wortträume und schwarze Sterne. 1953; Auf einem Bein. 1955; Worte mit und ohne Anker. 1957; Mondsand. 1960; Sinnende Flammen. 1961; Logbuch des Traumkapitäns. 1965. – Das lyrische Gesamtwerk wird im Verlag der Arche und im Limes-Verlag herausgegeben. Bisher erschienen: Gesammelte Gedichte I. Gedichte 1903–1939. Wiesbaden 1963. Die französischen Gedichte bis 1946 liegen vor in: Le Siège de l'air. Paris 1946. – *Autobiographisches:* On my Way. 1948; Unsern täglichen Traum ... Erinnerungen, Dichtungen und Betrachtungen aus den Jahren 1914–1954. Zürich 1955.

›Ein großes Mondtreffen‹ aus ›Mondsand‹. Mit Genehmigung des Neske Verlages, Pfullingen.

ARNFRID ASTEL

Geb. 1933 in München, Kindheit in Weimar, Jugend in Windsbach/Mittelfranken, biologische und literarische Studien in Freiburg und Heidelberg; seit 1959 Herausgabe der ›Lyrischen Hefte‹ (Heidelberg); bis 1967 Verlagslektor in Köln, jetzt Redakteur bei Radio Saarbrücken.
Veröffentlichungen: Notstand. Gedichte. Wuppertal-Barmen 1968; eigene Gedichte und Übersetzungen (G. M. Hopkins), vorwiegend in den ›Lyrischen Heften‹ (Pseudonym Hanns Ramus). – Literaturkritik, meist für die ›Neuen Deutschen Hefte‹. – *Herausgeber:* Quirinus Kuhlmann, Himmlische Liebes-Küsse; Jewgenij Jewtuschenko, Gedichte (Sonderhefte der ›Lyrischen Hefte‹).

INGEBORG BACHMANN

Geb. 1926 in Klagenfurt. Studierte in Innsbruck, Graz und Wien, zunächst Rechtswissenschaft und Philosophie, später ausschließlich Philosophie, promovierte über ›Die kritische Aufnahme der Existentialphilosophie Martin Heideggers‹, 1952 erste Lesung auf einer Tagung der Gruppe 47. 1953/57 in Italien, vor allem Rom und Neapel, 1955 Reise in die Vereinigten Staaten (auf Einladung der Harvard-Universität). Später in München, Zürich, Rom und Berlin. 1959/60 Lehrstuhl für Poetik an der Universität Frankfurt, Vorlesungsreihe ›Literatur als Utopie‹. Lebt in Rom.
Lyrik: Die gestundete Zeit. Frankfurt 1953 (2. Aufl. München 1957); Anrufung des Großen Bären. München 1956. – *Hörspiele:* Die Zikaden. In: Hörspielbuch 1955. Frankfurt 1955 (auch in: Hörspiele. Fischer Bücherei 1961); Der gute Gott von Manhattan. München 1958. – *Erzählungen:* Das dreißigste Jahr. München 1961. – Sammelband: Gedichte, Erzählungen, Hörspiel, Essays. München 1964. – *Libretti* zu Opern von Hans Werner Henze: Der Idiot, nach Dostojewski. Mainz 1952; Der Prinz von Homburg, nach Kleist. Mainz 1960; Der junge Lord, nach Hauff. Mainz 1965. – *Übersetzungen:* Giuseppe Ungaretti, Gedichte. Frankfurt 1961.
›Lieder von einer Insel (2)‹ aus ›Anrufung des Großen Bären‹. Mit Genehmigung des R. Piper Verlages, München.

MAX BENSE

Geb. 1910 in Straßburg. Studium der Mathematik, Physik und Philosophie in Bonn, Köln und Basel. 2 Jahre Tätigkeit als Physiker in der Industrie. Während des Krieges in einem Entwicklungslaboratorium in Berlin und im Thüringer Wald. Später Dozent und ab 1945 Kurator und Professor an der Universität Jena. Seit 1950 Professor der Philosophie und Wissenschaftstheorie an der Technischen Hochschule Stuttgart.
Veröffentlichungen: Aufstand des Geistes. Stuttgart und Berlin 1935; Anti-Klages. Berlin 1937; Konturen einer Geistesgeschichte der Mathematik. 2 Bde. Hamburg 1946–49; Hegel und Kierkegaard. Köln 1948; Technische Existenz. Stuttgart 1949; Ptolemäer und Mauretanier. Köln 1950; Literaturmetaphysik. Stuttgart 1950; Philosophie zwischen den Kriegen. Frankfurt 1951; Die Theorie Kafkas. Köln 1952; Naturphilosophie. Stuttgart 1953; Aesthetica 1–4. Stuttgart und Krefeld 1954–1960; Descartes und die Folgen. 2 Bde. Krefeld 1955, 1960; Rationalismus und Sensibilität. Krefeld

1956; Bestandteile des Vorüber. Köln 1961; Entwurf einer Rheinlandschaft. Köln 1962; Theorie der Texte. Köln 1962; Präzise Vergnügen. Wiesbaden 1964; Brasilianische Intelligenz. Wiesbaden 1965; Ungehorsam der Ideen. Köln 1967³; Die Zerstörung des Durstes durch Wasser. Köln 1967. – *Mitherausgeber* der ›Grundlagenstudien aus Kybernetik und Geisteswissenschaft‹ und der Reihe ›rot‹.

›MEIN Standpunkt‹ aus ›Bestandteile des Vorüber‹. Mit Genehmigung des Verlages Kiepenheuer & Witsch, Köln.

HORST BIENEK

Geb. 1930 in Gleiwitz/Oberschlesien, hatte keine Zeit zur Kindheit; mit 13 war er Flakhelfer, mit 15 mußte er mithelfen, die Vereinigten Oberschlesischen Hüttenwerke zu demontieren, mit 17 ging er wieder zur Schule, mit 19 war er Volontär bei einer Zeitung, mit 21 Schüler von Brecht, mit 22 Schachtarbeiter in einem stalinistischen Konzentrationslager in Workuta, Urteil 25 Jahre Zwangsarbeit. Rückkehr Ende 55, nach vier Jahren. Bis 1961 Rundfunk-Redakteur in Frankfurt; jetzt Schriftsteller in München. *Veröffentlichungen:* Traumbuch eines Gefangenen. Lyrik und Prosa. München 1957; Nachtstücke. Erzählungen. München 1959; Werkstattgespräche mit Schriftstellern. München 1962; Sprache als Verwandlung der Welt. Eine Studie über Nelly Sachs. In: Frankfurter Allgemeine Zeitung. 16. 10. 1965; Was war, was ist. Gedichte. München 1966; Die Zelle. Roman. München 1968. Vorgefundene Gedichte. München 1969 – *Herausgeber* der Zeitschrift ›blätter + bilder‹, 1958–1961.

JOHANNES BOBROWSKI

Geb. 1917 in Tilsit, Kindheit in Memel, Abitur in Königsberg. Studium der Kunstgeschichte in Berlin. Ab 1939 Soldat in Rußland. Kehrte zehn Jahre später aus russischer Kriegsgefangenschaft zurück. Bis zu seinem Tode am 2. September 1965 lebte er als Cheflektor des Ostberliner Union-Verlages in Berlin-Friedrichshagen.
Lyrik: Sarmatische Zeit. Stuttgart 1961; Schattenland Ströme. Stuttgart 1962; Wetterzeichen. Berlin 1967. – *Roman und Erzählungen:* Levins Mühle. Roman. Frankfurt 1964; Mäusefest und andere Erzählungen. Berlin 1965; Boehlendorff und andere Erzählungen. Stuttgart 1965; Litauische Claviere. Roman. Berlin 1967; Nachbarschaft. 9 Gedichte, 3 Erzählungen, 2 Interviews, 2 Grabreden, Lebensdaten. Berlin 1967; Der Mahner. Erzählungen und andere Prosa aus dem Nachlaß. Berlin 1968.

›Immer zu benennen‹ aus ›Schattenland Ströme‹. Mit Genehmigung der Deutschen Verlags-Anstalt, Stuttgart.

PAUL BÖCKMANN

Geb. 1899 in Hamburg. Studierte in Hamburg und Heidelberg. 1923 Promotion mit einer Dissertation über ›Schillers Geisteshaltung als Bedingungen seines dramatischen Schaffens‹ an der Universität Hamburg. 1930 Habilitation für deutsche Literaturgeschichte und allgemeine Literaturwissenschaft. Wichtigste Lehrer: Rudolf Unger, Robert Petsch, Friedrich Gundolf, Ernst Cassirer. 1937 pl.a.o. Professor, 1949 Ordinarius für neuere deutsche Literaturgeschichte an der Universität Heidelberg. Gastprofessor an der Cornell-University, Ithaca, USA, 1957. Seit 1957 Ordinarius an der Universität

Köln. Seit 1960 Vizepräsident der FILLM; Mitbegründer der internationalen Germanistenvereinigung.

Selbständige Veröffentlichungen: Hölderlin und seine Götter. 1935; Hymnische Dichtung im Umkreis Hölderlins. Eine Anthologie mit Einleitung und Erläuterungen. 1965; Formgeschichte der deutschen Dichtung. 1. Teil: Von der Sinnbildsprache zur Ausdruckssprache. 1949; Provokation und Dialektik in der Dramatik Bert Brechts. 1961; Formensprache. Studien zur Literarästhetik und Dichtungsinterpretation. 1966 – *Aufsätze:* Die Sageweisen der modernen Lyrik. In: Der Deutschunterricht (1953); Deutsche Lyrik im 19. Jahrhundert. In: Formkräfte der Deutschen Dichtung. 1963; Der Strukturwandel der modernen Lyrik in Rilkes Neuen Gedichten. In: Wirkendes Wort (1962); Gottfried Benn und die Sprache des Expressionismus. 1965.

BERNHARD BÖSCHENSTEIN

Geb. 1931 in Bern. Von deutscher und französischer Muttersprache. Kindheit in Berlin und Paris. Jugend in Bern, bis zum Abitur. Studium des Deutschen, Französischen und Griechischen in Paris, Köln und vor allem in Zürich. 1958 Promotion bei Emil Staiger. Assistent von Walther Killy am Germanischen Seminar der Freien Universität Berlin und am Seminar für deutsche Philologie der Universität Göttingen (1958–1964). 1964 Visiting Lecturer in Harvard. Seit Oktober 1964 Professor für deutsche Sprache und Literatur an der Universität Genf.

Veröffentlichungen: Hölderlins Rheinhymne. Zürich 1959; Konkordanz zu Hölderlins Gedichten nach 1800, auf Grund der Großen Stuttgarter Ausgabe. Göttingen 1964; Studien zur Dichtung des Absoluten. Zürich–Freiburg 1968. – Arbeiten über Celan, George, Hölderlin, Kleist, Mörike, Jean Paul, Valéry u. a. in Zeitungen und Fachzeitschriften. *Mitherausgeber* von Paul Valéry, Windstriche (Rhumbs), Wiesbaden 1959 (mit Hans Staub und Peter Szondi); Von Baudelaire bis Saint-John Perse. Französische Gedichte und deutsche Prosaübertragungen. Fischer Bücherei 1962 (mit Mayotte und Jean Bollack).

ELISABETH BORCHERS

Geb. 1926 in Homberg/Niederrhein. Jugendjahre im Elsaß, Aufenthalt in Frankreich und den USA, lebt als Verlagslektorin in Berlin.

Lyrik und Theater: Gedichte. Neuwied und Berlin-Spandau 1961; Nacht aus Eis – Szenen und Spiele. Neuwied und Berlin-Spandau 1965; Der Tisch an dem wir sitzen. Gedichte. Neuwied 1967. – Hörspiele; Kritik; Übersetzungen aus dem Französischen (u. a. ›Paulina 1880‹ von Pierre Jean Jouve); Kinderbücher.

›immer ein anderes‹ aus ›Gedichte‹. Mit Genehmigung des Luchterhand Verlages, Neuwied und Berlin-Spandau.

CHRISTINE BUSTA

Geb. 1915 in Wien. Verdiente seit 1929 ihren Lebensunterhalt selbständig neben Schule und Studium. 1933 Matura, anschließend einige Semester Anglistik und Germanistik an der Universität Wien. 1940 Eheschließung mit dem Musiker Maximilian Dimt, der seit 1944 in Rußland vermißt ist. Während des Krieges Hilfslehrerin, 1945/46 Dolmetscher und Hotelleiterin bei der britischen Besatzungsmacht in Wien. Danach wieder Hauslehrertätigkeit. Seit 1950 im Dienste der Wiener Städtischen Büchereien. Erste öffentliche Lesung 1933 im Österr. Rundfunk. Nach 12 Jahren selbstauferlegten Publikationsverbots entscheidende Veröffentlichung in der von Otto Basil herausgegebenen Zeitschrift ›Plan‹.

Lyrik: Jahr um Jahr. Wien 1950; Der Regenbaum. Wien 1951; Lampe und Delphin. Salzburg 1955; Die Scheune der Vögel. Salzburg 1958; Das andere Schaf. Wien 1959; Die Sternenmühle. Gedichte für Kinder und ihre Freunde. Salzburg 1959; Unterwegs zu älteren Feuern. Salzburg 1965.

›In der Morgendämmerung‹ aus ›Scheune der Vögel‹. Mit Genehmigung des Otto Müller Verlages, Salzburg.

REINHARD DÖHL

Geb. 1934 in Wattenscheid (Westfalen). Höhere Schule. Verschiedene Berufe. Studierte Germanistik, Philosophie, Geschichte und politische Wissenschaften. Promovierte mit einer Arbeit über das literarische Werk von Hans Arp. Lebt als wissenschaftlicher Assistent in Stuttgart.

HILDE DOMIN

Geb. 1912 in Köln. Studierte Jura, dann Soziologie und Staatswissenschaften in Heidelberg, Köln, Berlin, Rom und Florenz. Wichtigste Lehrer Jaspers und Karl Mannheim. Promovierte über Staatstheorie der Renaissance, Florenz 1935. Von 1932 bis 1939 in Italien. Dann in England als Sprachlehrerin. 1940–1952 in der Dominikanischen Republik. Ab 1948 Lektorin für Deutsch an der Universität Santo Domingo. 1953–54 in den USA. Rückkehr nach Deutschland 1954. Vier Jahre in Spanien. Seit 1961 in Heidelberg. – Wissenschaftliche und literarische Übersetzertätigkeit in den Jahren der Emigration. Lyrik seit 1951. Lesungen und poetologische Vorträge an literarischen Institutionen und Universitäten des In- und Auslands (u. a. England, Italien, Mexiko, USA: Ann Arbor, Harvard, Princeton, Stanford, Yale etc.)

Lyrik: Nur eine Rose als Stütze. Frankfurt 1959; Rückkehr der Schiffe. Frankfurt 1962; Hier. Frankfurt 1964; Höhlenbilder. Gedichte 1951–1952. Hundertdruck mit drei Ätzungen von Heinz Mack. Duisburg 1968; Ich will dich, München 1970. *Prosa:* Das Zweite Paradies. Roman in Segmenten. München 1968. – *Essays:* Wozu Lyrik heute. Dichtung und Leser in der gesteuerten Gesellschaft. München 1968; Das politische Gedicht und die Öffentlichkeit. In: Schweizer Monatshefte, September 1968; Ein Drehpunkt der Lyrikinterpretation. Zu Hugo Friedrichs »Struktur der modernen Lyrik«. In: Monat, November 1968; Eine Kultur oder keine Kultur. Der Zweikulturenstreit als Scheinkonflikt. In: Helmut Kreuzer; Literarische und Naturwissenschaftliche Intelligenz. Dialog über die »Zwei Kulturen«, Stuttgart, 1969. – *Kritiken* – *Herausgeber:* Spanien erzählt. Fischer Bücherei 1963; Joachim Rochow: Der leise Krieg. Gedichte aus dem Nachlaß. Andernach 1968; Nachkrieg und Unfrieden. Gedichte als Index 1945–1970, Neuwied 1970. – *Übersetzungen* aus dem Italienischen (Ungaretti), Spanischen und Englischen.

›Lied zur Ermutigung II‹ aus ›Rückkehr der Schiffe‹. Mit Genehmigung des S. Fischer Verlages, Frankfurt a. M.

286

GÜNTER EICH

Geb. 1907 in Lebus an der Oder. Wuchs in der Mark Brandenburg auf, studierte Rechtswissenschaft und Sinologie, dann als Schriftsteller in Berlin, Dresden und Paris. 1929 schrieb er sein erstes Hörspiel. Wohnt in Österreich.
Lyrik: Gedichte. 1930; Abgelegene Gehöfte. Frankfurt 1948; Untergrundbahn. Frankfurt 1949; Botschaften des Regens. Frankfurt 1955; Zu den Akten. Frankfurt 1964; Anlässe und Steingärten. Frankfurt 1966. – *Theater und Hörspiele:* Die Glücksritter. Lustspiel. 1933; Das festliche Jahr. Funkszenen. 1936; Träume. Vier Spiele. Frankfurt 1953; Stimmen. Sieben Hörspiele. Frankfurt 1958; In anderen Sprachen. Hörspiele. Frankfurt 1964; Unter Wasser. Böhmische Schneider. Marionettenspiele. Frankfurt 1964. – *Erzählung:* Katharina. 1934. *Prosa:* Maulwürfe. Frankfurt 1968; Kulka und andere. Berlin 1968. ·
›Ende eines Sommers‹ aus ›Botschaften des Regens‹. Mit Genehmigung des Suhrkamp Verlages, Frankfurt a. M.

CHRISTIAN ENZENSBERGER

Jahrgang 1931. Lebt in München und arbeitet gegenwärtig an einer Habilitationsschrift über die viktorianische Lyrik. Hält eine rein binnenakademische Lebensweise für unzuträglich und betätigt sich daher auch als Übersetzer und Kritiker.
Veröffentlichungen: Größerer Versuch über den Schmutz. München 1968. Victorianische Lyrik. München 1960. Neben Rundfunkarbeiten und Tageskritik Aufsätze über Seferis, Proust, Edward Lear, Faulkner, Pound usw. sowie die *Übersetzungen:* Englische Poesie von Hopkins bis Dylan Thomas (zusammen mit Ursula Clemen). Frankfurt 1961; Giorgios Seferis, Poesie. Frankfurt 1962; Lewis Carroll, Alice im Wunderland und hinter den Spiegeln. Frankfurt 1963; Edith Sitwell, Gedichte (zusammen mit Erich Fried und Werner Vordtriede). Frankfurt 1964.

HANS MAGNUS ENZENSBERGER

Geb. 1929 in Kaufbeuren, wuchs in Nürnberg auf; bis zum Abitur nebenbei als Dolmetscher und Barmann tätig; studierte von 1949–1954 Literaturwissenschaft, Sprachen und Philosophie in Erlangen, Hamburg, Freiburg und an der Sorbonne, promovierte 1955 in Erlangen mit einer Dissertation ›Über das dichterische Verfahren in Clemens Brentanos lyrischem Werk‹. Während des Studiums war er Mitarbeiter des Erlanger Studententheaters. Von 1955–1957 gehörte er der Redaktion »Radio-Essay« des Süddeutschen Rundfunks an. 1957 Reise nach den USA und Mexiko. 1957–1960 Aufenthalte in Italien und Norwegen. 1960–1961 Lektor bei Suhrkamp. 1964/65 Lehrstuhl für Poetik, Universität Frankfurt. Lebt in Tjöme am Oslofjord und in Berlin.
Lyrik: Verteidigung der Wölfe. Frankfurt 1957; Landessprache. Frankfurt 1960; Blindenschrift. Frankfurt 1964. – *Hörspiele:* Nacht über Dublin. 1961; Dunkle Erbschaft, tiefer Bajou. Eine Louisiana-Ballade. 1961 – *Kritik und Publizistik:* Brentanos Poetik. München 1961; Einzelheiten. Essays. Frankfurt 1962; Die Entstehung eines Gedichts. In: Gedichte. Die Entstehung eines Gedichts. Frankfurt 1962; Politik und Verbrechen. Essays. Frankfurt 1964. *Übersetzungen:* John Gay, Die Bettleroper. 1960; Jacques

Audiberti, Quoat-Quoat. 1960; William Carlos Williams, Gedichte. 1962; César Vallejo, Gedichte. 1963. *Herausgeber:* Clemens Brentano, Gedichte, Erzählungen, Briefe. Fischer Bücherei 1958; Museum der modernen Poesie. Frankfurt 1960; Allerleirauh. Viele schöne Kinderreime. Frankfurt 1961; Neue Prosa mal elf. Ett urval tyska noveller. 1961; Andreas Gryphius. Gedichte. Insel-Bücherei 1962; Vorzeichen. Fünf neue deutsche Autoren. Frankfurt 1962; Grimmelshausen, Die Lebensbeschreibung der Erzbetrügerin und Landstörzerin Courasche. dtv-Taschenbücher 1962; Nelly Sachs, Ausgewählte Gedichte. Frankfurt 1963; Neruda. Poesie impure. Hamburg 1968. Herausgeber der Reihe ›Poesie‹ – Texte in zwei Sprachen, Suhrkamp; seit 1965 der Zeitschrift ›Kursbuch‹.

›an alle fernsprechteilnehmer‹ aus ›Landessprache‹. Mit Genehmigung des Suhrkamp Verlages, Frankfurt a.M.

LEONARD FORSTER

Geb. 1913 in London. 1950 Ordinarius für Germanistik, Universität London, seit 1961 an der Universität Cambridge; 1964 Gastprofessor, Universität Heidelberg.
Veröffentlichungen: German Poetry 1944–48. Cambridge 1949; Penguin Book of German Verse. 1956.

ERICH FRIED

Geb. 1921 in Wien, emigrierte 1938 nach London, wo er seither wohnt. In England zuerst Hilfsarbeiter, Bibliothekar, Milchchemiker, Glasarbeiter. Seit 1946 ausschließlich literarisch tätig, von 1952 bis 1968 ständiger Mitarbeiter der BBC. Fried übersetzte u.a. Dylan Thomas, E. E. Cummings, T. S. Eliot, J. M. Synge, David Rokeah und Shakespearedramen ins Deutsche.
Lyrik: Deutschland. London 1944; Österreich. London/Zürich 1945; Gedichte. Hamburg 1958; Reich der Steine. Hamburg 1963; Warngedichte. München 1964; Überlegungen. Gedichtzyklus. München 1965; . . . und Vietnam und . . . Berlin 1966; Befreiung von der Flucht. Gedichte und Gegengedichte. Düsseldorf 1968. – *Prosa:* Ein Soldat und ein Mädchen. Roman. Hamburg 1960; Kinder und Narren. München 1965. – *Hörspiele:* Izanagi und Izanami. Hamburg 1960; Die Expedition. Hamburg 1962; Indizienbeweise. Hamburg 1966.
›Rede in der Hand‹ aus ›Warngedichte‹. München: Carl Hanser Verlag 1964. Mit Genehmigung des Verlages.

WALTER HELMUT FRITZ

Geb. 1929 in Karlsruhe, wo er lebt, studierte Literatur, Philosophie und neuere Sprachen an der Universität Heidelberg.
Lyrik: Achtsam sein. Biel 1956; Bild und Zeichen. Hamburg 1958; Veränderte Jahre. Stuttgart 1963; Die Zuverlässigkeit der Unruhe. Hamburg 1966. – *Prosa:* Umwege. Stuttgart 1964; Zwischenbemerkungen, Aufzeichnungen. Stuttgart 1965; Abweichung. Roman. Stuttgart 1965; Bemerkungen zu einer Gegend. Frankfurt 1969. – *Gedichtübertragungen* aus dem Französischen (Jean Follain, Alain Bosquet, Philippe Jaccottet, René Ménard).
›Früh im Jahr‹ aus ›Veränderte Jahre‹. Mit Genehmigung der Deutschen Verlags-Anstalt, Stuttgart.

GÜNTER BRUNO FUCHS

Geb. 1928 in Berlin. Kindheit in Berlin-Kreuzberg, Kanalgegend. Volksschule, Mittelschule. Mit 14 Jahren einberufen zum Luftwaffenhelferdienst,
anschließend Arbeitsdienst. Entlassen als 17jähriger aus belgischer Gefangenschaft. Danach u.a. Maurerumschüler, Schulhelfer in Ostberlin. Student an
der Berliner HfBK und Meisterschule für Grafik. Zechenarbeiter, Bauhilfs-
arbeiter. Seit 1952 freier Schriftsteller und Grafiker. Lebt in Berlin, leitet
die Werkstatt »Rixdorfer Drucke«.
Gedichte: Nach der Haussuchung, Gedichte und Holzschnitte. Stierstadt
(Ts.) 1957; Brevier eines Degenschluckers. Gedichte und Prosa. München
1960; Trinkermeditationen. Gedichte und Zeilen. Neuwied und Berlin-
Spandau 1962; Pennergesang. Gedichte & Chansons. München 1965; Blätter eines Hof-Poeten & andere Gedichte. München 1967. – *Prosa:* Polizei-
stunde. Erzählung. München 1959; Krümelnehmer oder 34 Kapitel aus dem
Leben des Tierstimmen-Imitators Ewald K. Roman. München 1963; Spiel-
und Polterbuch. Holzschnitte nebst Goldener Worte für den Tag. Stierstadt
(Ts.) 1965; Herrn Eules Kreuzberger Kneipentraum. München 1966; Zwischen Kopf und Kragen. 32 wahre Geschichten. Berlin 1967; Ein dicker Mann
wandert. Kinderbuch. Köln 1967; Bericht eines Bremer Stadtmusikanten.
München 1968. – *Herausgeber:* Die Meisengeige. Zeitgenössische Nonsens-
verse. München 1964.
›Geschichtenerzählen‹ aus ›Brevier eines Degenschluckers‹ München: Carl
Hanser Verlag 1960. Mit Genehmigung des Verlages.

HANS-GEORG GADAMER

Geb. 1900 in Marburg, aufgewachsen in Breslau. Gymnasium zum Heiligen
Geist in Breslau. Studierte Germanistik, Geschichte, Kunstgeschichte und
Philosophie in Breslau, Marburg und München. 1922 Promotion zum
Dr. phil. bei Paul Natorp. Ab 1924 Studium der Klassischen Philologie in
Marburg. 1927 Staatsprüfung für das höhere Lehramt. 1929 Habilitation
in Marburg bei Martin Heidegger. 1933 Lehrauftrag für Ethik und Ästhe-
tik. 1937 Ernennung zum n. b. a. o. Professor. 1939 o. Professor der Phi-
losophie an der Universität Leipzig. 1946 und 1947 Rektor der Universität
Leipzig. 1947–1949 o. Professor in Frankfurt a. M., von 1949 bis 1969 in
Heidelberg als Nachfolger von Karl Jaspers. – Vorsitzender der Senats-
kommission für Begriffsgeschichte bei der Deutschen Forschungsgemeinschaft;
Präsident der Heidelberger Akademie der Wissenschaften; Mitglied der
Hegel-Kommission der Deutschen Forschungsgemeinschaft; Präsident der
Internationalen Hegel-Vereinigung; Präsident der Heidelberger Akademie
der Wissenschaften.
Monographien: Platos dialektische Ethik. 1931; Plato und die Dichter.
1934; Vom geistigen Lauf des Menschen. 1949; Hauptwerk: Wahrheit und
Methode. Grundzüge einer philosophischen Hermeneutik. Tübingen 1960;
La conscience historique. 1963; Dialektik und Sophistik im 7. platonischen
Brief. 1964. *Aufsätze:* Antike Atomtheorie. 1935; Platos Staat der Erziehung. 1942; Prometheus und die Tragödie der Kultur. 1946; Zur Vor-
geschichte der Metaphysik. 1950; Plato und die Vorsokratiker. 1964; Hegel und die griechische Dialektik. 1960; Hegel und die Heidelberger Romantik. 1960; Hegels verkehrte Welt. 1965; Hermeneutik und Historismus. 1961; Die phänomenologische Bewegung. 1963; Studien zu Heidegger:

Nachwort zu Ursprung des Kunstwerks. 1960; Martin Heidegger und die Marburger Theologie. 1964; Martin Heidegger. 1964; Kleine Schriften I u. II. Tübingen 1968. – Ferner Arbeiten über Herder, Goethe, Hölderlin, Immermann, Rilke, George und Werner Scholz. – *Herausgeber* der ›Philosophischen Rundschau‹ (mit H. Kuhn); Mitherausgeber der Kant-Studien sowie der Hegel-Studien.

GÜNTER GRASS

Geb. 1927 in Danzig. 1933–1944 Volksschule und Gymnasium in Danzig. 1944–1945 Luftwaffenhelfer und Soldat, 1945 verwundet, Lazarettaufenthalt in Marienbad, amerikanische Gefangenschaft in Bayern; nach der Entlassung aus der Gefangenschaft Landarbeiter und Arbeiter in einem Kalibergwerk. 1947 Steinmetzlehre in Düsseldorf, 1949–1952 Schüler von Mages und Pankok an der Kunstakademie Düsseldorf. – 1951 Italienreise bis Sizilien. 1952 Frankreichreise. 1953 Ansiedlung in Berlin (an der Hochschule für Bildende Künste Schüler Karl Hartungs). 1955 Spanienreise. 1956 Übersiedlung nach Paris. 1958 Reise nach Polen (Warschau, Danzig). – 1960 Rückkehr von Paris nach Berlin. 1964 Reise nach den Vereinigten Staaten. 1965 Wahlreise mit fünf Wahlreden. – Kunstausstellungen in Stuttgart, Berlin, Bremen und im Goethehaus, New York.
Lyrik: Die Vorzüge der Windhühner. Gedichte, Prosa und Zeichnungen. 1956; Gleisdreieck. Gedichte und Graphiken. 1960; Ausgefragt. 1967. – *Prosa:* Die Blechtrommel. Roman. 1959; Katz und Maus. Novelle. 1961; Hundejahre. Roman. 1963; Die Ballerina. Essay und Graphiken. Berlin 1963; Örtlich betäubt. Roman. 1969. – *Stücke:* Hochwasser (1955). Frankfurt 1963; Onkel, Onkel (1956/57). Berlin 1965; Noch zehn Minuten bis Buffalo (1956). In: Spiele in einem Akt. Frankfurt 1961; Die bösen Köche (1957). In: Modernes deutsches Theater I. 1961; Die Plebejer proben den Aufstand. 1966; Davor. 1969. – *Reden:* Rede über das Selbstverständliche (zur Verleihung des Georg-Büchner-Preises). 1965; 5 Wahlreden: Was ist des Deutschen Vaterland? – Loblied auf Willy – Es steht zur Wahl – Ich klage an – Des Kaisers neue Kleider. 1965; Über das Selbstverständliche. Reden, Aufsätze, offene Briefe, Kommentare. 1968. – *Mitarbeit:* O Susanna – Ein Jazz-Bilderbuch von H. Geldmacher. Blues, Balladen, Spirituals. Texte von G. Grass. Köln 1959; P. Kohut und G. G., Briefe über die Grenze. Hamburg 1968. (Wo kein Ort angegeben ist: Luchterhand Verlag, Neuwied und Berlin-Spandau.)
›Kirschen‹ aus ›Gleisdreieck‹. Mit Genehmigung des Luchterhand-Verlages, Neuwied und Berlin-Spandau.

RAINER GRUENTER

Geb. 1918 in Düsseldorf. Studierte in Bonn, Jena und Köln, promovierte dort 1949. 1949–1952 Lektor am King's College, London. 1954 Harvard International Seminar. 1956 Privatdozent an der Freien Universität Berlin. 1957–1960 an den Universitäten Köln und Heidelberg. 1960 Ordinarius für deutsche Sprache und Literatur in Berlin. Seit 1965 Ordinarius an der Philosophischen Fakultät der Wirtschaftshochschule Mannheim.
Veröffentlichungen: Studien zur literarischen Topik (locus amœnus), zur ›Tristan‹-Dichtung Gotfrids von Straßburg, zur spätmittelalterlichen Allegorie. Abhandlungen über Reformationssatire und didaktische Dichtung

im 15. und 16. Jahrhundert. Beiträge zur neueren deutschen Literatur seit 1949 in: ›Merkur‹, ›Neue deutsche Hefte‹, ›Neue Zürcher Zeitung‹ u. a. – *Mitherausgeber* des ›Euphorion. Zeitschrift für Literaturgeschichte‹ seit 1956.

JOACHIM GÜNTHER

Geb. 1905 in Hofgeismar. Lebt seit 1911 in Berlin. Hat Philosophie, Germanistik, Kunstgeschichte studiert, später, nach dem Krieg, den er als Sanitäter mitmachte, in zweitem Studium Theologie. Seit den zwanziger Jahren Journalist, Literaturkritiker. »Lebt gern in Berlin und gedenkt sich dort auch begraben zu lassen.«
Veröffentlichungen: Das letzte Jahr. Mein Tagebuch 1944/45. Hamburg 1948; Das verwechselte Schicksal. Erzählungen. Hamburg 1948; Die zahme Sphinx. Rätsel. Moralische Begriffsbestimmungen. Witten/Ruhr 1954; Die Mövenstadt. Ein Inseltagebuch und Miniaturen. 1955; Wiener Papageienbüchlein. Gütersloh 1957. – *Herausgeber* der ›Neuen Deutschen Hefte‹ seit 1954.

RUDOLF HARTUNG

Geb. 1914 in München, daselbst Studium der Psychologie, Philosophie und Literaturwissenschaft. Promotion zum Dr. phil. Verschiedene Berufe. 1955 Übersiedlung nach Berlin. Herausgeber der Zeitschrift ›Kritische Blätter‹, hernach Mitherausgeber der Zeitschrift ›Neue Deutsche Hefte‹. Freier Schriftsteller, Kritiker und Lyriker. Seit 1963 Chefredakteur der ›Neuen Rundschau‹.
Veröffentlichung: Vor grünen Kulissen, Gedichte. Köln 1959.

HERBERT HECKMANN

Geb. 1930 in Frankfurt a. M. Studierte Germanistik und Philosophie und promovierte mit einer Arbeit über ›Elemente des barocken Trauerspiels‹. 1958 in Rom als Stipendiat der Villa Massimo. Mitherausgeber der ›Neuen Rundschau‹, Gastdozentur an der Northwestern University Evanston, USA. *Veröffentlichungen:* Das Portrait. Erzählungen. Frankfurt 1958; Benjamin und seine Väter. Roman. Frankfurt 1962; Schwarze Geschichten. Frankfurt 1964; Der kleine Fritz. Roman für Kinder und solche, die es werden wollen. Köln 1968.

HANS-JÜRGEN HEISE

Geb. 1930 in Bublitz/Pommern. 1949/50 redaktioneller Mitarbeiter der Ostberliner Kulturbundzeitschrift ›Sonntag‹. Lebt heute in Kiel. »Lyriker und Literaturkritiker auf der Grundlage eines bürgerlichen Berufs.«
Lyrik: Vorboten einer neuen Steppe. Wiesbaden 1961; Wegloser Traum. Wiesbaden 1964; Beschlagener Rückspiegel. Darmstadt 1965; Worte aus der Zentrifuge. Darmstadt 1966. Ein bewohnbares Haus. Frankfurt 1968. – *Kritische Arbeiten* (hauptsächlich in der ›Deutschen Zeitung‹, der ›Tat‹ und den ›Stuttgarter Nachrichten‹). – *Herausgeber* von ›das bist du mensch‹. Kleine Anthologie moderner Weltlyrik. Ebenhausen 1963. – *Übersetzungen:* Archibald MacLeish, Journey Home. Gedichte amerikanisch-deutsch 1965. ›Joschas Jacke‹ aus ›Beschlagener Rückspiegel‹. Mit Genehmigung des Bläschke Verlages, Darmstadt.

HELMUT HEISSENBÜTTEL

Geb. 1921 in Wilhelmshaven, Schule in Papenburg. Als Soldat 1941 schwer verwundet. Studierte von 1942–1945 in Dresden und Leipzig Architektur, Germanistik und Kunstgeschichte. Nach dem Kriege Fortsetzung des Studiums in Hamburg. 1955–1957 Werbeleiter und Lektor eines Hamburger Verlages. – Seit 1959 Leiter der Abteilung Radio-Essay, Stuttgart.
Literarische Arbeiten: Kombinationen. Eßlingen 1954; Topographien. Eßlingen 1956; Textbuch 1, 1960; Textbuch 2, 1961; Textbuch 3, 1962; Textbuch 4, 1964; Textbuch 5, 1965, sämtlich im Walter-Verlag, Olten/Freiburg/Br.; Textbuch 6, Neuwied 1967. – *Kritische Arbeiten:* Über Literatur. Olten und Freiburg/Br. 1966. Briefwechsel über den Roman (mit Heinrich Vormweg). Neuwied 1969. – *Herausgeber:* Hofmannswaldau, Gedichte. Frankfurt 1968.
›Rücksprache in gebundener Rede‹ aus ›Textbuch 4‹. Mit Genehmigung des Walter Verlages, Olten und Freiburg/Br.

CLEMENS HESELHAUS

Geb. 1912 in Burlo/Westf. Studierte Germanistik, Philosophie und Geschichte in Münster und München (1932–1937), 1938 Studium an der Sorbonne. Lektor für deutsche Sprache an den Universitäten Pisa und Mailand. In Münster Privatdozent (1946) und apl. Professor (1952). Zugleich Geschäftsführer der Droste-Gesellschaft, heute 2. Vorsitzender und Herausgeber des Jahrbuchs der Droste-Gesellschaft. In Gießen Mitbegründer der Forschungsgruppe Poetik und Hermeneutik (mit Blumenberg, Jauss und Iser), einer Poetik-Bibliothek und Mitherausgeber der Forschungs-Colloquien »Poetik und Hermeneutik«. – Ord. Professor für Neuere deutsche Literaturgeschichte und allgemeine Literaturwissenschaft an der Universität Gießen. *Selbständige Veröffentlichungen:* Annette von Droste-Hülshoff. Die Entdeckung des Seins in der Dichtung des 19. Jahrhunderts. Halle 1943; Deutsche Lyrik der Moderne. Düsseldorf 1961. – Strukturanalysen von Gryphius' Catharina von Georgien, Grimmelshausens Simplicius Simplicissimus, Goethes Prometheus und Pandora, von den Heide- und Zeitbildern der Droste, von Gedichten Hölderlins, Trakls usw. – *Aufsätze:* Wiederherstellung. In: DVjs. (1951); Kafkas Erzählformen. In: DVjs. (1952); Die Nemesis-Tragödie. In: Dt.-Unterr. (1952); Metamorphose-Dichtung und Metamorphose-Anschauungen. In: Euphorion (1953); Auslegung und Erkenntnis. In: Gestaltprobleme der Dichtung. Bonn 1957; Das Kleistsche Paradox. In: Nachrichten der Gießner Hochschulgesellschaft (1962); Brechts Verfremdung der Lyrik. In: Poetik und Hermeneutik 2. München 1966. – *Herausgeber:* A. v. Droste-Hülshoff, Sämtliche Werke. München 1952; dies., Der spiritus familiaris des Roßtäuschers. 1957; Gottfried Keller, Sämtliche Werke und ausgewählte Briefe. 3 Bde. München 1956/57.

HANS RUDOLF HILTY

Geb. 1925 in St. Gallen (Schweiz), Jugend in St. Gallen. Studierte in Zürich und Basel deutsche Literatur und Geschichte. Bis vor kurzem Herausgeber und freier Publizist in St. Gallen. Leitet heute das Feuilleton der Tageszeitung ›Volksrecht‹ in Zürich.
Lyrik: Nachtgesang. 1948; Eingebrannt in den Schnee. 1956; Daß die Erde uns leicht sei. 1959; zu erfahren. Bern 1969. – *Prosa und Spiel:* Die Ent-

sagenden. Novellen. 1951; Der kleine Totentanz. Spiel. 1951; Das indisch-rote Heft. Novellen und Miniaturen. 1954; Parsifal. Roman. 1962; Der Rat der Weltunweisen. Roman (Mit-Autor). Gütersloh 1966. — *Studien und Essays:* Carl Hilty und das geistige Erbe der Goethezeit. Studie. 1953; Friedrich Schiller. Studie. 1955; Jeanne d'Arc bei Schiller und Anouilh. Essays. 1960; Symbol und Exempel (Gedankengänge über sprachlichen und gesellschaftlichen Strukturwandel). Itzehoe-Voßkate 1966, — *Herausgeber* von ›hortulus‹. Zeitschrift für neue Dichtung, ab 1951; Die Quadrat-Bücher, ab 1959; documenta poetica, 1962; Modernes Schweizer Theater, 1964 (mit Max Schmid).

WALTER HÖLLERER

Geb. 1922 in Sulzbach-Rosenberg (bayerische Oberpfalz). Im 2. Weltkrieg auf südöstlichen und südlichen Kriegsschauplätzen. Studierte nach 1945 Philosophie, Geschichte, Germanistik und Vergleichende Literaturwissenschaft (Dr.phil.), habilitierte sich an der Universität Frankfurt a. M., lehrte in Münster und an amerikanischen Universitäten und ist jetzt Ordinarius für Literaturwissenschaft an der Technischen Universität Berlin. Als Autor und Kritiker in der Gruppe 47. Mitbegründer und (bis 1968) -herausgeber der Zeitschrift ›Akzente — Zeitschrift für Dichtung‹; Herausgeber der Zeitschrift ›Sprache im technischen Zeitalter‹ und der Schriftenreihe ›Literatur als Kunst‹; ›Leiter des Literarischen Colloquiums Berlin‹. *Lyrik:* Der andere Gast. München 1952; Gedichte. Wie entsteht ein Gedicht. Frankfurt 1964; R. v. Mangoldt und W. H., Außerhalb der Saison. Hopfengärten in 3 Gedichten und 19 Fotos. Berlin 1967 — *Prosa:* Romankapitel in: Jahresring. Stuttgart 1961, und in: Akzente (1961), Heft 3. Erzählungen u.a. in: Deutsche Prosa. 1963. — *Literaturwissenschaft:* Zwischen Klassik und Moderne. Lachen und Weinen in der Dichtung einer Übergangszeit. Stuttgart 1958; Theorie der modernen Lyrik. Dokumente zur Poetik I, Rowohlts Deutsche Enzyklopädie 1965. — Literarhistorische Essays in deutschen und ausländischen Zeitschriften. — *Herausgeber* u. a. von: Transit. Lyrikbuch der Jahrhundertmitte. Frankfurt 1956; Movens. Dokumente und Analysen zur Dichtung, bildenden Kunst, Musik und Architektur (zusammen mit Franz Mon und Manfred de la Motte). Wiesbaden 1960; Junge amerikanische Lyrik (zusammen mit Gregory Corso). Mit Nachwort. München 1961; Spiele in einem Akt (zusammen mit Marianne Heyland und Norbert Miller). Mit Nachwort. Frankfurt 1961.
›Völlig versteckt im Frühwind (3)‹ aus ›Gedichte. Wie entsteht ein Gedicht‹. Mit Genehmigung des Suhrkamp Verlages, Frankfurt a. M.

JENS HOFFMANN

Geb. 1927 in Hamburg. Dr. phil. Von 1963 bis 1967 Feuilletonleiter bei ›Christ und Welt‹.

PETER HUCHEL

Geb. 1903 in Berlin-Lichterfelde, Kindheit in der Mark Brandenburg. Literarisches und philosophisches Studium an den Universitäten Berlin, Freiburg und Wien. Seit 1925 freier Schriftsteller, Mitarbeiter der ›Literarischen Welt‹ und der ›Kolonne‹. 1941 Soldat. Herbst 1945 Rückkehr aus sowjetischer Gefangenschaft; bis 1948 Künstlerischer Direktor des Berliner Rund-

funks. 1949–1962 Chefredakteur von ›Sinn und Form‹. Lebt in Wilhelmshorst bei Potsdam.
Lyrik: Gedichte. Berlin (-Ost) 1948; Gedichte. Karlsruhe 1949; Chausseen Chausseen. Frankfurt 1963; Die Sternenreuse. Gedichte 1925–1947. München 1967.
›Winterpsalm‹ aus ›Chausseen Chausseen‹. Mit Genehmigung des S. Fischer Verlages, Frankfurt.

GERT KALOW

Geb. 1921 in Cottbus. Abitur, Arbeitsdienst, Krieg, Gefangenschaft. Ab Herbst 1947: Studium in Hamburg und Heidelberg (Philosophie, Soziologie, Germanistik, Musik). Schüler Alfred Webers. 1957–63 Dozent an der Hochschule für Gestaltung in Ulm (1960/61 Vorsitzender des Rektoratskollegiums). 1961/62 Rockefeller-Stipendium. Seit 1963: Hessischer Rundfunk. Leiter der Abteilung Abendstudio/Feature.
Essays: Zwischen Christentum und Ideologie — Essays zur modernen Literatur. Heidelberg 1956; Hitler, das gesamtdeutsche Trauma. Zur Kritik des politischen Bewußtseins. München 1967. — *Beiträge* in: Deutsche Literatur im 20. Jahrhundert. Heidelberg 1954; Christliche Dichter der Gegenwart. Heidelberg 1955; Dizionario Biografico degli Autori di tutti i tempi e di tutte le letterature. Mailand 1957; Lexikon der Weltliteratur im 20. Jahrhundert. Freiburg/Basel/Wien 1960; Das Deutsche Lichtbild. Stuttgart 1961. — *Lyrik:* erdgaleere. München 1969. — *Herausgeber:* Sind wir noch das Volk der Dichter und Denker? Reinbek bei Hamburg 1964; Die Kunst, zu hause zu sein. München 1965.

MARIE LUISE KASCHNITZ

Geb. 1901 in Karlsruhe. Kindheit und Jugend in Baden. Entscheidende Lebensjahre in Italien, dann in Ostpreußen. 1960 Lehrstuhl für Poetik an der Universität Frankfurt. Lebt in Frankfurt a. M.
Lyrik: Gedichte. Hamburg 1947; Totentanz und Gedichte zur Zeit. Hamburg 1948; Zukunftsmusik. Hamburg 1950; Ewige Stadt. Rom-Gedichte. Krefeld 1957; Neue Gedichte. Hamburg 1957; Dein Schweigen — meine Stimme. Hamburg 1962; Ein Wort weiter. Hamburg 1965; Überallnie. Ausgewählte Gedichte von 1928 bis 1965. Düsseldorf 1965. — *Romane, Erzählungen und sonstige Prosa:* Liebe beginnt. Roman. Berlin 1933; Elissa. Roman. 1936; Griechische Mythen. Essays. Hamburg 1942; Menschen und Dinge. Essays. Heidelberg 1946; Gustave Courbet. Biographie. Baden-Baden 1949; Das dicke Kind und andere Erzählungen. Krefeld 1952; Engelsbrücke. Römische Betrachtungen. Hamburg 1955; Das Haus der Kindheit. Hamburg 1956; Lange Schatten. Erzählungen. Hamburg 1960; Wohin denn ich. Aufzeichnungen. Hamburg 1963; Ferngespräche. Erzählungen. Frankfurt 1967; Tage, Tage, Jahre. Aufzeichnungen. Frankfurt 1968. — *Hörspiele:* Hörspiele. Hamburg 1962. — *Herausgeberin:* Eichendorff, Gedichte. Frankfurt 1968.
›Auferstehung‹ aus ›Dein Schweigen — meine Stimme‹. Mit Genehmigung des Claassen Verlages, Hamburg.

HANS PETER KELLER

Geb. 1915 in Rosellerheide/Niederrhein, studierte Philosophie an den Universitäten Löwen und Köln. Im Krieg an der Westfront und in Rußland. Nach 1945 waren die wichtigsten Stationen Paris, Stromboli und Palermo. Lektor an verschiedenen Verlagen in der Schweiz. Heute als Schriftsteller in Büttgen bei Neuss am Rhein.

Lyrik: Die wankende Stunde. 1958; Die nackten Fenster. 1960; Herbstauge. 1961; Auch Gold rostet. 1962; Grundwasser. 1965; Stichwörter Flickwörter. 1969. – *Prosa:* Panoptikum aus dem Augenwinkel. 1966. – *Herausgeber:* Emil Barth, Briefe. 1968: alle im Limes Verlag, Wiesbaden.

›Aber das Warten‹ aus ›Grundwasser‹. Mit Genehmigung des Limes Verlages, Wiesbaden.

KARL KROLOW

Geb. 1915 in Hannover. Studium der Germanistik, Romanistik, Philosophie, Kunstgeschichte in Göttingen und Breslau. Lebt seit 1956 als freier Schriftsteller in Darmstadt. 1958 UNESCO-Stipendium in Paris. 1960/61 Lehrstuhl für Poetik, Universität Frankfurt. 1964 Poetik-Lektorat Universität München.

Lyrik: Hochgelobtes gutes Leben. Hamburg 1943; Gedichte. Konstanz 1948; Heimsuchung. Berlin 1948; Auf Erden. Hamburg 1949; Die Zeichen der Welt. Stuttgart 1952; Wind und Zeit. Stuttgart 1954; Tage und Nächte. Düsseldorf 1956; Schatten eines Manns. Privatdruck. Wülfrath 1957; Fremde Körper. Frankfurt 1959; Unsichtbare Hände. Frankfurt 1962; Ausgewählte Gedichte. Frankfurt 1962; Reise durch die Nacht. Darmstadt 1964; Gesammelte Gedichte. Frankfurt 1965; Eine Landschaft für mich. Frankfurt 1965; Neue Gedichte. Frankfurt 1968. – *Prosa, Vorträge, Aufsätze:* Von nahen und fernen Dingen. Kurze Prosa. Stuttgart 1963; Aspekte zeitgenössischer deutscher Lyrik. Universitätsvorträge. Gütersloh 1961; Schattengefecht. Aufsätze. Frankfurt 1964; Poetisches Tagebuch. Frankfurt 1966; Minuten-Aufzeichnungen. Frankfurt 1968. – *Übertragungen* französischer und spanischer Lyrik (Anthologie) – Apollinaire und Verlaine. ›Robinson I‹ aus ›Fremde Körper‹. Mit Genehmigung des Suhrkamp Verlages, Frankfurt.

HUGO KUHN

Geb. 1909 in Thaleischweiler/Rheinpfalz, Schulen in Landau/Pfalz und Breslau, Universitäten Breslau und Tübingen, Dozent und apl. Professor Tübingen. Seit 1954 Professor für Deutsche Philologie in München.

Selbständige Veröffentlichungen: Die verfälschte Wirklichkeit, 1946; Minnesangs Wende, 1952; Dichtung und Welt im Mittelalter. Stuttgart 1959. – *Aufsätze zur Lyrik:* Rilke und Rilke-Literatur. In: DVjs. 17 (1939); »Warum gabst du uns die tiefen Blicke?« In: Dichtung und Volkstum (Euphorion) 41 (1941); Poetische Synthesis oder Ein kritischer Versuch über romantische Philosophie und Poesie aus Novalis' Fragmenten. In: Zs. f. philos. Forsch. 5 (1951); Probleme der produzierten Form (mit H. M. Peters und G. Scheja). In: Studium Generale (1951); Zur modernen Dichtersprache. In: Wort und Wahrheit 9 (1954); Versuch über Interpretation schlechter Gedichte. In: Konkrete Vernunft. Festschrift für E. Rothacker. Bonn 1958; Interpretationslehre. In: Unterscheidung und Bewahrung. Festschrift für H. Kunisch. Berlin 1961; Die deutsche Literatur. In: Die Literaturen der Welt. Hrsg. v. W. v. Einsiedel. München 1964. *Herausgeber:* Deutsche Vierteljahrsschrift für Literaturwissenschaft und Geistesgeschichte (jetzt mit R. Brinkmann); Altdeutsche Textbibliothek.

CHRISTINE LAVANT

Geb. 1915 in St. Stefan im Lavanttal (Kärnten). Schriftstellername nach dem Fluß. Sie ist das neunte Kind eines Bergarbeiters, besuchte nur die Volksschule und eine Klasse der Hauptschule und verdiente sich ihren Lebensunterhalt größtenteils durch Stricken in ihrem Heimatort.
Lyrik: Die Bettlerschale. Salzburg 1956; Spindel im Mond. Salzburg 1959; Wirf ab den Lehm. Graz 1961; Der Pfauenschrei. Salzburg 1964; Nell – Vier Erzählungen. Salzburg 1969. *Erzählungen:* Das Kind. Stuttgart 1948; Das Krüglein. Stuttgart 1949; Die Rosenkugel. Stuttgart 1956; Baruscha, drei Erzählungen. Graz 1952.
›DIE STADT ist oben auferbaut‹ aus ‹Spindel im Mond›. Mit Genehmigung des Otto Müller Verlages, Salzburg.

KURT LEONHARD

Geb. 1910 in Berlin. Studium der Kunstgeschichte 1936 abgebrochen. Auslandsreisen, seit 1946 in Eßlingen a. N. als Verlagslektor, Kunstkritiker und freier Schriftsteller.
Lyrik: Gegenwelt. Eßlingen 1955. – *Kritische Prosa:* Die Heilige Fläche. Stuttgart 1947; Der gegenwärtige Dante. Stuttgart 1950; Augenschein und Inbegriff. Stuttgart 1953; Silbe Bild und Wirklichkeit. Eßlingen 1957; Moderne Lyrik – Monolog und Manifest. Bremen 1963; Cézanne. Reinbek bei Hamburg 1966; Ida Kerkovius. Leben und Werke. Köln 1967; Henri Michaux. (Kunst heute 9) Stuttgart 1967.

EDGAR LOHNER

Geb. 1919 in Andernach, besuchte von 1930–1939 das Beethoven-Gymnasium in Bonn, wurde 1939 von der Gestapo verhaftet und 1941 vom Volksgerichtshof in Berlin wegen Vorbereitung zum Hochverrat zu fünf Jahren Zuchthaus verurteilt. 1942: Brigade 999. Von 1943–1946 in amerikanischer Kriegsgefangenschaft. 1946–1950 Studium der Anglistik, Romanistik und Germanistik in Bonn, das er, nach einer Unterbrechung in Oxford (1948), 1950 mit einer Dissertation über William Faulkner abschloß. 1951 Teilnahme am Salzburger »Seminar in American Studies«. Herbst 1951 Dozent für deutsche Sprache und Literatur an der Harvard University. 1954–1955 lehrte er deutsche und spanische Sprache am Lake Forest College in Illinois. 1955–1962 Professor für deutsche und vergleichende Literatur an der New York University. Seit 1962 Ordinarius für deutsche Literatur an der Stanford University in Kalifonien.
Veröffentlichungen: Gottfried Benn-Bibliographie 1912–1956. Wiesbaden 1958; Passion und Intellekt. Die Lyrik Gottfried Benns. Neuwied und Berlin-Spandau 1961; Schiller und die moderne Lyrik. Göttingen 1964. – Zahlreiche Aufsätze in deutschen, amerikanischen und französischen Zeitschriften, insbesondere über Expressionismus, Schiller, Probleme der Lyrik und Methodenfragen der Kritik und Literaturwissenschaft. – *Übersetzungen:* René Wellek und Austin Warren, Theorie der Literatur. 1959; R. Wellek,

Geschichte der Literaturkritik 1750–1830. 1959; Northrop Frye. Anatomy of Criticism (Analyse der Literaturkritik). 1964. – *Herausgeber:* A. W. Schlegel, Kritische Schriften und Briefe (bisher 4 Bde. erschienen). Stuttgart 1962 ff.; Modern German Drama. Boston 1966.

HELMUT MADER

Geb. 1932 in Oderberg. Aufgewachsen in Oderberg (nacheinander zu der Tschechoslowakei, zu Polen und Deutschland gehörig). In vielen Orten in der Schule. 1942 für 3 Wochen in der »Reichsschule der NSDAP« in Feldafing, wurde als »zur Erziehung in der Gemeinschaft nicht geeignet« wieder heimgeschickt. Von 1945–1946 in Österreich, anschließend in Baden-Württemberg. Lebt in Waiblingen bei Stuttgart. Studierte an mehreren Hochschulen zunächst Jura, später Philosophie, Literaturwissenschaft und Politik. Gedichte in Zeitschriften, Anthologien und im Rundfunk. Mitübersetzer der Gedichte des türkischen Orhan Veli.
Lyrik: Lippenstift für die Seele. 1955; Selbstportrait mit Cristopher Marlowe. 1965 (beide im Limes Verlag, Wiesbaden).
›Umgebung der Logik, VII‹ aus ›Selbstportrait mit Christopher Marlowe‹. Mit Genehmigung des Limes Verlages, Wiesbaden.

HANS MAYER

Geb. 1907 in Köln, studierte an den Universitäten Köln, Bonn und Berlin, promovierte 1931 mit einer staatstheoretischen Arbeit. Verbrachte seine Emigrationszeit von 1933 bis 1945 in Frankreich und der Schweiz, kehrte Ende 1945 nach Deutschland zurück. Chefredakteur des Hessischen Rundfunks, anschließend Dozent an der Frankfurter Akademie der Arbeit. Ab 1948 Ordinarius für deutsche und vergleichende Literaturgeschichte an der Universität Leipzig. 1963 Übersiedlung in die Bundesrepublik. Sommersemester 1965 Gastprofessor an der Technischen Universität Berlin. Seit 1965 Professor für deutsche Literatur und Sprache an der Technischen Hochschule Hannover.
Veröffentlichungen: Georg Büchner und seine Zeit. Wiesbaden 1946; Thomas Mann. Werk und Entwicklung. Berlin 1950; Von Lessing bis Thomas Mann. Pfullingen 1959; Ansichten zur Literatur der Zeit. Hamburg 1962; Zur deutschen Klassik und Romantik. Pfullingen 1963; Zur deutschen Literatur der Zeit. Zusammenhänge, Schriftsteller, Bücher. Reinbek 1967. – Kürzere Monographien über Brecht, Max Frisch und Friedrich Dürrenmatt. – *Herausgeber:* Texte zur deutschen Literaturkritik; große deutsche Verrisse. Von Schiller bis Nestroy. – *Übersetzungen* aus dem Französischen (Aragon und Sartre).

CHRISTOPH MECKEL

Geb. 1935 in Berlin. Kindheit in Berlin, Erfurt, Freiburg i. Br. Reisen in Europa und Afrika (Senegal und Nigeria). Lebte in München, Paris, Südbaden, heute in Berlin als freier Grafiker und Schriftsteller.
Lyrik: Tarnkappe. München 1956; Hotel für Schlafwandler. Stierstadt (Ts.) 1958; Wildnisse. Frankfurt 1962; Gedichtbilderbuch. Gedichte und Farbdrucke. Stierstadt (Ts.) 1964; Nebelhörner. Stuttgart 1959; Bei Lebzeiten zu singen. Berlin 1967. Die Dummheit liefert uns ans Messer. Ein Zeitgespräch in zehn Sonetten mit Volker von Törne. Berlin 1967; Die Balladen des

Thomas Balkan. Berlin 1969. – *Prosa:* Manifest der Toten. Stierstadt (Ts.) 1960; Im Land der Umbramauten. Stuttgart 1960; Dunkler Sommer und Musikantenknochen. Berlin 1964; Tullipan. Berlin 1965; Die Noticen des Feuerwerkers Christopher Magalan ... Berlin 1966; Der glückliche Magier. Baden-Baden o. J. – *Herausgeber:* Heym, Gedichte. Frankfurt 1968. – *Hörspiel:* Der Wind, der dich weckt, der Wind im Garten. Neuwied 1967. – 5 Grafikbände bei Heinrich Ellermann, München.
›Ode an mächtige Mannschaften‹ aus ›Nebelhörner‹. Mit Genehmigung der Deutschen Verlags-Anstalt, Stuttgart.

ERNST MEISTER

Geb. 1911 in Haspe i.W. Studierte Theologie, Philosophie, Germanistik. Im Kriege Soldat, hauptsächlich in Italien. 20 Jahre kaufmännischer Angestellter in der Fabrik seines Vaters. Mehrere Aufenthalte auf Ibiza und in Südfrankreich. 1964 Berlin-Stipendium. Lebt seit 1961 als freier Schriftsteller in Hagen-Haspe.
Lyrik: Ausstellung. Marburg 1932; veröffentliche erst wieder ab 1952, zunächst in den ›Konturen‹. Mehrere Lyrikbändchen bei V. O. Stomps, später zwei Bände im Limes-Verlag. – Flut und Stein. Gedichte. Neuwied und Berlin-Spandau 1962; Gedichte 1932–1964. Neuwied und Berlin-Spandau 1965. Zeichen um Zeichen. Gedichte 1968; Schein und Gegenschein. Hundertdruck mit drei Graphiken von E. Schumacher. Duisburg 1969. – *Hörspiele:* Schieferfarbene Wasser; Winterfabel; Das Glück. – *Schauspiel:* Ein Haus für meine Kinder. Uraufführung am Hess. Staatstheater Wiesbaden im Frühjahr 1966.
›Wirkliche Tafel‹ aus ›Gedichte 1932–1964‹. Mit Genehmigung des Luchterhand Verlages, Neuwied und Berlin-Spandau.

FRANZ MON

Geb. 1926 in Frankfurt a. M., Studium der Germanistik, Geschichte, Philosophie, Verlagslektor in Frankfurt a. M. – Teilnahme an der Ausstellung »Schrift und Bild«, Amsterdam, Baden-Baden, Basel, Brüssel 1963.
Lyrik, Essay, Hörspiel: artikulationen. Gedichte und Essays. Pfullingen 1959; protokoll an der kette. 14 Gedichte mit 6 Lithographien und 14 Zeichnungen von Bernard Schultze. Galerie der Spiegel, Köln 1960/61; verläufe. Mit Lithographien von Karl Otto Götz. Galerie Müller, Stuttgart 1962; spiel hölle, ein Hör-Spiel. In: Akzente, Jg. 1962, H. 1. sehgänge. Berlin 1964; rückblick auf isaak newton. Mit einer Lichtgrafik von Hajo Bleckert. Köln 1965; das gras wies wächst. Hörspiel 1969. – *Prosa:* Lesebuch. Neuwied 1967. Herzzero. Neuwied 1967; Ainmal das Alphabet gebrauchen. Stuttgart 1963. – *Herausgeber:* Movens. Dokumente und Analysen zur Dichtung, bildenden Kunst, Musik, Architektur (in Zusammenarbeit mit Walter Höllerer und Manfred de la Motte). Wiesbaden 1960.
›geschnürter wind‹ aus ›artikulationen‹. Mit Genehmigung des Neske Verlages, Pfullingen.

HEINZ PIONTEK

Geb. 1925 in Kreuzberg/Oberschlesien. Seit Kriegsende in Bayern ansässig, wohnt in München. Freier Schriftsteller.
Lyrik: Die Furt. 1952; Die Rauchfahne. 1953; Wassermarken. Eßlingen

1957; Mit einer Kranichfeder. Stuttgart 1962; Klartext. Hamburg 1966. – *Prosa, Essays:* Vor Augen. 1955; Kastanien aus dem Feuer. Erzählungen. Stuttgart 1963; Windrichtungen. Reisebilder. Stuttgart 1963. Buchstab – Zauberstab. Über Dichter und Dichtung. Eßlingen 1959; Die mittleren Jahre. Roman. Hamburg 1967; Liebeserklärungen. Prosa. Hamburg 1969. – *Übersetzung:* John Keats, Gedichte. Wiesbaden 1960. – *Hörspiele.* – *Herausgeber:* Neue deutsche Erzählgedichte. Anthologie. Stuttgart 1964; Augenblicke unterwegs. Deutsche Reiseprosa unserer Zeit. Hamburg 1968.

›Mit einer Kranichfeder‹ aus dem gleichnamigen Lyrikband. Mit Genehmigung der Deutschen Verlags-Anstalt, Stuttgart.

HEINZ POLITZER

Geb. 1910 in Wien. Kindheit in Wien. Studium der deutschen und englischen Philologie in Wien und Prag. Dann Jerusalem. Seit 1947 in den USA. Promotion, Bryn Mawr College, Pennsylvania. Ord. Professor für deutsche Literatur an der University of California, Berkeley.
Veröffentlichungen in deutscher Sprache: Die gläserne Kathedrale. Gedichte 1959. Franz Kafka, der Künstler. Frankfurt 1965; Das Schweigen der Sirenen. Studien zur deutschen und österreichischen Literatur. Stuttgart 1968. – Zahlreiche Artikel in literarischen und Fachzeitschriften über Brecht, Camus, Hofmannsthal, Kafka, Th. Mann u. a. – *Übertragungen* von Gedichten in Zeitschriften und Anthologien. – *Herausgeber* (mit Einleitung bzw. Nachwort): Franz Kafka, Vor dem Gesetz. 1934; Franz Kafka, Gesammelte Schriften (Mitherausgeber). Schocken Verlag 1935; Amerika erzählt. Fischer Bücherei 1958; Johann Nestroy, Des wüsten Lebens flüchtger Reiz. Wiesbaden 1961; Arthur Schnitzler, Leutnant Gustl. Frankfurt 1962; Samuel Taylor Coleridge, Der alte Seefahrer. Frankfurt 1963; Grillparzer über sich selbst. Aus den Tagebüchern. Frankfurt 1965; Das Kafka Buch. Eine innere Biographie in Selbstzeugnissen. Frankfurt 1965.

WOLFDIETRICH RASCH

Geb. 1903 in Breslau. Studierte insbesondere bei Julius Petersen in Berlin und Rudolf Unger in Breslau. Promovierte 1927 in Breslau, 1933 Habilitation in Halle. 1940 Lehrstuhl für neuere deutsche Literaturgeschichte an der Universität Würzburg. 1958 Ordinarius für neuere deutsche Literaturgeschichte an der Universität Münster.
Selbständige Veröffentlichungen: Freundschaftskult und Freundschaftsdichtung im deutschen Schrifttum des 18. Jahrhunderts. Halle 1936; Goethes Torquato Tasso. Die Tragödie des Dichters. Stuttgart 1954; Die Erzählweise Jean Pauls. München 1961; Zur deutschen Literatur seit der Jahrhundertwende. Ges. Aufsätze. Stutgart 1967. – *Aufsätze* zur deutschen Literaturgeschichte, insbesondere zur Literatur um 1900. Interpretationen von Musils Roman ›Der Mann ohne Eigenschaften‹ und von Gedichten Ingeborg Bachmanns. – *Herausgeber* der Werke Eichendorffs und der Kritischen Schriften Friedrich Schlegels. 1955/56.

CHRISTA REINIG

Geb. 1926 in Berlin, studierte Kunstgeschichte und christliche Archäologie an der Humboldt-Universität Berlin, arbeitete dann im Märkischen Museum und lebt seit 1964 in München als freie Schriftstellerin. 1965/66 als Stipendiatin in der Villa Massimo in Rom.

Lyrik: Die Steine von Finisterre. Stierstadt (Ts.) 1960; Gedichte. Frankfurt 1963; Schwabinger Marterln. Stierstadt (Ts.) 1967; Schwalbe von Olerano. Stierstadt (Ts.) 1969. – *Prosa:* Der Traum meiner Verkommenheit. Berlin 1961; Drei Schiffe. Frankfurt 1965. Orion trat aus dem Haus. Neue Sternbilder. Stierstadt (Ts.) 1968. – *Herausgeberin:* Droste-Hülshoff, Gedichte. Frankfurt 1969.
›Robinson‹ aus ›Gedichte‹. Mit Genehmigung des S. Fischer Verlages, Frankfurt.

JOACHIM ROCHOW

Geb. 1938 in Hannover, lebte seit 1951 in Krefeld. Besuch des Neusprachlichen Gymnasiums bis zur Unterprima. Berufliche Experimente, zuletzt Tätigkeit in der Stadtbibliothek. Vorträge an Volkshochschulen. – Als Tramp durch Jugoslawien und Griechenland, durch Kleinasien und den Vorderen Orient. – In Köln, wo er nach einer Sonderbegabtenprüfung das Studium am Bibliothekarslehrinstitut begonnen hatte, im Mai 1966 tödlich verunglückt.
Lyrik: Der leise Krieg. Gedichte aus dem Nachlaß, herausgegeben von Hilde Domin. Andernach 1968.
›Abends‹, aus dem Manuskript. Mit Genehmigung des Autors.

WERNER ROSS

Geb. 1912 in Krefeld-Uerdingen. Studium der Germanistik und Romanistik in Bonn. Schüler und Assistent von Ernst Robert Curtius, bei diesem promoviert mit einer Arbeit über das Bild der römischen Kaiserzeit in der französischen Literatur des 19. Jahrhunderts. Nach Staatsexamen und Promotion neun Jahre in Italien: als Austauschstudent in Genua, als Lektor in Pisa und Florenz, zuletzt als Dolmetscher. – Nach dem Krieg Studienrat in Bonn, gleichzeitig Universitätslektor für Italienisch. Von 1957 bis 1964 Leiter der deutschen Schule in Rom; seitdem Direktor des Goethe-Instituts, München. – »Schreiben als lustvolle Nebentätigkeit«.
Beiträge u. a. in der ›Frankfurter Allgemeinen Zeitung‹, der ›Neuen Zürcher Zeitung‹, der ›Süddeutschen Zeitung‹, in ›Hochland‹, ›Merkur‹, ›Rheinischer Merkur‹, ›Wort und Wahrheit‹ und ›Zeit‹. – *Wissenschaftliche Aufsätze* in der ›Germanisch-Romanischen Monatsschrift‹, den ›Romanischen Forschungen‹, ›Herrigs Archiv‹, ›Zeitschrift für französische Sprache und Literatur‹, ›Wirkendes Wort‹ und ›Deutschunterricht‹. – *Übersetzungen* italienischer Liebeslyrik und von: Benedetto Croce, Goethe.

PETER RÜHMKORF

Geb. 1929 in Dortmund, Oberschule in Stade, Studium der Literaturwissenschaften und der Psychologie in Hamburg. Von 1958 bis 1966 Verlagslektor in Hamburg.
Dichtungen: Heiße Lyrik (mit Werner Riegel). Wiesbaden 1956; Irdisches Vergnügen in g. Hamburg 1959; Kunststücke – 50 Gedichte nebst einer Anleitung zum Widerspruch. Reinbek 1962. – *Schauspiel:* Was heißt hier Volsinii, Reinbek 1969. – *Monographie:* Wolfgang Borchert. Hamburg 1959. – *Herausgeber:* Wolfgang Borchert, Die traurigen Geranien. Reinbek 1962; Über das Volksvermögen. Exkurse in den literarischen Untergrund. Reinbek 1967. Klopstock, Gedichte. Frankfurt 1969.

›Auf eine Weise des Joseph Freiherrn von Eichendorff‹ aus ›Kunststücke‹.
Mit Genehmigung des Autors.

NELLY SACHS

Geb. 1891 in Berlin. »Mein höchster Wunsch schon als Kind war: Tänzerin zu werden. Darum sind auch alle die tänzerischen und Musikgedichte am meisten charakteristisch für meine Jugendzeit.« – Erste Gedichte mit 17 Jahren. Verbindung mit Selma Lagerlöf. 1940 Befehl zur Gestellung in einem Arbeitsdienstlager. Ihre Rettung nach Schweden (Juni 1940) verdankt sie Selma Lagerlöf. Lebt seither in Stockholm. – Erste Reise nach Deutschland 1960 zur Annahme des Droste-Preises in Meersburg. Zweite Deutschlandreise 1965 zur Annahme des Friedenspreises des Deutschen Buchhandels. Nobelpreis 1966.
Gedichtveröffentlichungen vor dem Krieg in ›Vossische Zeitung‹ 1929, ›Berliner Tageblatt‹ 1933, Die ›Jugend‹, München 1933 und in jüdischen Zeitschriften in Berlin und München 1936–1938. Erste Buchveröffentlichungen. Legenden und Erzählungen. Berlin 1921 (Widmungsexemplar erhalten in Selma Lagerlöfs Bibliothek auf Marbacka); Puppen- und Marionettenspiele.
Lyrik: In den Wohnungen des Todes (Zeichnungen Rudi Stern). Berlin-Ost 1947; Sternverdunkelung. Amsterdam 1949; Und niemand weiß weiter. Hamburg und München 1957; Flucht und Verwandlung. Stuttgart 1959; Fahrt ins Staublose. Frankfurt 1961; Ausgewählte Gedichte (Nachwort von H. M. Enzensberger). Frankfurt 1963; Glühende Rätsel. Frankfurt 1965. Die Suchenden. Frankfurt 1966. – *Legenden, Erzählungen, Spiele:* Zeichen im Sand. Die szenischen Dichtungen. Frankfurt 1962. – *Übersetzungen aus dem Schwedischen:* Von Welle und Granit. Querschnitt durch die schwedische Lyrik des 20. Jahrhunderts. Berlin-Ost 1947; Aber auch diese Sonne ist heimatlos. Schwedische Lyrik der Gegenwart. Darmstadt 1956; Johannes Edfelt, Der Schattenfischer. Ausgewählte Gedichte. Düsseldorf und Darmstadt 1958; Gunnar Ekelöf, Poesie. Schwedisch und deutsch. Frankfurt 1962; Erik Lindgren, Weil unser einziges Nest unsere Flügel sind. Schwedisch und deutsch. Neuwied und Berlin-Spandau 1963.
›In der Flucht‹ aus ›Flucht und Verwandlung‹. Mit Genehmigung der Deutschen Verlags-Anstalt, Stuttgart.

KLAUS-DIETER SCHLÜER

Geb. 1931 in Bielefeld. Humanistisches Gymnasium, Bielefeld. Studierte Germanistik, Theologie, Philosophie und Pädagogik in Münster, Tübingen und Göttingen. 1958 Staatsexamen in Germanistik und Theologie. Seit 1960 Assistententätigkeit an den Universitäten Göttingen und Erlangen.

WOLFDIETRICH SCHNURRE

Geb. 1920 in Frankfurt a. M. Sozialistische Volksschule. Humanistisches Gymnasium, Berlin. 1939–1945 Soldat. 1946, nach Berlin zurückgekehrt, begann er zu schreiben. 1946–1949 Film- und Theaterkritiker an Rudolf Pechels ›Deutscher Rundschau‹. Mitbegründer der Gruppe 47. Seit 1950 freier Schriftsteller. Lebt in Berlin.
Gedichte: Kassiber. Frankfurt 1956; Abendländer. Satirische Gedichte. München 1957; Kassiber. Neue Gedichte. Formel und Dechiffrierung. Frankfurt

1964. – *Prosa:* Die Rohrdrommel ruft jeden Tag. Erzählungen. Witten und Berlin 1950; Sternstaub und Sänfte. Aufzeichnungen des Pudels Ali. Berlin 1951; Die Blumen des Herrn Albin. Aus dem Tagebuch eines Sanftmütigen. Frankfurt 1955; Protest im Parterre. Fabeln. München 1957; Eine Rechnung, die nicht aufgeht. Erzählungen. Olten und Freiburg 1958; Als Vaters Bart noch rot war. Roman in Geschichten. Zürich 1958; Barfußgeschöpfe, München 1958; Steppenkopp. Erzählung. Stierstadt (Ts) 1958; Das Los unserer Stadt. Eine Chronik. Olten und Freiburg 1959; Man sollte dagegen sein. Geschichten. Olten und Freiburg 1960; Die Flucht nach Ägypten. Geschichten. Zürich 1961; Jenö war mein Freund. Frankfurt 1961; Ein Fall für Herrn Schmidt. Erzählungen. Mit einem autobiographischen Nachwort. Stuttgart 1962; Die Mauer des 13. August. Berlin 1962; Berlin – Eine Stadt wird geteilt. Bilddokumentation. Olten und Freiburg 1962; Funke im Reisig. Erzählungen. Olten und Freiburg 1963; Schreibtisch unter freiem Himmel. Aufsätze 1946–1964. Olten und Freiburg 1964; Ohne Einsatz kein Spiel. Heitere Geschichten. Olten und Freiburg 1964. Die Erzählungen. Olten und Freiburg 1966; Freundschaft mit Adam. Baden-Baden 1966; Was ich für mein Leben gern tue. Hand- und Fußnoten. Neuwied 1967; Die Zwengel. Baden-Baden 1967; Eine schöne Bescherung. Recklinghausen 1967. Rapport des Verschonten. Zürich 1968. – *Hörspiele und andere:* Das Schwein, das zurückkam. Zürich 1967. Kranichzug. München 1966. ›Damals‹ aus ›Kassiber. Neue Gedichte. Formel und Dechiffrierung‹. Mit Genehmigung des Suhrkamp Verlages, Frankfurt a. M.

WULF SEGEBRECHT

Geb. 1935 bei Berlin. Assistent an der Universität Münster. Wissenschaftlicher Mitarbeiter der Schiller-Nationalausgabe. Arbeiten über J. Chr. Sachse, E. T. A. Hoffmann, Th. Mann. – Literaturkritik in Zeitschriften.

FRITZ USINGER

Geb. 1895 in Friedberg (Hessen). Studierte deutsche und französische Philologie und Philosophie in München, Heidelberg und Gießen. Lehrtätigkeit. Seit 1949 pensioniert, lebt wieder in Friedberg.
Lyrik: Das Wort. Darmstadt 1931; Die Stimmen. Darmstadt 1934; Die Geheimnisse. Darmstadt 1937; Hermes. Darmstadt 1942; Das Glück. Darmstadt 1947; Niemandsgesang. Offenbach a. M. 1957; Der Stern Vergeblichkeit. München 1962; Pentagramm. Wiesbaden 1965. – *Essays:* Geist und Gestalt. Darmstadt 1939; Medusa. Dessau 1940; Das Wirkliche. Darmstadt 1947; Welt ohne Klassik. Darmstadt 1960; E. W. Nay. Recklinghausen 1961; Tellurische und planetarische Dichtung. Wiesbaden 1963; Gesichter und Gesichte. Darmstadt 1965; Das Ungeheuer Sprache. Darmstadt 1965; Die dichterische Welt Hans Arps. Wiesbaden 1965. *Übertragungen* französischer Lyrik (Mallarmé und Apollinaire).

BENNO V. WIESE

Geb. 1903 in Frankfurt a. M. Studierte in Leipzig, Wien und Heidelberg Philosophie, Germanistik und Soziologie, promovierte 1927 bei Karl Jaspers über ›Friedrich Schlegel, ein Beitrag zum Problem der romantischen Konversionen‹. Habilitation 1929 in Bonn für deutsche Literaturgeschichte. 1932–1943 Professor in Erlangen, 1943–1957 in Münster, seit 1957 Ordi-

narius in Bonn. – 1954 Gastprofessor an der Indiana University, Blooming-
ton, USA; 1955/56 in Princeton, New Jersey.
Selbständige Veröffentlichungen: Die deutsche Tragödie von Lessing bis
Hebbel. 2Bde. Hamburg 1948; Eduard Mörike. Tübingen/Stuttgart 1950;
Die deutsche Novelle von Goethe bis Kafka. Interpretationen. 1. Bd. Düsseldorf 1956, 2. Bd. 1962; Der Mensch in der Dichtung. Studien zur
deutschen und europäischen Literatur. Düsseldorf 1958; Friedrich Schiller.
Stuttgart 1959; Zwischen Utopie und Wirklichkeit. Studien zur deutschen
Literatur. Düsseldorf 1962. Darin: Die deutsche Lyrik der Gegenwart
(zuerst in: Deutsche Literatur in unserer Zeit. Göttingen 1959). – *Heraus-
geber:* Echtermeyer, Deutsche Gedichte von den Anfängen bis zur Gegenwart. Neugestaltet von B. v. W. Düsseldorf 1954; Die deutsche Lyrik. Form
und Geschichte. Interpretationen. 2 Bde. Düsseldorf 1956 (Bd. 1: Vom
Mittelalter bis zur Frühromantik, Bd. 2: Von der Frühromantik bis zur
Gegenwart); Die deutsche Literatur, Bd. VI: 19. Jahrhundert. Texte und
Zeugnisse. München 1965.

WOLF WONDRATSCHEK

Geb. 1943 in Rudolstadt/Thüringen. Seit 1962 Studium der Literaturwissenschaft und Philosophie in Heidelberg, Göttingen und Frankfurt a. M. Redakteur der Literaturzeitschrift ›Text + Kritik‹ von 1964 bis 1966.
Veröffentlichungen: Früher begann der Tag mit einer Schußwunde. Prosa.
München 1969. Außerdem in Zeitschriften, Anthologien und im Rundfunk.

DIETER E. ZIMMER

Geb. 1934 in Berlin, studierte Germanistik und Anglistik, seit 1959 Redakteur der ›Zeit‹.
Veröffentlichungen: Essays. – *Herausgeber:* Mein Gedicht. Wiesbaden 1961;
Mitherausgeber des Hochschulführer. Hamburg 1964. – *Übersetzungen* aus
dem Englischen (Vladimir Nabokov).

ERNST ZINN

Geb. 1910 in Berlin, Studium der Klassischen Philologie, Archäologie und
Germanistik in Freiburg i. Br., Kiel, Heidelberg und München; Dr. phil.
1936 München; Staatsexamen. 1938 Assistent am Institut für Altertums-
kunde der Universität Berlin; Habilitation in Berlin Anfang 1945; Privatdozent für Klassische Philologie an der Universität Hamburg 1945–1951;
ord. Professor für Klassische Philologie, mit Berücksichtigung vergleichender
Literaturgeschichte, in Saarbrücken 1951–1955; seit 1956 in Tübingen.
Veröffentlichungen: Aufsätze in Fachzeitschriften. – *Herausgeber:* R. M.
Rilke, Ausgewählte Werke. 2 Bde. Leipzig 1938; ders., Sämtliche Werke,
bisher 5 Bde. Wiesbaden und Frankfurt 1955 ff.; Hofmannsthal, Der Tor
und der Tod. Faksimile der Handschrift. Hamburg 1949; ders., Buch der
Freunde. Frankfurt 1965; Mitherausgeber von Rudolf Borchardt, Gesammelte Werke in Einzelbänden. Stuttgart (Übertragungen 1958, Prosa II
1959, Prosa III 1960, Dramen 1962).

»*Hilde Domin in ihrer federnden Präzision und dem maskenabreißenden Willen zum Lied für eine bessere Welt*«.

Robert Minder, »*Süddeutsche Zeitung*«

Von Hilde Domin erschien:

LYRIK	NUR EINE ROSE ALS STÜTZE. *S. Fischer, 1959, 6. Auflage, 12. Tsd.* RÜCKKEHR DER SCHIFFE. *S. Fischer, 1962, 8. Tsd. 1974* HIER. *S. Fischer, 1964, 6. Tsd. 1967* ICH WILL DICH. *Piper, 1970, 2. Aufl. 1973* HÖHLENBILDER. Hundertdruck mit Originalgraphiken von Heinz Mack. *Hildebrandt, Duisburg, 1968* *(vergriffen)*
PROSA	DAS ZWEITE PARADIES. *Piper, 1968, 5. Tsd.* VON DER NATUR NICHT VORGESEHEN. Autobiographisches. *Serie Piper, 2. Aufl. 1974* DIE ANDALUSISCHE KATZE. *Eremiten, 1971* *(vergriffen)*
THEORIE	WOZU LYRIK HEUTE. Dichter und Leser in der gesteuerten Gesellschaft. *Piper paperback 1968, 3. Aufl. 1975* »*Der große Beitrag von Hilde Domin*«, Robert Minder (*Wozu Literatur, 1971, S. 160*)
HERAUSGABEN	DOPPELINTERPRETATIONEN. Das zeitgenössische deutsche Gedicht zwischen Autor und Leser. *Fischer-Taschenbuch 1060* *Gesamtauflage 50.000* NACHKRIEG UND UNFRIEDEN. Gedichte als Index 1945-1970. Sammlung Luchterhand, 15. Tsd.
TASCHENBUCH	SPANIEN ERZÄHLT Sechsundzwanzig Erzählungen *Fischer-Taschenbuch 1799* *Gesamtauflage 70.000*

»*Eine Lyrikerin, deren Werk zu den gültigen der gegenwärtigen deutschen Literatur gehört*«. Käte Hamburger, *Poetica 1970*